O caçador de pipas

Khaled Hosseini

O caçador de pipas

Tradução: Claudio Carina

GLOBOLIVROS

Copyright © 2013 by Editora Globo S.A. para a presente edição
Copyright © 2003 by TKR Publications, LLC

Todos os direitos reservados. Nenhuma parte desta edição pode ser utilizada ou reproduzida — por qualquer meio ou forma, seja mecânico ou eletrônico, fotocópia, gravação etc. — nem apropriada ou estocada em sistema de banco de dados sem a expressa autorização da editora.

Texto fixado conforme as regras do Novo Acordo Ortográfico da Língua Portuguesa (Decreto Legislativo nº 54, de 1995)

Título original: *The kite runner*

Editora responsável: Carla Fortino
Editora assistente: Sarah Czapski Simoni
Preparação de texto: Laila Guilherme
Revisão: Jane Pessoa
Paginação: Eduardo Amaral
Capa: Victor Burton
Foto de capa: Miguel Villagran/Getty Images
Foto da orelha: Elena Seibert

1ª edição, 2013 – 15ª reimpressão, 2025

CIP-BRASIL. CATALOGAÇÃO NA PUBLICAÇÃO
SINDICATO NACIONAL DOS EDITORES DE LIVROS, RJ

H696c
Hosseini, Khaled, 1965-
O caçador de pipas / Khaled Hosseini ; tradução Claudio Carina.
São Paulo : Globo Livros, 2013.
352 p. ; 23 cm.

Tradução de: The kite runner
ISBN 978-85-250-5420-3

1. Afeganistão - Ficção. 2. Ficção americana. I. Carina, Claudio. II. Título.
13-05366   CDD: 813
                            CDU: 821.134.3(81)-3
20/09/2013 23/09/2013

Direitos de edição em língua portuguesa para o Brasil
adquiridos por Editora Globo S.A.
Rua Marquês de Pombal, 25 – 20230-240 – Rio de Janeiro – RJ – Brasil
www.globolivros.com.br

*Este livro é dedicado a Haris e Farah,
as* noor *dos meus olhos, e às crianças do Afeganistão.*

Prefácio para a edição de 10º aniversário

Quando comecei a escrever *O caçador de pipas*, em março de 2001, foi para contar a mim mesmo uma história que tinha fincado raízes na minha mente sobre dois garotos: um em conflito, com bases morais e emocionais incertas; o outro puro, leal, enraizado na bondade e na integridade. Eu sabia que a amizade desses garotos estava condenada, que a desavença impactaria a vida dos dois de maneira profunda. O como e o porquê foram a razão, a compulsão, que me conduziram. Sabia que precisava escrever *O caçador de pipas*, mas pensei que estava escrevendo para mim mesmo.

Você pode imaginar o meu espanto, então, com a recepção que o livro teve em todo o mundo desde sua publicação. É surpreendente que eu receba cartas da Índia, da África do Sul, de Tel Aviv, de Sydney, de Londres, de Arkansas; de leitores expressando seu envolvimento emocional. Muitos querem mandar dinheiro para o Afeganistão; alguns desejam até adotar um órfão afegão. Nessas cartas, vejo a capacidade única que a ficção tem de ligar as pessoas e como algumas experiências humanas são universais: vergonha, culpa, remorso, amizade, amor, perdão, reparação.

Minha infância e a de Amir espelham-se de muitas maneiras, por isso há muito sei como a vida pode influenciar e moldar a ficção, mas desde a conclusão de *O caçador de pipas* me tornei ainda mais consciente, talvez, de como a ficção pode afetar a vida — dos leitores e até mesmo de seu autor.

Em março de 2003, com o romance em revisão final para produção, voltei a Cabul pela primeira vez em vinte e sete anos. Embora os primeiros dois terços de O caçador de pipas tenham sido influenciados pelas experiências da minha família, primeiro no Afeganistão e depois na Califórnia, eu tinha escrito sobre esse retorno do meu protagonista a sua casa no Afeganistão antes mesmo de ter feito a viagem. Quando saí do Afeganistão, eu era um garoto de onze anos, de físico franzino, que cursava a sétima série; agora voltava como um médico de trinta e oito anos, escritor, marido e pai de dois filhos.

Dentro desse contexto incomum, minha estada de duas semanas em Cabul realmente ganhou uma característica surreal, pois todos os dias eu via lugares e coisas que já vira mentalmente, com os olhos de Amir. Alguns trechos de O caçador de pipas me acorreram, quando pensamentos de Amir de repente se tornaram meus: "A afinidade que subitamente sentia pela minha terra... me surpreendeu [...]. Achei que tivesse esquecido essa terra. Mas não tinha [...]. Talvez o Afeganistão também não tivesse me esquecido". O velho adágio que diz que você escreve sobre o que viveu. Eu ia viver algo sobre o que já escrevera.

Logo, a linha que separava as lembranças de Amir das minhas começou a se tornar difusa. Amir havia saído das minhas lembranças nas páginas de O caçador de pipas, e agora estranhamente eu me encontrava vivendo as lembranças dele.

Mas talvez em nenhum lugar a ficção e a vida tenham colidido de maneira tão estonteante como quando encontrei a velha casa do meu pai em Wazir Akbar Khan, a casa onde cresci, do mesmo modo que Amir redescobriu a velha casa de seu *baba* no mesmo bairro. Foram três dias de busca — eu não tinha o endereço, e o bairro havia mudado drasticamente —, mas continuei procurando até localizar o conhecido arco sobre os portões.

Consegui entrar na minha antiga casa — os soldados de Panjshir que moravam lá foram corteses e me permitiram essa turnê nostálgica. Descobri que, assim como na casa da infância de Amir, a pintura havia esmaecido, a grama estava amarelada, as árvores não mais existiam e as paredes estavam caindo aos pedaços. Fiquei chocado com o quanto na realidade a casa era menor do que a versão que durante tanto tempo vivera em minhas lembranças. E — juro que é verdade — quando passei pelos portões da frente vi uma prancha de Rorschach: uma mancha de óleo na entrada de carros, como Amir tinha visto na entrada de carros do pai. Enquanto agradecia e me despedia dos soldados, percebi algo mais: o impacto emocional de descobrir a casa do meu pai teria sido ainda mais intenso se eu não tivesse escrito *O caçador de pipas*. Afinal, eu já havia passado por aquilo. Estive ao lado de Amir diante dos portões da casa dele, senti a perda dele. Vi quando pôs as mãos nas grades enferrujadas de ferro batido, observamos juntos o telhado quase caindo e os degraus da entrada esfarelando. O fato de ter escrito aquela cena tirou um pouco do impacto da minha própria experiência. Digamos que foi a Arte roubando o alarido da Vida.

Dez anos se passaram desde a publicação de *O caçador de pipas*. Continuo amando este livro. Da mesma maneira que você amaria um filho encrenqueiro, desajeitado, rebelde, deselegante, mas essencialmente bom e de coração grande. E continuo surpreso com a recepção mundial nesses dez anos desde a publicação. Como escritor, fico emocionado quando leitores reagem à história, às idas e vindas da trama, dos personagens, com o perturbado Amir, carregado de culpas, com o destino fatal do puro e desafortunado Hassan. Como afegão, sinto-me honrado quando leitores me dizem que este livro ajudou a tornar o Afeganistão um lugar real para eles. Que o país deixou de ser apenas as cavernas de Tora Bora, os campos de papoula e Bin Laden. É muita honra quando os leitores me dizem que este romance ajudou a dar uma face pessoal no Afeganistão, que agora não veem meu país natal apenas como mais uma nação infeliz, aflita e cronicamente problemática. Espero que isso também seja verdade para você.

Agradeço, como sempre, por seu apoio e seu estímulo.

Khaled Hosseini

Um

Dezembro de 2001

Eu me tornei o que sou hoje aos doze anos, num dia gelado e encoberto do inverno de 1975. Lembro-me do momento exato, agachado atrás de uma decrépita parede de barro, espiando uma ruela perto de um riacho congelado. Já faz muito tempo, mas aprendi que o que dizem sobre o passado poder ser enterrado é um equívoco. Pois o passado abre caminho com unhas e dentes. Olhando para trás agora, percebo que estive espreitando aquela ruela deserta durante os últimos vinte e seis anos.

Em um dia do verão passado, meu amigo Rahim Khan me telefonou do Paquistão, pedindo para ir visitá-lo. Na cozinha, com o fone no ouvido, eu sabia que não era apenas Rahim Khan na linha. Era o meu passado de pecados não resolvidos. Quando desliguei, saí para fazer uma caminhada pelo lago Spreckels, no lado norte do Golden Gate Park. O sol do início da tarde cintilava na água enquanto dezenas de barcos em miniatura navegavam, propelidos por uma brisa encrespada. Olhei para cima e vi duas pipas vermelhas, com longas caudas azuis, planando nos céus. Dançavam bem acima das árvores na orla oeste do parque, sobre os moinhos, flutuando lado a lado como dois olhos observando San Francisco, a cidade que agora era o meu lar. E de repente a voz de Hassan sussurrou na minha cabeça: *Por você, faria mil vezes*. Hassan, o caçador de pipas de lábio leporino.

Sentei num banco do parque perto de um salgueiro. Pensei em algo que Rahim Khan dissera pouco antes de desligar, quase como uma reflexão de última hora. *Existe um jeito de ser bom outra vez.* Olhei novamente para aquelas duas pipas gêmeas. Pensei em Hassan. Pensei em *baba*. Em Ali. Em Cabul. Pensei na vida que tive até aquele inverno de 1975 ter mudado tudo. E ter me tornado o que sou hoje.

Dois

QUANDO ÉRAMOS CRIANÇAS, Hassan e eu costumávamos subir nos álamos da entrada da garagem da casa do meu pai e aborrecer os vizinhos refletindo a luz do sol na casa deles com cacos de espelho. Ficávamos sentados um em frente ao outro em dois galhos altos, balançando os pés, os bolsos cheios de amoras e nozes. O espelho trocava de mãos enquanto comíamos, atirando amoras um no outro, rindo, gargalhando. Ainda consigo ver Hassan em cima daquela árvore, a luz do sol passando pelas folhas e tremulando em seu rosto quase perfeitamente redondo, como o de um boneco chinês entalhado em madeira: o nariz largo e achatado, os olhos estreitos e amendoados como folhas de bambu, olhos que pareciam, dependendo da luz, dourados, verdes, até cor de safira. Ainda posso ver suas orelhas baixas e a ponta do queixo, um apêndice carnudo que parecia ter sido acrescentado no último momento. E o lábio fendido, um pouco à esquerda do meio, onde o instrumento do fabricante do boneco chinês pode ter resvalado, ou talvez ele estivesse simplesmente cansado e se descuidou.

Às vezes, no alto daquelas árvores, eu convencia Hassan a atirar nozes com seu estilingue no pastor-alemão caolho do vizinho. Hassan nunca queria fazer isso, mas se eu pedisse, se *insistisse*, ele não me negava. Hassan nunca me negava nada. E ele era mortífero no estilingue. O pai de Hassan, Ali, ficava furioso quando nos pegava fazendo aquilo, ou tão furioso quanto alguém bondoso como Ali conseguia ficar. De dedo em riste, nos mandava descer da árvore. Pegava o nosso espelho e dizia o que a mãe dele lhe dissera que o diabo também refletia espelhos, para distrair os muçulmanos durante a oração.

— E ele ri quando faz isso — sempre acrescentava, bronqueando com o filho.

— Sim, pai — murmurava Hassan, olhando para os pés. Mas ele nunca me entregou. Nunca disse que o espelho, assim como atirar nozes no cachorro do vizinho, era sempre ideia minha.

Os álamos se alinhavam pela entrada de tijolos vermelhos, que levava a dois portões de ferro batido. Os portões se abriam para a extensão da entrada da casa do meu pai. A parte de trás da casa ficava do lado esquerdo do caminho de tijolos.

Todos concordavam que meu pai, meu *baba*, havia construído a casa mais bonita de Wazir Akbar Khan, um novo e opulento bairro na zona norte de Cabul. Alguns achavam que era a casa mais bonita de Cabul. Uma larga entrada flanqueada por roseiras levava a uma casa espaçosa com pisos de mármore e janelas grandes. Um intrincado mosaico de lajotas, escolhidas a dedo por *baba* em Isfahan, revestia o piso dos quatro banheiros. Tapeçarias com brocados dourados, que *baba* comprara em Calcutá, forravam as paredes; um lustre de cristal pendia do teto arqueado.

O meu quarto ficava no andar de cima, assim como o quarto e o escritório de *baba*, também conhecido como "salão de fumar", que sempre cheirava a tabaco e canela. *Baba* e seus amigos se recostavam lá nas poltronas pretas de couro depois que Ali servia o jantar. Enchiam seus cachimbos — só que *baba* sempre chamava de "engordar o cachimbo" — e discutiam seus três tópicos favoritos: política, negócios e futebol. Às vezes eu perguntava a *baba* se podia ficar com eles, mas *baba* se postava na soleira da porta.

— Agora pode sair — dizia. — Isso é uma reunião de adultos. Por que não vai ler um dos seus livros? — E fechava a porta, me deixando ali matutando por que era *sempre* um momento de adultos para ele. Eu sentava perto da porta, os joelhos encolhidos no peito. Às vezes ficava lá por uma hora, às vezes duas, ouvindo as risadas deles, as conversas.

A sala no andar térreo tinha uma parede curva com armários feitos sob medida. Dentro havia fotos de família: uma fotografia antiga e granulada do meu avô com o rei Nadir Shah tirada em 1931, dois anos antes de o rei ser assassinado; os dois estão ao lado de um veado morto, usando botas até os joelhos, uma espingarda pendurada nos ombros. Havia uma foto da noite do casamento dos meus pais, *baba* todo elegante em seu terno preto e minha mãe sorrindo como uma jovem princesa de branco. Lá estavam também *baba* com seu melhor amigo e sócio nos negócios, Rahim Khan, na frente da nossa casa, nenhum dos dois sorrindo — eu sou um bebê nessa foto, e *baba* está comigo no colo, parecendo triste e cansado. Estou nos braços dele, mas é o mindinho de Rahim que estou segurando.

A parede curva levava à sala de jantar, em cujo centro havia uma mesa de mogno que podia acomodar facilmente trinta convidados — e, em vista do gosto do meu pai por festas extravagantes, era o que acontecia quase toda semana. No outro lado da sala de jantar havia uma lareira de mármore, sempre iluminada pelo brilho alaranjado do fogo durante o inverno.

Uma grande porta de vidro de correr se abria para um terraço semicircular que dava para dois acres de quintal e fileiras de cerejeiras. *Baba* e Ali haviam plantado uma pequena horta ao longo da parede do leste: tomate, hortelã, pimenta e uns pés de milho que na verdade nunca pegaram. Hassan e eu a chamávamos de "Muro do Milho Doente".

Na ponta sul do jardim, sob a sombra de uma ameixeira, ficava a casa dos empregados, um modesto casebre de taipa onde Hassan morava com o pai.

Fora ali, naquela pequena choupana, que Hassan nascera no inverno de 1964, um ano depois de minha mãe ter morrido ao me dar à luz.

Nos dezoito anos em que morei naquela casa, só entrei no casebre de Ali umas poucas vezes. Quando o sol se punha atrás das colinas e encerrávamos as brincadeiras do dia, Hassan e eu nos separávamos. Eu atravessava as roseiras na direção da mansão de *baba*, Hassan ia para a casa de taipa onde nascera, onde tinha morado a vida inteira. Lembro que era uma casa singela, iluminada por dois lampiões de querosene. Havia um colchão em cada extremidade do quarto, um antigo tapete Herati desfiado no centro, um banco de três pernas e uma mesa de madeira no canto, onde Hassan fazia seus desenhos. As paredes eram nuas, a não ser por uma única tapeçaria com miçangas bordadas formando a palavra *Allah-u-akbar*, que *baba* trouxera de presente para Ali de uma de suas viagens a Mashad.

Fora naquela pequena cabana que a mãe dele, Sanaubar, dera à luz Hassan, num dia gelado do inverno de 1964. Enquanto minha mãe morreu de hemorragia durante o parto, Hassan perdeu a dele menos de uma semana depois de seu nascimento. Perdeu-a para um destino que a maioria dos afegãos considerava muito pior que a morte. Ela fugiu com uma trupe de cantores e dançarinos ambulantes.

Hassan nunca falava sobre a mãe, como se ela nunca tivesse existido. Sempre me perguntei se ele sonhava com ela, como ela era, onde estava. Imaginava se ele tinha vontade de encontrá-la. Será que sofria por ela, da maneira como eu sofria pela mãe que nunca conheci? Um dia, estávamos andando da casa do meu pai até o cinema Zainab para assistir a um novo filme iraniano e tomamos um atalho pelo acampamento militar que ficava perto do colégio Istiqlal — *baba* nos proibira de pegar esse atalho, mas ele estava no Paquistão com Rahim Khan na ocasião. Pulamos a cerca que protegia os alojamentos, atravessamos um pequeno riacho e saímos no campo aberto onde velhos tanques abandonados juntavam poeira. Um grupo de soldados estava reunido na sobra de um desses tanques, fumando e jogando baralho. Um deles nos viu, acotovelou o sujeito ao seu lado e chamou Hassan.

— Ei, você! — falou. — Eu conheço você.

Nós nunca o tínhamos visto. Era um homem atarracado, com a cabeça raspada e uma barba preta e curta cobrindo o rosto. A maneira como sorriu para nós, olhando de esguelha, me assustou.

— Continue andando — murmurei para Hassan.

— Você! O hazara! Olhe pra mim quando estou falando! — berrou o soldado. Passou o cigarro para o sujeito ao lado, fez um círculo com o polegar e o indicador de uma das mãos. Enfiou o dedo médio no círculo da outra mão. Enfiou e tirou o dedo. Enfiou e tirou.

— Eu conheci a sua mãe, você sabia? Conheci muito bem. Peguei sua mãe por trás, naquele riacho ali.

Os soldados deram risada. Um deles fez um som estridente. Eu disse a Hassan que continuasse andando, continuasse andando.

— Que xoxotinha açucarada ela tinha! — continuou falando o soldado, apertando as mãos dos outros, rindo.

Mais tarde, no escuro, quando o filme já havia começado, ouvi Hassan gemendo ao meu lado. Lágrimas rolavam em seu rosto. Inclinei-me na cadeira, passei o braço ao redor dele, puxei-o para mais perto. Ele encostou a cabeça no meu ombro.

— Ele confundiu você com outra pessoa — cochichei. — Ele confundiu você com outra pessoa.

Eu já sabia que ninguém ficou muito surpreso quando Sanaubar fugira de casa. Na verdade as pessoas ficaram desconfiadas quando Ali, um homem que tinha decorado o Corão, se casara com Sanaubar, uma mulher dezenove anos mais nova, bonita, porém notoriamente inescrupulosa, que vivia de acordo com a sua reputação desonrosa. Assim como Ali, era uma muçulmana xiita e da etnia hazara. Era também prima em primeiro grau e, por isso, uma escolha natural como esposa. Mas, à parte essas semelhanças, Ali e Sanaubar tinham pouco em comum, principalmente na aparência física. Enquanto os brilhantes olhos verdes e o rosto malicioso de Sanaubar já haviam atraído incontáveis homens ao pecado, segundo rumores, Ali sofria de uma paralisia congênita dos músculos faciais inferiores, uma condição que o tornava incapaz de sorrir e o deixava com uma expressão perpetuamente rígida. Era raro ver o cara de pedra Ali feliz, ou triste, pois apenas seus olhos castanhos oblíquos brilhavam com um sorriso ou se umedeciam com tristeza. As pessoas dizem que os olhos são as janelas da alma. Isso nunca foi tão verdadeiro como com Ali, que só conseguia se mostrar através dos olhos.

Ouvi dizer que o andar sugestivo e a oscilação dos quadris de Sanaubar provocavam fantasias de infidelidade nos homens. Mas a pólio havia deixado Ali com a perna direita retorcida e atrofiada, pele e osso com pouco entre os dois, a não ser uma camada de músculos fina como uma folha de papel. Lembro de um dia, eu tinha oito anos, quando Ali me levava ao bazar para comprar *naan*. Eu estava atrás dele, cantarolando, tentando imitar seu andar. Observava quando impulsionava a perna macilenta num arco aberto, via seu corpo inteiro se inclinar de maneira impossível para a direita cada vez que pisava com aquele pé. Parecia um pequeno milagre que não caísse a cada passo. Quando tentei fazer o mesmo, quase caí no meio-fio. Aquilo me fez rir. Ali virou para trás, me pegou imitando-o. Não disse nada. Nem naquele momento, nem nunca. Simplesmente continuou andando.

O rosto e o andar de Ali amedrontavam algumas crianças mais novas do bairro. Mas o verdadeiro problema era com os garotos mais velhos. Eles o perseguiam na rua, zombavam do seu bamboleio. Alguns começaram a chamá-lo de *Babalu*, ou de bicho-papão.

— Ei, *Babalu*, quem você comeu hoje? — chacoteavam com um coro de risadas. — Quem você comeu, seu *Babalu* de nariz chato?

Eles o chamavam de "nariz chato" por causa dos traços hazara mongoloides característicos de Ali e Hassan. Durante anos, era só isso que eu sabia dos hazaras, que eram descendentes dos mongóis e que pareciam chinesinhos. Os livros escolares mal os mencionavam e só se referiam aos seus antepassados por alto. Então, um dia eu estava no escritório de *baba*, olhando as coisas dele, quando encontrei um dos velhos livros de história da minha mãe. Escrito por um iraniano chamado Khorami. Limpei a poeira e fui com o livro para a cama naquela noite, e fiquei espantado ao encontrar um capítulo inteiro sobre a história dos hazaras. Um capítulo inteiro dedicado ao povo de Hassan! Li que meu povo, os pashtuns, havia perseguido e oprimido os hazaras. Dizia que os hazaras tentaram se rebelar contra os pashtuns no século XIX, mas que os pashtuns os haviam "dominado com uma violência indescritível". O livro dizia que meu povo tinha matado os hazaras, os expulsado de suas terras, queimado suas casas e vendido suas mulheres. Dizia que parte da razão de os pashtuns terem oprimido os hazaras era por serem os pashtuns muçulmanos sunitas, enquanto os hazaras eram xiitas. O livro dizia uma porção de coisas que eu não sabia, coisas que meus professores nunca haviam mencionado. Coisas que tampouco *baba* mencionara. Dizia também algumas coisas que eu *sabia*, como o fato de as pessoas chamarem os hazaras de "comedores de ratos", "nariz chato", "burros de carga". Eu já tinha ouvido os garotos do bairro gritando esses nomes para Hassan.

Na semana seguinte, depois da aula, mostrei o livro ao meu professor e indiquei o capítulo sobre os hazaras. Ele folheou algumas páginas, deu uma risadinha e me devolveu o livro.

— Isso é uma coisa que os xiitas fazem bem — falou, recolhendo os seus papéis —, posar de mártires. — Torceu o nariz quando disse a palavra "xiita", como se fosse uma espécie de doença.

Mas, apesar de partilhar a herança étnica e os laços familiares, Sanaubar acompanhava os garotos do bairro nas provocações a Ali. Ouvi dizer que ela não fazia segredo de seu desprezo pela aparência do marido.

— Isso é um marido? — ironizava. — Já vi jumentos velhos mais adequados para serem maridos.

Afinal, a maioria das pessoas desconfiava que o casamento fora uma espécie de arranjo entre Ali e o tio, o pai de Sanaubar. Diziam que Ali se casara com a prima para ajudar a restaurar alguma honra ao nome maculado do tio, ainda que Ali, órfão desde os cinco anos, não tivesse bens mundanos nem nenhuma herança de que pudesse falar.

Ali nunca reagiu a nenhum de seus torturadores, suponho que em parte porque jamais conseguiria alcançar alguém arrastando aquela perna retorcida. Mas principalmente por ser imune aos insultos de seus agressores: Ali havia encontrado sua alegria, seu antídoto, no momento em que Sanaubar dera à luz Hassan. O processo fora bem simples. Sem obstetras, sem anestesistas, sem aparatos de monitoramento extravagantes. Apenas Sanaubar, deitada num colchão manchado e sem lençóis, com Ali e uma parteira ajudando. Ela não precisava mesmo de ajuda nenhuma, pois Hassan já se mostrou fiel à sua natureza logo que nasceu: era incapaz de fazer mal a alguém. Alguns grunhidos, uns poucos empurrões, e lá saiu Hassan. E já saiu sorrindo.

Como fora confidenciado ao empregado de um vizinho pela parteira tagarela, que por sua vez contou a todos os que quisessem ouvir, Sanaubar dera uma olhada no bebê nos braços de Ali, vira o lábio fendido e dera uma risada amarga.

— Pronto — falou. — Agora você tem o seu filho idiota para sorrir pra você! — Recusou-se até mesmo a segurar Hassan e, apenas cinco dias depois, foi embora.

Baba contratou a mesma ama de leite que me alimentara para cuidar de Hassan. Ali nos contou que era uma hazara de olhos azuis de Bamiyan, a cidade das gigantescas estátuas do Buda.

— Que voz melodiosa ela tinha — costumava nos dizer.

— O que ela cantava? — Hassan e eu sempre perguntávamos, embora já soubéssemos. Ali já havia nos contado inúmeras vezes. Só queríamos ouvir Ali cantando.

Ele limpava a garganta e começava:

> Numa alta montanha eu estava
> E chamei o nome de Ali, o Leão de Deus.
> Ó Ali, Leão de Deus, Rei dos Homens,
> Traga alegria aos nossos tristes corações.

Depois nos recordava de que existia uma fraternidade entre pessoas que tinham mamado no mesmo peito, um parentesco que nem o tempo consegue romper.

Hassan e eu mamamos nos mesmos seios. Demos nossos primeiros passos no mesmo gramado do mesmo quintal. E, sob o mesmo teto, falamos nossas primeiras palavras.

A minha foi *baba*.

A dele foi *Amir*. O meu nome.

Olhando para trás agora, acho que a base para o que aconteceu no inverno de 1975 — e de tudo o que se seguiu — já estava naquelas primeiras palavras.

Três

Diz a lenda que meu pai certa vez lutou de mãos nuas com um urso-negro no Baluquistão. Se a história se referisse a qualquer outra pessoa, seria descartada como *laaf*, a tendência que os afegãos têm de exagerar — infelizmente, quase uma calamidade nacional: se alguém se vangloriar que o filho é médico, o mais provável é que o garoto tenha passado numa prova de biologia no ensino médio. Mas ninguém nunca duvidou da veracidade de qualquer história envolvendo *baba*. Se duvidassem, bem, *baba* tinha mesmo três cicatrizes paralelas traçando um caminho em suas costas. Já imaginei a luta de *baba* incontáveis vezes, até sonhei com ela. E, nesses sonhos, nunca consigo distinguir o urso de *baba*.

Foi Rahim Khan quem chamou *baba* pela primeira vez pelo que acabou se tornando seu famoso apelido, *Toophan agha*, ou "Sr. Furacão". Era um apelido bem apropriado. Meu pai era uma força da natureza, um espécime pashtun alto e de barba cerrada, com cabelos castanhos ondulados e revoltos tão rebeldes quanto ele próprio, mãos que pareciam capazes de arrancar um salgueiro e um olhar cuja intensidade poderia "fazer o demônio se ajoelhar pedindo piedade", como costumava dizer Rahim Khan. Nas festas, quando seus quase dois metros de altura entravam no salão, as atenções se voltavam para ele como girassóis virando-se para o sol.

Era impossível ignorar *baba*, mesmo quando ele dormia. Eu enfiava chumaços de algodão no ouvido, cobria a cabeça com o cobertor, e mesmo assim o som dos roncos de *baba* — muito parecido com o rugido de um motor de caminhão — passava pelas paredes. E o meu quarto era do outro lado do corredor. Como minha mãe conseguia dormir no mesmo quarto que ele é um mistério para mim. Está na longa lista de coisas que eu teria perguntado a ela se a tivesse conhecido.

No final dos anos 1960, quando eu tinha cinco ou seis anos, *baba* resolveu construir um orfanato. Ouvi essa história de Rahim Khan. Ele me disse que *baba* fizera questão de desenhar a planta, apesar de não ter nenhuma experiência em arquitetura. Os céticos recomendaram que ele parasse com aquela loucura e contratasse um arquiteto. Claro que *baba* se recusou, e todos abanaram a cabeça, desanimados diante de seu comportamento obstinado. Mas *baba* conseguiu, e todos anuíram com admiração diante de seu triunfo. *Baba* pagou pela construção do orfanato de dois andares, perto da avenida principal, a Jadeh Maywand, ao sul do rio Cabul, com dinheiro do próprio bolso. Rahim Khan me contou que *baba* havia financiado o projeto todo pessoalmente, pagando os engenheiros, eletricistas, encanadores e operários, sem mencionar os funcionários municipais cujos "bigodes precisaram ser untados".

A construção do orfanato levou três anos. Eu tinha oito anos na época. Lembro que na véspera da inauguração meu pai me levou até o lago Ghargha, a poucos quilômetros ao norte de Cabul. Pediu que eu convidasse Hassan também, mas menti e disse que ele estava com dor de barriga. Eu queria *baba* só para mim. Além disso, uma vez Hassan e eu estávamos atirando pedras na água no lago Ghargha, e ele conseguiu fazer a dele ricochetear oito vezes. O máximo que consegui foram cinco vezes. *Baba* estava lá, assistindo à cena, e deu um tapinha nas costas de Hassan. Chegou até a passar o braço nos ombros dele.

Sentamos a uma mesa de piquenique na margem do lago, só *baba* e eu, comendo ovos cozidos e sanduíches de *kofta* — almôndegas com picles enroladas em *naan*. A água estava azul-escura, e a luz do sol refletia na superfície como se fosse um espelho. Às sextas-feiras, o lago ficava cheio de famílias que saíam para tomar sol. Mas estávamos no meio da semana, e além de nós só havia dois turistas de barba e cabelos compridos — "hippies", como eram chamados. Estavam no cais, com os pés dentro da água e varas de pescar na mão.

Perguntei por que eles deixavam o cabelo crescer, mas *baba* deu um grunhido e não respondeu. Estava preparando seu discurso para o dia seguinte, folheando uma confusão de páginas escritas à mão, fazendo anotações a lápis aqui e ali. Dei uma mordida no meu ovo cozido e perguntei a *baba* se era verdade o que um menino me dissera na escola, que se a gente comesse um pedaço de casca de ovo teria de botá-lo para fora no xixi. *Baba* deu outro grunhido.

Dei uma mordida no sanduíche. Um dos turistas de cabelo loiro riu e deu um tapa nas costas do outro. Ao longe, na outra margem do lago, um caminhão se esforçava para fazer uma curva na ladeira. O sol refletiu no retrovisor.

— Acho que estou com *saratan* — falei. Câncer.

Baba tirou os olhos dos papéis que esvoaçavam na brisa. E disse que eu mesmo podia ir pegar o refrigerante, que só precisava procurar no porta-malas do carro.

No dia seguinte, as cadeiras do lado de fora do orfanato já estavam todas ocupadas. Muita gente teria de assistir à cerimônia de inauguração em pé. Estava ventando, e eu fiquei atrás de *baba* no pequeno palanque, bem na frente da entrada principal do novo prédio. *Baba* usava um terno verde e um barrete de astracã. No meio de seu discurso, o vento arrancou o barrete, e todo mundo riu. Ele fez um sinal para eu pegar o barrete e fiquei todo contente, pois assim todo mundo ia ver que ele era *meu* pai, o meu *baba*. Ele virou para o microfone de novo e disse que esperava que a construção fosse mais firme que aquele barrete, e todo mundo riu outra vez. Quando *baba* acabou o discurso, as pessoas aplaudiram de pé. Bateram palmas por muito tempo. Depois foram apertar a mão dele. Alguns desmancharam o meu cabelo e também me cumprimentaram. Fiquei tão orgulhoso de *baba*, de nós dois...

Mas, apesar de todos os sucessos de *baba*, as pessoas continuavam duvidando dele. Diziam que não tinha talento para gerir um negócio e que deveria estudar direito, como o pai. Mas ele provou que todos estavam errados, não apenas administrando seu próprio negócio como se tornando um dos comerciantes mais ricos de Cabul. *Baba* e Rahim Khan abriram uma empresa de exportação de tapetes extremamente bem-sucedida, duas farmácias e um restaurante.

Quando as pessoas zombavam de *baba* dizendo que nunca faria um bom casamento — afinal, não era de sangue nobre —, ele se casou com minha mãe, Sofia Akrami, uma mulher muito culta, considerada por todos como uma das damas mais respeitadas, bonitas e virtuosas de Cabul. Além de lecionar literatura persa clássica na universidade, era também descendente da família real, um fato que meu pai esfregava divertido na cara dos céticos, referindo-se a ela como "minha princesa".

Exceto por mim, *baba* moldava o mundo à sua volta do jeito que desejava. O único problema, claro, era que via o mundo em preto e branco. E precisava decidir o que era preto e o que era branco. Não se pode amar uma pessoa que vive desse jeito sem sentir um pouco de medo. E talvez até um pouco de ódio.

Quando eu estava na quinta série, tínhamos aulas sobre o islã com um mulá. O nome dele era mulá Fatiullah Khan, um homem baixo e atarracado, com o rosto marcado de cicatrizes de acne e uma voz rouca. Ele nos falava sobre as virtudes do *zakat* e dos deveres do *hadj*; ensinava as complexidades de fazer as cinco orações *namaz* diárias; e nos fazia decorar versículos do Corão. Embora nunca traduzisse as palavras para nós, ele enfatizava, às vezes com a ajuda de um ramo de salgueiro, que precisávamos pronunciar corretamente as palavras em árabe para que Deus nos ouvisse melhor. Um dia ele falou que o islã considerava a bebida um pecado terrível; aqueles que bebiam teriam de responder por esse pecado no dia do *Qiyamat*, o Dia do Juízo Final. Naquela época, beber era uma coisa bem comum em Cabul. Ninguém era chicoteado em praça pública por isso, mas os afegãos que bebiam não faziam isso em público, por uma questão de respeito. As pessoas compravam seu uísque dentro de sacos de papel pardo, como "remédio", em algumas "farmácias" selecionadas. Saíam com o saco escondido e às vezes atraíam olhares furtivos de desaprovação dos que conheciam a reputação do estabelecimento de fazer esse tipo de transação.

Estávamos no escritório de *baba*, no salão de fumar, quando eu contei o que o mulá Fatiullah Khan nos ensinara na aula. *Baba* estava servindo-se de um uísque no bar que mandara fazer no canto da sala. Ele me ouviu, aquiesceu, tomou um gole da bebida. Depois sentou no sofá de couro, deixou o copo ao lado e me pôs no colo. Senti como se estivesse sentando em dois troncos de árvore. Respirou fundo, exalou pelo nariz, o ar assobiando pelo bigode pelo que pareceu uma eternidade. Eu não conseguia decidir se queria abraçá-lo ou pular fora do seu colo, apavorado.

— Pelo que vejo, você está confundindo o que aprende na escola com uma verdadeira educação — disse com sua voz grave.

— Mas se o que ele disse é verdade, isso não faz de você um pecador, *baba*?

— Humm. — *Baba* esmagou um cubo de gelo com os dentes. — Quer saber o que o seu pai acha sobre pecado?

— Quero.

— Então eu vou dizer, mas primeiro vai ter de entender bem uma coisa, Amir: você nunca vai aprender nada que preste com esses idiotas barbudos.

— Você quer dizer o mulá Fatiullah Khan?

Baba fez um gesto com o copo. O gelo tilintou.

— Estou falando de todos eles. Estou cagando nas barbas desses macacos santarrões.

Comecei a rir. A imagem de *baba* cagando na barba de qualquer macaco, fosse ou não santarrão, era demais...

— Eles só sabem ficar desfiando aquelas contas de oração e recitar um livro escrito numa língua que às vezes nem entendem. — Tomou mais um gole. — Deus nos ajude se algum dia o Afeganistão cair nas mãos deles.

— Mas o mulá Fatiullah Khan parece legal — consegui falar, sufocando o riso.

— Assim como Gengis Khan — disse *baba*. — Mas chega de falar sobre isso. Você perguntou sobre pecado, e eu quero responder. Está me ouvindo?

— Estou — respondi, apertando os lábios. Mas o riso escapou pelo meu nariz, fazendo um barulho de ronco. O que me fez começar a rir de novo.

Os olhos pétreos de *baba* se fixaram nos meus, e de repente eu não estava mais rindo.

— Estou tentando falar com você de homem para homem. Será que ao menos uma vez na vida você consegue fazer isso?

— Consigo, *baba jan* — murmurei espantado, e não pela primeira vez, com o quanto ele podia me magoar com tão poucas palavras. Nós tivemos um bom momento fugaz (era raro meu pai conversar comigo, assim como sentar-me em seu colo), e eu fui um imbecil e estraguei tudo.

— Ótimo — disse *baba*, mas seus olhos continuaram em dúvida. — Bem, não importa o que ensine esse mulá, só existe um pecado, um só. É roubar. Qualquer outro é uma variação do roubo. Entende o que estou dizendo?

— Não, *baba jan* — respondi, querendo desesperadamente entender. Eu não queria desapontá-lo de novo.

Baba soltou um suspiro de impaciência. Isso também me magoou, pois ele não era um homem impaciente. Lembrei de todas as vezes em que ele chegou em casa tarde da noite, as vezes em que tive de jantar sozinho. Eu perguntava a Ali onde estava *baba*, a que horas ia voltar para casa, mesmo sabendo que ele estava na obra, inspecionando isso, supervisionando aquilo. Não era algo que exigia paciência? Cheguei a odiar todas as crianças para quem ele estava construindo o orfanato; às vezes desejava que todas tivessem morrido junto com os pais.

— Quando você mata um homem, está roubando uma vida — continuou *baba*. — Está roubando da esposa o direito de ter um marido, roubando um pai dos filhos. Quando você mente, está roubando de alguém o direito de saber a verdade. Quando trapaceia, está roubando o direito à justiça. Entendeu?

Eu havia entendido. Quando *baba* tinha seis anos, um ladrão entrou na casa do meu avô no meio da noite. Meu avô, um respeitável juiz, reagiu ao assalto, mas o ladrão o esfaqueou na garganta, matando-o instantaneamente — e roubando o pai de *baba*. Os moradores da cidade apanharam o assassino na manhã seguinte, pouco antes do meio-dia; era um vagabundo da região de Kunduz. O homem foi enforcado no galho de um carvalho quando ainda faltavam duas horas para as orações da tarde. Foi Rahim Khan, e não *baba*, quem me contou essa história. Aliás, eu sempre ficava sabendo das coisas sobre meu pai por outras pessoas.

— Não há ato mais infame do que roubar, Amir — continuou *baba*. — Um homem que se apropria do que não é seu, seja uma vida ou um pedaço de *naan*... eu cuspo nesse homem. E, se alguma vez ele cruzar o meu caminho, que Deus o ajude. Está entendendo?

Achei a ideia de meu pai espancando um ladrão ao mesmo tempo muito engraçada e terrivelmente assustadora.

— Estou, *baba*.

— Se existir mesmo um Deus por aí, espero que ele tenha coisas mais importantes com que se preocupar do que com o fato de eu beber uísque ou comer carne de porco. Agora, pode descer. Toda essa conversa sobre pecado me deixou com sede outra vez.

Fiquei olhando enquanto ele enchia o copo no bar e imaginando quanto tempo ia se passar até termos outra conversa como aquela. Porque na verdade eu sempre achei que *baba* me odiava um pouco. E por que não? Afinal, eu *havia* matado a mulher que ele amava, sua linda princesa, não é? O mínimo que eu poderia fazer era ter a decência de ter saído um pouco mais parecido com ele. Mas não saí. Não mesmo.

NA ESCOLA, COSTUMÁVAMOS JOGAR um jogo chamado *Sherjangi*, ou "Batalha de Poemas". O professor de persa fazia a moderação, e era mais ou menos assim: você recitava um verso de um poema, e o seu oponente tinha sessenta segundos para replicar com um verso que começasse com a mesma letra que concluísse o seu. Todos na minha classe me queriam no time, pois aos onze anos eu já conseguia recitar dezenas de versos de Khayyam, Hafez ou do famoso *Masnawi* de Rumi. Uma vez, enfrentei a classe inteira e ganhei. Contei a *baba* sobre isso naquela noite, mas ele só anuiu e murmurou:

— Que bom.

Era assim que eu escapava da indiferença do meu pai, nos livros da minha falecida mãe. E também com Hassan, claro. Eu lia tudo: Rumi, Hafez, Saadi, Victor Hugo, Júlio Verne, Mark Twain, Ian Fleming. Quando esgotei os livros da minha mãe — não os livros de história chatos, pois jamais gostei muito deles, mas os romances, os épicos —, comecei a gastar minha mesada em livros. Comprava um por semana na livraria perto do cinema Park e comecei a guardá-los em caixas de papelão quando não havia mais lugar nas prateleiras da estante.

Claro, casar com uma poeta era uma coisa, mas ser pai de um menino que preferia comprar tudo o que podia em livros a caçar... bem, não era o que *baba* tinha imaginado, suponho. Homens de verdade não liam poesia — e Deus nos livre de desejarem escrever! Homens de verdade — garotos de verdade — jogavam futebol, como *baba* quando era mais novo. *Isso*, sim, era uma paixão de verdade. Em 1970, *baba* fez uma interrupção na construção do orfanato e ficou um mês em Teerã, assistindo aos jogos da Copa do Mundo pela televisão, pois na época ainda não havia TV no Afeganistão. Ele me inscreveu em times de futebol, para provocar essa mesma paixão em mim. Mas eu era patético, inepto, um desastre para o meu time, sempre atrapalhando um bom passe ou bloqueando sem querer um caminho aberto. Cambaleava pelo campo com minhas pernas magricelas, gritando e pedindo passes que nunca vinham na minha direção. E quanto mais eu tentava, agitava os braços freneticamente acima da cabeça e gritava "Estou livre! Estou livre", mais me ignoravam. Mas *baba* não desistia. Quando ficou escandalosamente claro que eu não havia herdado um fiapo de seus talentos atléticos, ele resolveu me transformar num torcedor fanático. Isso com certeza eu conseguiria, não é? Fingi me interessar tanto quanto possível, vibrei com ele quando o time de Cabul jogou contra o de Kandahar e xinguei o árbitro quando ele marcou um pênalti contra o nosso time. Mas *baba* sentiu que meu interesse não era genuíno e se resignou ao triste fato de que o filho nunca jogaria nem assistiria futebol.

    Lembro de uma vez quando *baba* me levou ao torneio anual de *buzkashi*, que acontecia no primeiro dia da primavera. O dia de Ano-Novo. *Buzkashi* era, e ainda é, a paixão nacional do Afeganistão. Um *chapandaz*, um cavaleiro extremamente habilidoso, em geral patrocinado por ricos aficionados, tem de pegar uma carcaça de bode ou de gado do meio de uma escaramuça, carregá-la ao redor do estádio a todo galope e jogá-la num círculo que funciona como uma meta, enquanto um time de outros *chapandaz* o persegue e faz tudo o que pode — chutar, arranhar, chicotear, socar — para tirar a carcaça do cavaleiro. Naquele dia, a multidão empolgada urrou quando um dos cavaleiros no campo soltou o grito de guerra do time e avançou para arrebatar a carcaça em meio a uma nuvem de pó. A terra tremia com o ribombar dos cascos. Assistimos da arquibancada quando os cavaleiros passaram a todo galope diante de nós, gritando e incitando, a espuma voando da boca dos cavalos.

A certa altura, *baba* apontou para alguém.

— Amir, está vendo aquele sujeito sentado ali, com todos aqueles homens ao redor?

Eu estava.

— É o Henry Kissinger.

— Ah — respondi. Eu não sabia quem era Henry Kissinger e poderia ter perguntado. Mas, naquele momento, assisti horrorizado quando um dos *chapandaz* caiu da sela e foi pisoteado por um monte de cascos. O corpo foi calcado e golpeado pelos cavalos como uma boneca de pano, só parando de rolar quando os cavaleiros passaram. Retorceu-se uma vez e ficou imóvel, as pernas dobradas em ângulos não naturais, uma poça de sangue embebendo a areia.

Comecei a chorar.

Chorei durante todo o caminho de volta para casa. Lembro como as mãos de *baba* se agarravam ao volante do carro. Abrindo e fechando. Mais do que tudo, nunca vou esquecer os valorosos esforços de *baba* para esconder a expressão de desprezo no rosto enquanto dirigia em silêncio.

Mais tarde naquela noite, eu estava passando pelo escritório do meu pai quando entreouvi uma conversa com Rahim Khan. Encostei o ouvido na porta fechada.

— ... contente por ele ter uma boa saúde — Rahim Khan estava dizendo.

— Eu sei, eu sei. Mas ele vive enterrado naqueles livros ou zanzando pela casa, como se estivesse perdido em algum sonho.

— E...?

— Eu não era assim. — *Baba* parecia frustrado, quase zangado.

Rahim Khan deu risada.

— Os filhos não são livros de colorir. Você não os preenche com suas cores favoritas.

— Estou dizendo que eu não era assim de jeito nenhum — continuou *baba* —, nem nenhum dos garotos com quem cresci.

— Sabe que às vezes você pode ser o homem mais egocêntrico que eu conheço? — disse Rahim Khan. Ele era a única pessoa que eu conhecia que podia dizer uma coisa dessas a *baba*.

— Não tem nada a ver com isso.

— Não?

— Não.

— Então com o quê?

Ouvi o couro da poltrona de *baba* ranger enquanto ele se mexia. Fechei os olhos, encostei ainda mais o ouvido na porta, querendo escutar, não querendo escutar.

— Às vezes eu olho pela janela e o vejo brincando na rua com os garotos do bairro. Vejo como ele é maltratado, os garotos tiram os brinquedos dele, empurram daqui, dão um tranco dali. E, sabe, ele nunca reage. Nunca. Ele só... abaixa a cabeça e...

— Porque ele não é violento — disse Rahim Khan.

— Não é isso que estou dizendo, Rahim, e você sabe — replicou *baba*. — Falta alguma coisa nesse garoto.

— Sim, um traço de maldade.

— Autodefesa não tem nada a ver com maldade. Sabe o que sempre acontece quando os garotos do bairro fazem as provocações? Hassan interfere e afasta os meninos. Eu vi com meus próprios olhos. E, quando os dois voltam pra casa, eu pergunto a ele: "Como Hassan arranjou esse arranhão no rosto?". E ele responde: "Ele caiu". Estou dizendo, Rahim, está faltando alguma coisa nesse garoto.

— Você só precisa deixar ele encontrar o próprio caminho — disse Rahim Khan.

— E pra onde ele está indo? — perguntou *baba*. — Um garoto que não sabe se defender vai se tornar um homem incapaz de defender qualquer coisa.

— Como sempre, você está simplificando demais.

— Acho que não.

— Você só está zangado porque tem medo de que ele nunca assuma os seus negócios.

— Quem está simplificando demais agora? — retrucou *baba*. — Olha, eu sei que vocês dois se gostam e fico muito contente com isso. Com inveja, mas contente. Sinceramente. Ele precisa de alguém que... o compreenda, pois Deus sabe que eu não o compreendo. Tem alguma coisa no Amir que me incomoda de um jeito que não consigo expressar. É como se... — Eu conseguia ver *baba* buscando, procurando as palavras certas. Baixou a voz, mas eu consegui ouvir assim mesmo: — Se não tivesse visto o médico tirar o bebê da minha mulher com meus próprios olhos, eu nunca acreditaria que ele é meu filho.

NA MANHÃ SEGUINTE, enquanto preparava o meu café da manhã, Hassan perguntou se eu estava chateado com alguma coisa. Eu fui grosseiro, pedi que cuidasse da própria vida.

Rahim Khan estava enganado sobre o tal traço de maldade.

Quatro

Em 1933, o ano em que *baba* nasceu e quando Zahir Shah começou seu reinado de quarenta anos no Afeganistão, dois jovens irmãos de uma família rica e respeitável de Cabul sentaram ao volante do cupê Ford conversível do pai. Chapados de haxixe e *mast* de vinho francês, eles atropelaram e mataram um casal hazara na estrada para Paghman. A polícia trouxe os jovens meio consternados e o filho órfão do casal atropelado, de cinco anos, para o meu avô, um renomado juiz e homem de reputação impecável. Depois de ouvir o relato dos irmãos e o pedido de perdão do pai deles, meu avô determinou que os dois jovens fossem imediatamente para Kandahar e se alistassem no Exército por um ano — isso apesar de a família ter conseguido de alguma forma que os dois fossem dispensados do recrutamento. O pai dos rapazes contestou, mas sem muita veemência, e no final todos concordaram que a punição talvez tivesse sido severa, porém justa. Quanto ao órfão, meu avô o acolheu em sua casa, dizendo aos outros serviçais que o orientassem, mas que fossem generosos com ele. Esse garoto era Ali.

Ali e *baba* cresceram juntos como companheiros de infância — ao menos até a pólio aleijar a perna de Ali —, assim como Hassan e eu crescemos juntos uma geração depois. *Baba* estava sempre nos contando sobre as travessuras que ele e Ali aprontavam, e Ali meneava a cabeça e dizia: "Mas, *agha sahib*, diga a eles quem era o arquiteto das travessuras e quem era o pobre executor". *Baba* dava risada e abraçava Ali.

Mas em nenhuma dessas histórias *baba* se referia a Ali como amigo.

E é curioso eu também nunca ter pensado em Hassan como amigo. Pelo menos não da maneira habitual. Não importava que tivéssemos ensinado um ao outro a andar de bicicleta sem as mãos, ou a construir uma câmera doméstica plenamente funcional com uma caixa de papelão. Não importava que passássemos o inverno inteiro empinando e correndo atrás de pipas. Não importava que, para mim, o rosto do Afeganistão fosse o de um garoto de ossos miúdos, cabeça raspada e orelhas baixas, um garoto com um rosto de boneco chinês perpetuamente iluminado por um sorriso leporino.

Nada disso importava. Porque não é fácil superar a história. Nem uma religião. Afinal, eu era pashtun e ele era hazara, eu era sunita e ele era xiita, e nada jamais mudaria isso. Nada.

Mas éramos crianças que tinham aprendido a engatinhar juntas, e nenhuma história, etnia, sociedade ou religião tampouco mudaria isso. Passei a maior parte dos primeiros doze anos da minha vida brincando com Hassan. Às vezes, toda a minha infância parece um longo e preguiçoso dia de verão ao lado de Hassan, um correndo atrás do outro entre as árvores emaranhadas do quintal do meu pai, brincando de esconde-esconde, polícia e ladrão, índio e caubói, torturando insetos — em que nossa maior realização foi sem dúvida a vez em que tiramos o ferrão de uma abelha e amarramos um barbante na pobre criatura para puxá-la de volta sempre que tentasse voar.

Corríamos atrás dos *kochis*, nômades que passavam por Cabul a caminho das montanhas do norte. Ouvíamos as caravanas se aproximando do nosso bairro, os balidos dos carneiros, os berros dos bodes, o tilintar das sinetas no pescoço dos camelos. Saíamos depressa para ver a caravana se arrastar pela nossa rua, homens com o rosto empoeirado e maltratado pelo clima, mulheres usando xales longos e coloridos, contas e pulseiras de prata nos braços e nos tornozelos. Atirávamos pedras nos bodes deles. Esguichávamos água nas mulas. Eu fazia Hassan sentar no Muro do Milho Doente e disparar pedregulhos nas ancas dos camelos com o estilingue.

Assistimos juntos ao nosso primeiro faroeste, *Onde começa o inferno*, com John Wayne, no cinema Park, do outro lado da rua da minha livraria predileta. Lembro de ter implorado a *baba* para nos levar ao Irã para conhecer

John Wayne. *Baba* soltou rajadas de sua risada grave e gutural — um som não muito diferente do de um motor de caminhão acelerando — e, quando conseguiu falar, nos explicou o conceito de uma dublagem. Hassan e eu ficamos surpresos. Estupefatos. Então John Wayne não falava persa e não era iraniano! Era americano, assim como os simpáticos homens de cabelo comprido e as mulheres que sempre víamos em Cabul, usando camisas surradas de cores brilhantes. Assistimos a *Onde começa o inferno* três vezes, mas o nosso faroeste predileto, *Sete homens e um destino*, nós assistimos treze vezes. Em todas as vezes choramos no final, quando os garotos mexicanos enterravam Charles Bronson — que, como descobri depois, também não era iraniano.

Passeávamos pelos bazares cheirando a mofo do bairro de Shar-e-Nau em Cabul, ou na cidade nova, a oeste de Wazir Akbar Khan. Conversávamos sobre o último filme a que tínhamos assistido e andávamos no meio das alvoroçadas multidões de *bazarris*. Ambos nos misturávamos com mercadores e mendigos, em ruelas repletas de filas diante de pequenas barracas cheias de coisas. *Baba* dava a cada um de nós uma semanada de dez afeganes, que gastávamos em Coca-Cola quente e sorvete de água de rosas coberto com pistache moído.

Durante o ano letivo, nós tínhamos uma rotina diária. Enquanto eu me arrastava para fora da cama e me enfiava no banheiro, Hassan já tinha se lavado, rezado a *namaz* da manhã com Ali e preparado o meu café da manhã: chá-preto quente com três cubos de açúcar e uma fatia de *naan* torrado com minha geleia favorita, de cereja azeda, tudo arrumado com esmero na sala de jantar. Enquanto eu comia e reclamava dos deveres de casa, Hassan arrumava minha cama, engraxava meus sapatos, passava a ferro minhas roupas daquele dia, acondicionava meus livros e lápis. Eu o ouvia cantando sozinho no vestíbulo antigas canções hazara com sua voz nasalada. Depois, *baba* me levava em seu Ford Mustang preto — um automóvel que provocava inveja em toda parte por ser o mesmo carro que Steve McQueen dirigira em *Bullitt*, filme que tinha ficado seis meses em cartaz num cinema. Hassan ficava em casa e ajudava Ali com as tarefas do dia: lavar a roupa suja à mão, comprar *naan* fresco no bazar, marinar a carne para o jantar, regar o gramado.

Depois das aulas, Hassan e eu nos encontrávamos, pegávamos um livro e corríamos até uma colina em forma de cuia logo ao norte da casa do meu pai em Wazir Akbar Khan. No alto da colina havia um cemitério abandonado, com fileiras de lápides sem nome e arbustos emaranhados obstruindo as alamedas. Anos de chuva e neve tinham enferrujado o portão de ferro e erodido os muros baixos e brancos do cemitério. Havia uma romãzeira perto da entrada do cemitério. Num dia de verão, usei uma das facas de cozinha de Ali para entalhar os nossos nomes no tronco: "Amir e Hassan, os sultões de Cabul". Aquelas palavras tornavam a coisa oficial: aquela árvore era nossa. Depois da escola, Hassan e eu subíamos pelos galhos para colher as romãs vermelhas. Comíamos os frutos, limpávamos as mãos na grama, e eu lia para Hassan.

Sentado de pernas cruzadas, com luzes e sombras das folhas da romãzeira dançando em seu rosto, Hassan ia tirando distraidamente folhas de grama da terra enquanto eu lia em voz alta histórias que ele não sabia ler sozinho. O fato de que Hassan seria analfabeto, como Ali e a maioria dos hazaras, fora decidido no minuto em que ele nasceu, talvez até mesmo no momento em que foi concebido no inamistoso útero de Sanaubar — afinal, que utilidade poderia ter a palavra escrita para um serviçal? Mas, apesar de seu analfabetismo, ou talvez por isso mesmo, Hassan se sentia atraído pelo mistério das palavras, seduzido por aquele mundo secreto e proibido. Eu lia poemas e contos para ele, às vezes enigmas — embora tenha parado de ler enigmas quando percebi que ele era muito melhor do que eu na resolução. Então preferia ler coisas incontestáveis, como as desventuras do humilde mulá Nasruddin e seu jumento. Ficávamos horas debaixo daquela árvore, até o sol se pôr no oeste, e ainda assim Hassan insistia que tínhamos luz suficiente para mais uma história, mais um capítulo.

A parte de que eu mais gostava das minhas leituras para Hassan era quando ele topava com uma palavra grande que não conhecia. Eu gozava dele, expunha sua ignorância. Uma vez, eu estava lendo uma história do mulá Nasruddin, e ele me interrompeu:

— O que significa essa palavra?

— Qual delas?

— Imbecil.

— Você não sabe o que significa? — perguntei, com ironia.

— Não, Amir *agha*.

— Mas é uma palavra tão comum!

— Mesmo assim eu não sei.

Se ele se sentia magoado com minhas provocações, seu rosto sorridente não demonstrava.

— Bom, todo mundo na minha escola sabe o que isso significa — falei. — Vamos ver. "Imbecil." Quer dizer esperto, inteligente. Vou usar numa frase pra você: "No que diz respeito a palavras, Hassan é um imbecil".

— Ah — concordou ele, balançando a cabeça.

Depois eu sempre me sentia culpado a respeito. Aí tentava compensar, dando de presente uma camisa velha ou um brinquedo quebrado. Dizia a mim mesmo que eram boas compensações por uma brincadeira inofensiva.

O livro favorito de Hassan era *Shahnamah*, o épico do século x sobre os antigos heróis persas. Ele gostava de todos os capítulos, dos xás de antigamente, como Feridoun, Zal e Rodabeh. Mas sua narrativa favorita, e minha também, era "Rostam e Sohrab", a história do grande guerreiro Rostam e seu veloz cavalo Rakhsh. Rostam fere mortalmente numa batalha seu valoroso adversário, Sohrab, só para descobrir que Sohrab é o seu filho há muito perdido. Tomado pelo pesar, Rostam ouve as últimas palavras do filho moribundo:

> Se és realmente meu pai, manchaste tua espada no sangue vital de teu filho. E fizeste isso por tua obstinação. Pois tentei cativar-te com amor, te implorei por teu nome, pois pensei ver em ti os indícios relatados por minha mãe. Mas apelei para o teu coração em vão, e agora é tarde demais para o encontro...

— Leia outra vez, Amir *agha* — dizia Hassan. Às vezes, lágrimas brotavam dos olhos de Hassan quando eu lia essa passagem, e sempre ponderei por quem ele chorava. Seria pelo atormentado Rostam, que rasga as vestes e cobre a cabeça com cinzas, ou pelo moribundo Sohrab, que só deseja o amor de seu pai? Pessoalmente, eu não conseguia ver tragédia no destino de Rostam. Afinal, no fundo do coração, todos os pais não desejam secretamente matar seus filhos?

Um dia, em julho de 1973, armei mais uma trapaça para Hassan. Eu estava lendo para ele e, de repente, me desgarrei da história escrita. Fingi que lia o livro, virando as páginas regularmente, mas tinha abandonado o texto e assumido uma narrativa inventada por mim. Hassan, é claro, não percebeu nada. Para ele, as palavras numa página eram um emaranhado de códigos indecifráveis, misteriosos. As palavras eram portas secretas, e eu tinha todas as chaves. Depois, quando perguntei o que ele achara da história, com um riso subindo à boca, Hassan começou a aplaudir.

— O que está fazendo? — perguntei.

— Essa foi a melhor história que você leu pra mim em muito tempo — respondeu ele, ainda aplaudindo.

Eu dei risada.

— É mesmo?

— Mesmo.

— Que coisa fascinante! — murmurei. E estava falando sério. Era uma coisa... totalmente inesperada. — Tem certeza, Hassan?

Ele continuava aplaudindo.

— Foi ótima, Amir *agha*. Você lê mais pra mim amanhã?

— Fascinante — repeti, um pouco sem fôlego, sentindo-me como um homem que descobre um tesouro enterrado no próprio quintal. Na descida da colina, os pensamentos explodiam na minha cabeça como fogos de artifício no *Chaman*. *A melhor história que você leu pra mim em muito tempo*, ele dissera. E eu já tinha lido *muitas* histórias para ele. Hassan me perguntou alguma coisa.

— O quê? — despertei.

— O que significa isso, "fascinante"?

Dei risada. Agarrei-o num abraço e estalei um beijo na bochecha dele.

— O que foi isso? — perguntou ele, corando.

Dei um empurrãozinho amistoso nele. Sorri.

— Você é um príncipe, Hassan. Você é um príncipe, e eu te amo.

Naquela noite, escrevi meu primeiro conto. Demorei trinta minutos. Era uma historinha curta e sombria sobre um homem que encontra uma taça mágica e aprende que, se chorasse na taça, as lágrimas se transformariam em pérolas. Mas ainda que sempre tivesse sido pobre, era um homem feliz e dificilmente vertia uma lágrima. Por isso teve de encontrar formas de se sentir triste para que suas lágrimas o tornassem um homem rico. À medida que as pérolas se empilhavam, o mesmo acontecia com sua tristeza. A história terminava com o homem sentado numa montanha de pérolas, faca na mão, chorando inconsolável na taça com sua adorada esposa morta nos braços.

Nessa noite, subi a escada e entrei no salão de fumar de *baba*, com as duas folhas de papel em que havia rabiscado a história nas mãos. *Baba* e Rahim Khan estavam fumando cachimbo e bebericando conhaque quando entrei.

— O que foi, Amir? — perguntou *baba*, recostando-se no sofá e enlaçando as mãos na nuca. A fumaça azulada esvoaçava pelo seu rosto. O olhar dele fez minha garganta secar. Limpei a garganta e disse que tinha escrito uma história.

Baba aquiesceu e deu um leve sorriso, que demonstrava pouco mais que um falso interesse.

— Ora, isso é muito bom, não é? — comentou. Depois, nada mais. Só ficou olhando para mim através da nuvem de fumaça.

Eu devo ter ficado ali quase um minuto, mas, até hoje, esse foi um dos minutos mais longos da minha vida. Os segundos se arrastaram, separados um do outro por uma eternidade. O ar ficou pesado, úmido, quase sólido. Parecia que eu estava respirando tijolos. *Baba* continuou me olhando de cima a baixo, sem se oferecer para ler.

Como sempre, foi Rahim Khan quem me resgatou. Estendeu a mão e me concedeu um sorriso que não tinha nada de falso.

— Posso ver, Amir *jan*? Eu gostaria muito de ler. — *Baba* quase nunca usava o termo carinhoso *jan* quando se dirigia a mim.

Baba deu de ombros e levantou. Pareceu aliviado, como se também tivesse sido resgatado por Rahim Khan.

— Sim, dê isso ao *kaka* Rahim. Eu vou subir para me aprontar. — Dito isso, saiu da sala. A maior parte do tempo eu venerava *baba* com uma intensidade próxima da religiosa. Mas naquele momento eu queria abrir minhas veias e drenar todo o sangue amaldiçoado dele do meu corpo.

Uma hora depois, quando já anoitecia, os dois saíram no carro do meu pai para ir a uma festa. Na saída, Rahim Khan acocorou-se à minha frente e devolveu o meu conto junto com um pedaço de papel. Abriu um sorriso e piscou.

— Para você ler mais tarde. — Depois fez uma pausa e acrescentou uma só palavra, que me estimulou mais a continuar escrevendo do que qualquer cumprimento que um editor já me tenha feito. A palavra foi "bravo".

Quando eles saíram, sentei na minha cama e desejei que Rahim Khan fosse meu pai. Depois pensei em *baba* e no seu peito musculoso e em como era bom quando ele me abraçava, como ele cheirava a Brut de manhã e como a barba dele pinicava meu rosto. Fui acometido por uma culpa tão súbita que corri para o banheiro e vomitei na pia.

Mais tarde naquela noite, encolhido na cama, eu li muitas vezes o bilhete de Rahim Khan. Dizia o seguinte:

> Amir *jan*,
> Gostei muito da sua história. *Mashallah*, Deus concedeu um talento especial a você. Agora é seu dever aperfeiçoar esse talento, pois uma pessoa que desperdice talentos concedidos por Deus é um jumento. Você escreveu seu conto com uma gramática correta e um estilo interessante. Mas a coisa mais impressionante na sua história é a ironia. Talvez você ainda não saiba o significado dessa palavra. Mas um dia vai saber. É uma coisa que alguns escritores perseguem a carreira toda e nunca conseguem. Você conseguiu isso no seu primeiro conto.
> Minhas portas estarão sempre abertas a você, Amir *jan*. Gostaria de ouvir qualquer história que você queira contar. Bravo.
>
> Seu amigo,
> Rahim

Enlevado pelo bilhete de Rahim Khan, peguei o conto e desci a escada correndo até o vestíbulo, onde Ali e Hassan dormiam num colchão. Era a única ocasião em que eles dormiam na casa, quando *baba* estava fora e Ali tinha de tomar conta de mim. Acordei Hassan com uma chacoalhada e perguntei se ele queria ouvir uma história.

Ele esfregou os olhos sonolentos e se espreguiçou.

— Agora? Que horas são?

— Não importa que horas são. Essa história é especial. Fui eu que escrevi — sussurrei, não querendo acordar Ali. A expressão de Hassan se iluminou.

— Então eu *preciso* ouvir essa história — disse, já saindo das cobertas.

Li a história para ele na sala de visita, perto da lareira de mármore. Dessa vez sem brincar com as palavras; afinal, aquilo dizia respeito a mim! Hassan foi a plateia perfeita por várias razões, totalmente envolvido na história, o rosto se alterando com os diferentes tons do conto. Quando li a última sentença, ele bateu palmas sem som.

— *Mashallah*, Amir *agha*. Bravo! — Estava sorrindo.

— Você gostou? — perguntei, para desfrutar uma segunda vez o sabor (e como ele foi doce) de uma crítica positiva.

— Algum dia, *Inshallah*, você vai ser um grande escritor — disse Hassan. — E pessoas do mundo inteiro vão ler as suas histórias.

— Você está exagerando, Hassan — contestei, adorando-o por isso.

— Não. Você vai ser grande e famoso — insistiu ele. Depois fez uma pausa, como se prestes a acrescentar alguma coisa. Pesou bem as palavras e limpou a garganta. — Mas será que me permite perguntar uma coisa sobre a história? — disse, timidamente.

— É claro.

— Bem... — começou, mas ficou quieto.

— Pode falar, Hassan — estimulei. Dei um sorriso, embora de repente o escritor inseguro dentro de mim não soubesse bem se queria ouvir aquilo.

— Bem, se eu puder perguntar — continuou —, por que o homem matou a esposa? Aliás, por que ele precisava se sentir triste pra verter lágrimas? Ele não podia simplesmente cheirar uma cebola?

Fiquei embasbacado. Aquela questão específica, tão óbvia que era totalmente estúpida, não tinha me ocorrido. Movi os lábios sem emitir som. Parecia que na mesma noite eu tinha aprendido um dos objetivos do escritor, a ironia, e também tinha sido apresentado a uma de suas armadilhas: o Furo no Enredo. Ensinado por Hassan, logo ele. Hassan, que não sabia ler e nunca tinha escrito uma única palavra em toda a vida. De repente uma voz, fria e sombria, sussurrou ao meu ouvido: *O que ele sabe, esse hazara analfabeto? Ele nunca vai ser nada mais que um cozinheiro. Como se atreve a criticar você?*

— Bem... — comecei. Mas não consegui concluir a sentença.

Porque, de repente, o Afeganistão mudou para sempre.

Cinco

Alguma coisa rugiu como um trovão. A terra estremeceu um pouco, e nós ouvimos o *ra-ta-ta-tá* de disparos.

— Papai! — gritou Hassan. Saímos correndo da sala de visita. Encontramos Ali manquitolando freneticamente pelo vestíbulo. — Pai! Que som foi esse? — choramingou Hassan, as mãos estendidas para Ali, que nos abraçou a ambos. Uma luz branca lampejou, iluminando o céu de prateado. Lampejou outra vez, seguida por um rápido *staccato* de disparos.

— Estão caçando patos — disse Ali com uma voz enrouquecida. — Eles caçam patos à noite, vocês sabem. Não tenham medo.

Uma sirene disparou à distância. Em algum lugar um vidro estilhaçou e alguém gritou. Ouvi pessoas na rua, arrancadas do sono e provavelmente ainda de pijama, com cabelos desgrenhados e olhos inchados. Hassan estava chorando. Ali o abraçou mais ainda, com ternura. Depois, eu diria a mim mesmo que não senti inveja de Hassan. De jeito nenhum.

Ficamos aconchegados daquele jeito até as primeiras horas da manhã. Os tiros e as explosões duraram menos de uma hora, mas nos deixaram muito assustados, pois nenhum de nós jamais ouvira tiros na rua. Eram sons estranhos para nós na época. A geração de crianças afegãs cujos ouvidos não conheceriam nada além do som de bombas e tiros ainda não tinha nascido. Abraçados na sala de visita e esperando o sol nascer, nenhum de nós tinha noção de que um modo de vida estava acabando. O *nosso* modo de vida. Se ainda não totalmente, pelo menos era o começo do fim. O fim, o fim *oficial*, começaria em abril de 1978, com o golpe de Estado comunista, depois em dezembro de 1979, quando tanques russos avançariam pelas mesmas ruas onde Hassan e eu brincávamos, trazendo a morte do Afeganistão que eu conhecia e marcando o início de uma era sangrenta ainda em curso.

Pouco antes do amanhecer, o carro de *baba* entrou a toda velocidade na casa. A porta bateu, e seus passos rápidos martelaram os degraus da escada. Quando surgiu na porta, vi uma coisa no rosto dele. Uma coisa que não reconheci de imediato, porque nunca tinha visto antes: medo.

— Amir! Hassan! — exclamou, correndo até nós e abrindo os braços. — Eles bloquearam todas as ruas, e os telefones não funcionavam. Eu estava tão preocupado!

Deixamos nos abraçar por ele, e, por um momento breve e insano, me senti contente pelo que havia acontecido naquela noite.

Eles não estavam caçando patos, afinal. Conforme se ficou sabendo, eles não tiveram muito no que atirar naquela noite de 17 de julho de 1973. Cabul acordou na manhã seguinte e descobriu que a monarquia era coisa do passado. O rei, Zahir Shah, estava na Itália. Na sua ausência, seu primo Daoud Khan havia encerrado os quarenta anos de reinado com um golpe sem sangue.

Lembro de estar agachado junto a Hassan na manhã seguinte na porta do escritório do meu pai, enquanto *baba* e Rahim Khan tomavam chá-preto e ouviam na rádio Cabul as últimas notícias sobre o golpe.

— Amir *agha*? — cochichou Hassan.

— Que foi?

— O que é uma "república"?

Dei de ombros.

— Sei lá.

No rádio de *baba*, eles estavam dizendo a palavra "república" muitas e muitas vezes.

— Amir *agha*?

— Que foi?

— Será que "república" significa que meu pai e eu vamos nos mudar para longe?

— Acho que não — respondi, também cochichando.

Hassan considerou a ideia.

— Amir *agha*?

— Que foi?

— Eu não quero ser mandado embora com meu pai.

Dei um sorriso.

— *Bas*, seu bobão. Ninguém vai mandar vocês embora.

— Amir *agha*?

— Que foi?

— Você quer subir naquela árvore?

Meu sorriso se alargou. Isso era outra coisa do Hassan. Ele sempre sabia o momento de dizer a coisa certa — as notícias do rádio já estavam ficando muito chatas. Hassan foi até a casa dele se arrumar, e eu subi apressado para pegar um livro. Depois fui até a cozinha, enchi os bolsos de pinhões e saí correndo para encontrar Hassan, que me esperava. Passamos rapidamente pelo portão da frente em direção à colina.

Atravessamos a rua residencial e de repente, quando percorríamos um terreno baldio de terra batida que levava à colina, uma pedra atingiu as costas de Hassan. Tão logo nos viramos, meu coração parou. Assef e dois amigos, Wali e Kamal, aproximavam-se de nós.

Assef era filho de um amigo do meu pai, Mahmood, um piloto de linha aérea. A família morava algumas ruas ao sul da nossa casa, num condomínio luxuoso com palmeiras, de muro alto. Se fosse um garoto que morasse no bairro de Wazir Akbar Khan de Cabul, você saberia sobre Assef e seu famoso soco-inglês, por sorte não por experiência própria. Filho de mãe alemã e pai afegão, Assef era loiro de olhos azuis e mais alto que os outros garotos. A merecida reputação por sua maldade o precedia na rua. Flanqueado por seus obedientes amigos, ele andava pelo bairro como um Khan caminhando por seu território, com um séquito ansioso por agradar. A palavra dele era lei, e, se você precisasse de um pouco de formação legal, aquele soco-inglês era o instrumento certo de ensino. Uma vez eu o vi usar o soco-inglês num garoto de Karteh-Char. Nunca vou esquecer como os olhos azuis de Assef brilharam com uma luz não inteiramente saudável e como ele sorria, como *escarnecia* enquanto surrava o pobre garoto até deixá-lo inconsciente. Alguns garotos de Wazir Akbar Khan o haviam apelidado de Assef *Goshkhor*, ou Assef "Comedor de Orelha". Claro que ninguém se atrevia a dizer isso na cara dele, a não ser que quisesse sofrer o mesmo destino que o pobre garoto que sem querer tinha inspirado aquele apelido ao lutar com Assef por causa de uma pipa e acabar pescando sua orelha direita numa sarjeta enlameada. Anos mais tarde, aprendi a palavra em inglês que define a criatura que Assef era, uma palavra que não tem um equivalente em persa: "sociopata".

Entre todos os garotos da vizinhança que atormentavam Ali, Assef era o mais incansável. Aliás, foi ele o inspirador da zombaria do *Babalu*. *Ei, Babalu, quem você comeu hoje? Hein? Vamos, Babalu, dá um sorriso!* E, nos dias em que se sentia especialmente inspirado, temperava um pouco mais a zombaria: *Ei, seu Babalu de nariz chato, quem você comeu hoje? Fala aí, seu jumento de olho puxado!*

Agora Assef andava na nossa direção, mãos no quadril, os tênis levantando pequenas nuvens de poeira.

— Bom dia, *kunis*! — exclamou, acenando. "Veados" era outro de seus insultos prediletos. Hassan se escondeu atrás de mim quando os três meninos mais velhos se aproximaram. Ficaram à nossa frente, três garotos altos de jeans e camiseta. Mais alto que todos nós, Assef cruzou os braços grossos no peito, exibindo uma espécie de riso selvagem nos lábios. Não pela primeira vez, ocorreu-me que Assef poderia não ser totalmente normal. Pensei também como eu tinha sorte de ser filho do meu *baba*, a única razão, acredito, de Assef não me atormentar muito.

Ele esticou o queixo para Hassan.

— Ei, nariz chato — disse. — Como vai o *Babalu*? — Hassan não disse nada, encolhendo-se um pouco mais atrás de mim. — Vocês ouviram as notícias, meninos? — perguntou Assef, sempre sorrindo. — O rei já era. E já foi tarde. Viva o presidente! Meu pai conhece Daoud Khan, você sabia, Amir?

— Meu pai, também — respondi. Na verdade, eu não fazia ideia se aquilo era ou não verdade.

— "Meu pai, também" — imitou Assef numa voz esganiçada. Kamal e Wali gargalharam em uníssono. Eu queria que *baba* estivesse lá.

— Bem, Daoud Khan jantou na nossa casa no ano passado — continuou Assef. — O que você acha disso, Amir?

Fiquei imaginando se alguém nos ouviria gritar naquele terreno baldio. A casa de *baba* era bem a um quilômetro de distância. Eu gostaria que tivéssemos ficado em casa.

— Sabe o que vou dizer a Daoud Khan da próxima vez que ele for jantar lá em casa? — perguntou Assef. — Vou precisar ter uma conversinha com ele, de homem para homem, *mard* para *mard*. Falar sobre o que conversei com a minha mãe. Sobre o Hitler. Aquele, sim, era um líder. Um grande líder. Um homem de visão. Vou lembrar a Daoud Khan que, se eles tivessem deixado Hitler acabar o que começou, o mundo seria um lugar melhor agora.

— *Baba* diz que Hitler era louco, que mandou matar um monte de gente inocente — ouvi a mim mesmo dizendo antes de calar minha boca.

Assef deu uma risadinha.

— Ele fala como minha mãe, e ela é alemã; devia conhecer melhor o assunto. Mas é nisso que eles querem que as pessoas acreditem, não é? Eles não querem que elas saibam a verdade.

Eu não sabia quem eram "eles", ou que verdade estavam escondendo, nem queria descobrir. Desejei não ter dito nada. Mais uma vez desejei olhar para cima e ver *baba* subindo a colina.

— Mas é preciso ler livros que eles não dão na escola — continuou Assef. — Eu li. E meus olhos se abriram. Agora eu tenho uma visão, que vou compartilhar com o nosso novo presidente. Vocês sabem qual é?

Fiz que não com a cabeça. Ele ia me contar de qualquer jeito; Assef sempre respondia às próprias perguntas. Seus olhos azuis faiscaram para Hassan.

— O Afeganistão é a terra dos pashtuns. Sempre foi, sempre será. Nós somos os verdadeiros afegãos, os afegãos puros, não esse nariz chato aí. O povo dele polui a nossa terra, nossa *watan*. Eles sujam o nosso sangue. — Fez um gesto abrangente e grandioso com as mãos. — O Afeganistão para os pashtuns, é o que eu digo. Essa é a minha visão. — Assef voltou a olhar para mim. Parecia estar despertando de um sonho bom. — É tarde demais para Hitler — falou. — Mas não para nós. — Pegou alguma coisa no bolso de trás do jeans. — Vou pedir ao presidente para fazer o que o rei não teve *quwat* para fazer. Livrar o Afeganistão de toda a sujeira, *kaseef* hazaras.

— Deixa a gente ir embora, Assef — pedi, odiando a maneira como minha voz tremia. — Nós não estamos fazendo nada.

— Ah, mas vocês estão me aborrecendo — disse Assef. E vi com o coração pesado o que ele tinha tirado do bolso. É claro. O soco-inglês de aço inoxidável brilhou na luz do sol. — Vocês estão me incomodando muito. Aliás, você me incomoda mais que esse hazara aí. Como consegue conversar com ele, brincar com ele, deixar ele te tocar? — perguntou, a voz respingando nojo. Wali e Kamal aquiesceram e grunhiram em concordância. Assef estreitou os olhos. Abanou a cabeça. Quando voltou a falar, o som era tão intrigante quanto sua expressão. — Como você consegue chamar ele de "amigo"?

Mas ele não é meu amigo!, quase deixei escapar. *Ele é meu empregado!* Eu tinha mesmo pensado aquilo? Claro que não. Não. Eu tratava Hassan bem, como um amigo, até melhor, como um irmão. Mas então por que, quando os amigos de *baba* vinham nos visitar com os filhos, eu nunca incluía Hassan nas nossas brincadeiras? Por que eu só brincava com Hassan quando não tinha mais ninguém por perto?

Assef calçou o soco-inglês. Lançou um olhar gelado na minha direção.

— Você é parte do nosso problema, Amir. Se idiotas como você e seu pai não acolhessem esse tipo de gente, nós já teríamos nos livrado deles. Estariam todos apodrecendo em Hazarajat, o lugar a que eles pertencem. Você é uma desgraça para o Afeganistão.

Fitei seus olhos enlouquecidos e percebi que ele falava sério. Ele *realmente* ia me machucar. Assef levantou o punho e veio na minha direção.

Houve um movimento rápido e fugaz atrás de mim. Pelo canto dos olhos, vi Hassan abaixar e levantar rapidamente. O olhar de Assef atentou para alguma coisa atrás de mim e se arregalou de surpresa. Vi a mesma expressão de espanto no rosto de Kamal e Wali enquanto observavam o que acontecia atrás de mim.

Virei a cabeça e dei de cara com o estilingue de Hassan, com o elástico puxado para trás até o fim. Na lingueta havia uma pedra do tamanho de uma noz. Hassan apontava o estilingue diretamente para o rosto de Assef. A mão tremia sob a tensão do elástico esticado, e gotas de suor brotavam de sua sobrancelha.

— Por favor, nos deixe em paz, *agha* — disse Hassan em voz baixa. Ele se referia a Assef como *"agha"*, e por um momento refleti sobre o que seria viver com uma percepção tão arraigada da própria posição na hierarquia.

Assef cerrou os dentes.

— Abaixa isso, seu hazara sem mãe!

— Por favor, nos deixe em paz, *agha* — repetiu Hassan.

Assef sorriu.

— Talvez você não tenha notado, mas somos três, e vocês são só dois.

Hassan deu de ombros. Para quem olhasse de fora, ele não parecia estar com medo. Mas o rosto dele está entre as minhas primeiras lembranças, e eu conhecia todas as suas sutilezas e nuances, conhecia cada contração e cada careta que passassem por ele. E sabia que ele estava com medo. Com muito medo.

— Você tem razão, *agha*. Mas talvez não tenha notado que sou eu que estou com o estilingue. Se você fizer um movimento, vão ter de mudar o seu apelido de Assef "Comedor de Orelha" para "Assef Caolho", porque essa pedra está apontada para o seu olho esquerdo. — Disse aquilo com tanta firmeza que até eu tive de me esforçar para encontrar o medo que sabia estar atrás daquela voz calma.

A boca de Assef se torceu num esgar. Wali e Kamal assistiam ao confronto com certo fascínio. Alguém tinha desafiado o deus deles. Humilhado. E, pior de tudo, esse alguém era um hazara magricela. Assef desviou o olhar da pedra para Hassan. Examinou a expressão de Hassan com atenção. E o que viu deve tê-lo convencido da seriedade das intenções de Hassan, pois ele baixou o punho.

— Você devia saber uma coisa sobre mim, hazara — disse Assef com gravidade. — Eu sou uma pessoa muito paciente. Isso não termina hoje, acredite. — Virou-se para mim. — Também não termina para você, Amir. Um dia vocês ainda vão me enfrentar cara a cara, um de cada vez. — Assef recuou um passo. Seus discípulos o seguiram. — O seu hazara cometeu um grande erro hoje, Amir — acrescentou. Depois fez meia-volta e saiu andando. Fiquei olhando enquanto se afastava na colina e desaparecia atrás de um muro.

Hassan tentava prender o estilingue na cintura com as mãos trêmulas. A boca se contorcia em algo que deveria ser um sorriso confiante. Tentou cinco vezes antes de prender o suspensório na calça. Nenhum dos dois disse muita coisa ao voltarmos para casa com aflição, certos de que Assef e seus amigos iam nos emboscar a cada esquina que virávamos. Isso não aconteceu, e deveria ter nos tranquilizado um pouco. Mas não tranquilizou. Nem um pouco.

DURANTE ALGUNS ANOS, as palavras *desenvolvimento econômico* e *reforma* dançaram em muitos lábios em Cabul. A monarquia constitucional foi abolida, substituída por uma república, liderada por um presidente. Por algum tempo, uma sensação de renascimento e propósito perpassou o país. As pessoas falavam de direitos das mulheres e de tecnologia moderna.

E de uma forma geral, apesar de o novo líder morar em *Arg* — o palácio real em Cabul —, a vida seguiu como antes. As pessoas trabalhavam de sábado a quinta-feira e se reuniam às sextas para piqueniques nos parques, às margens do lago Ghargha, nos jardins de Paghman. Ônibus e caminhões multicoloridos repletos de passageiros passavam pelas ruas estreitas de Cabul, conduzidos sob os constantes gritos dos assistentes dos motoristas, que se empoleiravam nos para-choques traseiros dos veículos e berravam instruções ao motorista com seu pesado sotaque de Cabul. Durante o *Eid*, os três dias de comemoração depois do mês sagrado do Ramadã, os moradores da cidade vestiam suas roupas mais novas e bonitas para visitar suas famílias. Pessoas se abraçavam, se beijavam e se saudavam com *"Eid Mubarak"* — Feliz Eid. As crianças desembrulhavam presentes e brincavam com ovos cozidos coloridos.

Um dia, no início do inverno de 1974, eu estava brincando com Hassan no quintal, construindo um forte de neve, quando Ali chamou o filho.

Hassan, *agha sahib* quer falar com você! Ele estava de pé na porta da frente, vestido de branco, as mãos enfiadas nas axilas, bafejando vapor condensado.

50 *Khaled Hosseini*

Hassan e eu trocamos sorrisos. Estávamos esperando aquele chamado o dia inteiro: era aniversário de Hassan.

— O que vai ser, pai, o senhor sabe? Vai nos contar? — perguntou Hassan, os olhos cintilando.

Ali deu de ombros e respondeu:

— *Agha sahib* não comentou nada comigo.

— Vamos lá, Ali, conta pra gente — forcei. — É um livro de desenhos? Talvez um novo revólver?

Assim como Hassan, Ali era incapaz de mentir. Todos os anos ele fingia não saber o que *baba* havia comprado para Hassan ou para mim no nosso aniversário. E todos os anos seus olhos o traíam, e nós lhe arrancávamos a informação. Dessa vez, porém, ele parecia estar dizendo a verdade.

Baba nunca esquecia o aniversário de Hassan. Durante uma época, costumava lhe perguntar o que queria, mas desistiu de fazer isso, porque Hassan era sempre modesto demais para pedir um presente. Então, a cada inverno ele mesmo escolhia alguma coisa. Num ano comprou um caminhão de brinquedo japonês, no ano seguinte, uma locomotiva elétrica e trilhos de trem. No ano anterior, *baba* surpreendera Hassan com um chapéu de couro de caubói exatamente igual ao que Clint Eastwood usava em *Três homens em conflito* — que havia desbancado *Sete homens e um destino* como nosso faroeste favorito. Naquele inverno, Hassan e eu nos revezamos no uso do chapéu, subindo em montes de neve, cantarolando a famosa trilha sonora do filme e disparando tiros um no outro.

Tiramos as luvas e as botas cheias de neve na porta da entrada. Quando entramos no vestíbulo, encontramos *baba* sentado perto do fogo que ardia na lareira de ferro batido, tendo a seu lado um indiano baixo e calvo que usava um terno marrom e uma gravata vermelha.

— Hassan — disse *baba*, com um sorriso retraído —, venha conhecer o seu presente de aniversário.

Hassan e eu trocamos olhares interrogativos. Não havia nenhuma caixa embrulhada para presente à vista. Nenhuma sacola. Nenhum brinquedo. Só Ali estava entre nós, e *baba* com seu homenzinho indiano, que lembrava um professor de matemática.

O indiano de terno marrom sorriu e estendeu a mão para Hassan.

— Eu sou o dr. Kumar — disse. — Muito prazer. — Falava persa com um sotaque indiano denso e enrolado.

— *Salaam alaykum* — respondeu Hassan, incerto. Fez uma vênia delicada com a cabeça, mas seus olhos procuraram meu pai atrás do homem. Ali se aproximou e pôs a mão sobre o ombro de Hassan.

Baba encontrou o olhar inquieto — e intrigado — de Hassan.

— O dr. Kumar é de Nova Déli. O dr. Kumar é um cirurgião plástico.

— Você sabe o que isso significa? — perguntou o hindu, o dr. Kumar.

Hassan fez que não com a cabeça. Olhou para mim em busca de ajuda, mas eu dei de ombros. Só o que sabia era que a gente procura um cirurgião para sarar quando se tem apendicite. Sabia disso porque um dos meus colegas de classe tinha morrido um ano antes e o professor nos dissera que demoraram demais para levá-lo a um cirurgião. Nós dois olhamos para Ali, mas claro que com ele a gente nunca sabia de nada. O rosto estava impassível como sempre, embora certa sobriedade transparecesse em seus olhos.

— Bem — disse o dr. Kumar —, meu trabalho é consertar coisas no corpo das pessoas. Às vezes no rosto.

— Ah — disse Hassan. Olhou do dr. Kumar para *baba* e depois para Ali. Levou a mão ao lábio superior. — Ah — repetiu.

— Eu sei que é um presente incomum — disse *baba*. — E provavelmente não é nada do que você imaginava, mas vai durar para sempre.

— Ah — disse Hassan. Lambeu os lábios. Limpou a garganta. — *Agha sahib*, isso vai... vai...

— De jeito nenhum — intercedeu o dr. Kumar, com um sorriso bondoso. — Não vai doer nada. Na verdade, eu vou ministrar um remédio, e você não vai se lembrar de nada.

— Ah — repetiu Hassan. Deu um sorriso aliviado. Ao menos um pouco aliviado. — Eu não estava com medo, *agha sahib*, só... — Hassan poderia estar sendo enganado, mas eu, não. Sabia que, quando os médicos diziam que não ia doer, era um mau sinal. Temeroso, lembrei de minha circuncisão no ano anterior. O médico dissera as mesmas palavras, assegurando que não ia doer nada. Mas naquela noite, quando o efeito do anestésico passou, parecia que alguém estava encostando uma brasa quente na minha virilha. Por que *baba* esperou até eu ter dez anos para me circuncidar estava além da minha compreensão, e era uma das coisas pelas quais jamais o perdoei.

Desejei ter alguma cicatriz para angariar a atenção de *baba*. Não era justo. Hassan não fizera nada para merecer a afeição de *baba*; só havia nascido com um mero lábio leporino.

A cirurgia correu bem. Ficamos todos um pouco chocados quando as ataduras foram removidas, mas mantivemos o sorriso, seguindo as orientações do dr. Kumar. Não foi fácil, pois o lábio superior de Hassan era uma maçaroca grotesca de tecido exposto e inchado. Achei que Hassan ia gritar horrorizado quando a enfermeira entregou um espelho a ele. Ali segurou a mão dele enquanto Hassan dava uma longa e pensativa olhada no espelho. Murmurou alguma coisa que não entendi. Encostei o ouvido nos lábios dele. Ele murmurou outra vez:

— *Tashakor*. — Obrigado.

Depois seus lábios se retorceram. E, naquele momento, eu soube o que ele estava fazendo. Estava sorrindo. Do mesmo jeito que sorrira ao sair do útero da mãe.

O inchaço diminuiu, e com o tempo o ferimento fechou. Logo, era só uma linha rósea avermelhada percorrendo o lábio superior. No inverno seguinte, era só uma cicatriz apagada. O que foi irônico. Pois foi naquele inverno que Hassan deixou de sorrir.

Seis

Inverno.

Eis o que eu faço todos os anos no primeiro dia em que a neve cai: saio de casa logo de manhã, ainda de pijama, abraçando a mim mesmo por causa do frio. Olho para a entrada da garagem, o carro do meu pai, os muros, as árvores, o telhado e as montanhas — tudo coberto por trinta centímetros de neve. Sorrio. O céu está azul e imaculado, a neve é tão branca que meus olhos ardem. Enfio um punhado de neve fresca na boca, ouço o silêncio abafado, rompido apenas pelos pios dos corvos. Desço a escada da entrada, descalço, e chamo Hassan para ver aquilo.

O inverno era a estação do ano preferida de todas as crianças de Cabul, ao menos as que tinham pais que podiam comprar uma boa estufa de ferro. A razão era simples: as escolas ficavam fechadas durante a estação gelada. Para mim, o inverno era o fim das longas operações de dividir e das listas de nomes de capitais como a da Bulgária; representava o início de três meses jogando baralho com Hassan perto da estufa, vendo filmes russos gratuitos nas manhãs de terça-feira no cinema Park e comendo *qurma* de nabo doce com arroz no almoço depois de fazer homens de neve a manhã toda.

E as pipas, é claro. Empinar pipas. E correr atrás delas.

Para algumas crianças desafortunadas, o inverno não significava o fim do ano letivo. Havia os chamados cursos voluntários de inverno. Nunca conheci um garoto que tivesse se apresentado como voluntário para essas aulas; eram os pais, claro, que se ofereciam por eles. Felizmente para mim, *baba* não era um desses. Lembro de um garoto, Ahmad, que morava do outro lado da nossa rua. O pai dele era uma espécie de médico, acho. Ahmad era epiléptico e estava sempre de colete de lã e óculos de aro de metal e lentes grossas — era uma das vítimas costumeiras de Assef. Toda manhã, eu via da janela do meu quarto quando seus empregados hazaras removiam a neve da entrada da garagem, abrindo caminho para o Opel preto. Eu fazia questão de ver Ahmad e o pai entrarem no carro, Ahmad com seu colete de lã e casaco de inverno, a pasta cheia de livros e lápis. Esperava até saírem, virarem a esquina, depois voltava para a cama com meu pijama de flanela. Puxava o cobertor até o queixo e observava pela janela as montanhas ao norte cobertas de neve. Ficava olhando até adormecer outra vez.

Eu adorava o inverno em Cabul. Adorava por causa do tamborilar suave da neve na minha janela à noite, pela maneira como a neve recém-caída cascalhava sob minhas botas pretas de borracha, pelo calor da estufa de ferro quando o vento zunia pelo quintal e pela rua. Mas principalmente porque, quando as árvores congelavam e a geada recobria as estradas, o gelo entre mim e *baba* derretia um pouco. E a razão disso eram as pipas. *Baba* e eu morávamos na mesma casa, mas em diferentes esferas de existência. As pipas representavam uma finíssima interseção entre essas esferas.

TODO INVERNO, os bairros de Cabul organizavam um torneio de pipas. Para qualquer garoto que morasse em Cabul, o dia do torneio era sem dúvida o ápice da estação fria. Eu nunca conseguia dormir na noite anterior à competição. Ficava virando de um lado para o outro, projetando sombras de animais na parede; chegava até a sentar na varanda no escuro, enrolado num cobertor. Era como um soldado tentando dormir na trincheira na véspera de uma grande batalha. E não estava muito longe disso. Em Cabul, uma luta entre pipas *era* semelhante a uma guerra.

E, como em qualquer guerra, era necessário se preparar para a batalha. Durante uma época, Hassan e eu fazíamos as nossas pipas. Economizávamos nossas semanadas no outono, guardando o dinheiro num pequeno cavalo de porcelana que *baba* trouxera de Herat. Quando os ventos do inverno começavam a soprar e a neve caía em flocos, abríamos o fecho na barriga do cavalo e íamos ao bazar comprar bambu, cola, linha e papel. Passávamos horas afilando o bambu para a haste central e as varetas laterais, recortando o papel fino, que facilitava os mergulhos e a recuperação. Depois, é claro, tínhamos de fazer nossa própria linha, ou *tar*. Se a pipa era a arma, a *tar*, linha cortante revestida de vidro, era a munição. Íamos ao quintal e passávamos até cento e cinquenta metros de corda por uma mistura de vidro moído e cola. Depois pendurávamos a linha entre as árvores para secar. No dia seguinte, aprontávamos a linha para o campeonato enrolando-a num carretel de madeira. Quando a neve derretia e as chuvas da primavera despencavam, todos os garotos de Cabul ostentavam talhos horizontais nos dedos, acumulados durante o inverno em batalhas de pipas. Lembro de me acotovelar com os colegas de classe no primeiro dia de aula, comparando nossas cicatrizes de batalha. Os cortes ardiam e demoravam algumas semanas para cicatrizar, mas eu não ligava. Eram reminiscências de uma adorada estação que mais uma vez tinha passado depressa demais. Quando o chefe da classe soava o apito, marchávamos em fila única para nossa sala de aula, já ansiosos pelo próximo inverno, diante do espectro de mais um longo ano letivo.

 Mas logo ficou claro que Hassan e eu éramos melhores para empinar pipas do que para confeccioná-las. Um ou outro furo no nosso projeto sempre estragava tudo. Por isso *baba* começou a nos levar à oficina do Saifo para comprar nossas pipas. Saifo era um velho quase cego, *moochi* — sapateiro — de profissão. Mas também era o construtor de pipas mais famoso da cidade, com uma oficina numa casinha na Jadeh Maywand, uma movimentada rua ao sul das margens enlameadas do rio Cabul. Lembro que precisávamos nos abaixar para entrar na loja do tamanho de uma cela da prisão, depois ter de levantar um alçapão para descer uns degraus de madeira até o porão úmido onde Saifo guardava suas preciosas pipas. *Baba* nos comprava três pipas idênticas e carretéis de linha de vidro. Se eu mudasse de ideia e pedisse uma pipa maior ou mais sofisticada, *baba* a compraria para mim — mas compraria também uma para Hassan. Às vezes eu preferia que ele não fizesse isso. Preferia que me deixasse ser o seu favorito.

 O torneio de pipas era uma antiga tradição de inverno no Afeganistão. A competição começava logo cedo e só terminava quando a única pipa vitoriosa voava no céu — lembro de um ano em que o torneio só terminou quando já estava escuro. As pessoas se reuniam nas calçadas e nos telhados para aplaudir os filhos. As ruas ficavam repletas de competidores, puxando e repuxando as linhas, observando o céu, tentando ganhar posição para cortar a linha do oponente. Cada contendor tinha um assistente — no meu caso, Hassan —, que segurava o carretel e dava a linha.

Certa vez, um pirralho indiano cuja família se mudara recentemente para o bairro nos disse que na sua terra o combate de pipas tinha regras e regulamentos estritos.

— Você precisa ficar numa área cercada e no ângulo certo em relação ao vento — explicou. — E não pode usar alumínio para fazer sua linha de vidro.

Hassan e eu olhamos um para o outro. Caímos na risada. O garoto indiano logo ia aprender o que os britânicos aprenderam no começo do século e os russos também aprenderiam no final dos anos 1980: que os afegãos são um povo independente. Os afegãos prezam costumes, mas abominam regras. E assim era com o campeonato de pipas. As regras eram simples: não havia regras. Empine a sua pipa. Corte a linha dos adversários. Boa sorte.

Mas não era só isso. A verdadeira diversão começava quando uma pipa era abatida. Era aí que os caçadores de pipa entravam em ação, os garotos que perseguiam as pipas levadas pelo vento para a vizinhança, até mergulharem numa trajetória espiral em algum lugar, no quintal de alguém, numa árvore ou num telhado. A perseguição podia ficar feroz: hordas de caçadores de pipa enxameavam as ruas, empurrando-se uns aos outros como aqueles espanhóis sobre os quais li uma vez, os que fogem dos touros. Uma vez um garoto do bairro subiu num pinheiro para pegar uma pipa. Um galho quebrou sob seu peso, e ele caiu de uma altura de dez metros. Quebrou a coluna e nunca mais andou. Mas caiu com a pipa nas mãos. E quando um caçador de pipas estava com uma pipa na mão, ninguém podia tirar dele. Isso não era uma regra. Era uma tradição.

Para os caçadores de pipa, o prêmio mais cobiçado era a última pipa a tombar num torneio de inverno. Era um troféu de honra, algo a ser exposto sobre um aparador para a admiração dos convidados. Quando as pipas esvaziavam o céu e só restavam as duas últimas, todos os caçadores se preparavam para a oportunidade de conseguir seu troféu. Tomavam posição num local onde imaginavam ter alguma vantagem inicial. Músculos tensos preparavam-se para se distender. Pescoços se esticavam. Olhos ficavam atentos. Havia disputas. E, quando a última pipa era cortada, abriam-se as portas do inferno.

Ao longo dos anos, vi muitos garotos perseguir pipas. Mas Hassan era de longe o maior caçador de pipas que eu já tinha visto. Era um mistério a maneira como sempre escolhia o lugar onde a pipa iria cair *antes* de ela cair, como se tivesse uma espécie de bússola interna.

Lembro de um dia nublado de inverno em que Hassan e eu estávamos perseguindo uma pipa. Corri atrás dele por diversos bairros, saltando bueiros, ziguezagueando por ruelas estreitas. Eu era um ano mais velho que ele, mas Hassan corria mais rápido, e eu ia ficando para trás.

— Hassan! Espera! — gritei, ofegante, a respiração quente.

Ele se virou, fazendo um aceno com a mão.

— Por aqui! — disse, antes de virar mais uma esquina. Olhei para cima e vi que corríamos na direção oposta à da pipa.

— Nós estamos desviando! Estamos indo para o outro lado! — gritei.

— Confie em mim! — ouvi Hassan dizer à frente.

Virei a esquina e vi Hassan seguindo em frente, a cabeça baixa, nem mesmo um leve olhar para o céu, o suor escorrendo nas costas da camisa. Tropecei numa pedra e caí. Eu não apenas era mais lento que Hassan, era também mais desajeitado; sempre invejei seu talento atlético natural. Quando levantei, cambaleando, avistei de relance Hassan desaparecendo por outra esquina. Saí atrás dele, a dor pincelando meus joelhos arranhados.

Percebi que tínhamos saído numa estrada de terra esburacada, perto do colégio Istiqlal. Havia um terreno ao lado que dava alface no verão, e fileiras de árvores de cereja azeda do outro. Avistei Hassan sentado com as pernas cruzadas ao pé de uma das árvores, comendo um punhado de amoras.

— O que estamos fazendo aqui? — ofeguei, o estômago contraído de enjoo.

Hassan sorriu e disse:

— Sente aqui comigo, Amir *agha*.

Desabei ao lado dele, deitando numa fina camada de neve, ofegante.

— Estamos perdendo tempo. A pipa está indo para o outro lado, você não viu?

Hassan pôs uma amora na boca e disse:

— Ela vem vindo.

Eu mal conseguia respirar, e ele nem parecia cansado.

— Como você sabe? — perguntei.

— Eu sei.

— Mas como você *pode* saber?

Ele se virou para mim. Algumas gotas de suor escorriam da sua cabeça raspada.

— Alguma vez eu menti pra você, Amir *agha*?

De repente eu resolvi brincar um pouco com ele.

— Não sei. Já mentiu?

— Eu preferia comer cocô — respondeu ele com uma expressão indignada.

— É mesmo? Você faria isso?

Ele me deu um olhar interrogativo.

— Faria o quê?

— Comeria cocô se eu mandasse? — confirmei.

Eu sabia que estava sendo cruel, como quando o espicaçava quando ele não conhecia alguma palavra comprida. Mas provocar Hassan era uma coisa fascinante — ainda que meio doentia. Mais ou menos como quando brincávamos de torturar insetos. Só que agora ele era a formiga e eu estava com a lupa.

Os olhos dele escrutinaram o meu rosto por um longo tempo. Ficamos ali, dois garotos embaixo de uma árvore, de repente olhando, olhando *de verdade* um para o outro. Foi quando aconteceu outra vez: o rosto de Hassan mudou. Talvez não tenha *mudado*, não realmente, mas de súbito tive a impressão de que via dois rostos, um que eu conhecia, do qual tinha minha primeira lembrança, e um segundo rosto, à espreita, abaixo da superfície. Eu já tinha visto aquilo acontecer antes — e sempre ficava um pouco abalado. Simplesmente aparecia, esse segundo rosto, por uma fração de segundo, o suficiente para me deixar com a inquietante sensação de talvez tê-lo visto em algum lugar. Depois Hassan piscou e voltou a ser ele mesmo. Apenas Hassan.

— Se você me pedisse, eu comeria — disse afinal, olhando direto para mim. Baixei os olhos. Até hoje, acho difícil encarar diretamente pessoas como Hassan, pessoas que levam a sério todas as palavras que emitem. — Mas fico pensando — acrescentou ele. — Você seria capaz de me pedir uma coisa dessas, Amir *agha*? — E assim, de repente, ele estava me propondo seu próprio teste. Se fosse para eu brincar com ele testando sua lealdade, ele por sua vez testaria a minha integridade.

Desejei não ter começado aquela conversa. Dei um sorriso forçado.

— Não seja bobo, Hassan. Você sabe que eu não pediria isso.

Hassan retribuiu o sorriso. Só que o dele não foi forçado.

— Eu sei — disse ele. E é isso que acontece com as pessoas que dizem o que pensam: elas acham que todo mundo faz o mesmo. — Lá vem ela — disse Hassan, apontando para o céu. Levantou-se e andou alguns passos para a esquerda. Olhei para cima, vi a pipa mergulhando na nossa direção. Ouvi passos, gritos, um bando de caçadores de pipa se aproximando. Mas estavam perdendo seu tempo, pois Hassan postou-se de braços abertos, sorrindo, esperando por ela. E que Deus me deixe cego... se Ele existir, quer dizer... se a pipa não caiu direto nos braços dele.

No inverno de 1975, eu vi Hassan caçar uma pipa pela última vez.

Normalmente, cada bairro organizava sua própria competição. Mas naquele ano o torneio seria realizado no meu bairro, Wazir Akbar Khan, e vários outros distritos — Karteh-Char, Karteh-Parwan, Mekro-Rayan e Koteh-Sangi — tinham sido convidados. Era quase impossível ir a algum lugar sem ouvir falar do torneio a ser realizado. Dizia-se que seria o maior torneio dos últimos vinte e cinco anos.

Uma noite daquele inverno, a apenas quatro dias do grande concurso, *baba* e eu estávamos no escritório dele, sentados em macias poltronas de couro diante do calor da lareira. Estávamos bebericando chá, conversando. Ali servira o jantar mais cedo — batatas com couve-flor ao molho de curry e arroz — e já tinha se retirado com Hassan. *Baba* engordava o cachimbo e eu lhe pedia que contasse a história do inverno em que uma matilha de lobos havia descido das montanhas em Herat e forçado todo mundo a ficar dentro de casa por uma semana, quando ele acendeu um fósforo e disse casualmente:

— Acho que talvez você vença o torneio deste ano. O que acha?

Eu não sabia o que pensar. Nem o que dizer. Será que era isso que eu precisava fazer? Será que ele tinha me passado uma chave? Eu era bom em batalhas de pipa. Aliás, muito bom. Em algumas ocasiões, cheguei até perto de vencer um torneio — uma vez, fiquei entre os três finalistas. Mas chegar perto não era o mesmo que ganhar, era? *Baba* não tinha *chegado perto*. Ele vencera, porque vencedores venciam e todos os outros apenas voltavam para casa. *Baba* estava acostumado a vencer em tudo aquilo em que se concentrava. Será que não tinha o direito de esperar o mesmo do filho? Imagine só. Se eu vencesse...

Baba continuou fumando seu cachimbo e falando. Eu fingia escutar. Mas não conseguia ouvir, não mesmo, pois aquele pequeno comentário casual de *baba* havia plantado uma semente na minha cabeça: a resolução de que eu precisava vencer o torneio daquele inverno. Eu ia vencer. Não havia outra opção viável. Eu ia vencer e ia caçar a última pipa. Depois ia trazê-la para casa e mostrá-la a *baba*. Mostraria de uma vez por todas que seu filho tinha valor. Quem sabe então minha vida como um fantasma naquela casa finalmente terminaria. Eu me deixei sonhar: imaginei a conversa e as risadas no jantar, em lugar do silêncio rompido apenas pelo tilintar dos talheres e por um grunhido ocasional. Visualizei um passeio de carro com *baba* numa sexta-feira até Paghman, parando no caminho no lago Gargha para comer truta frita com batata. Iríamos ao zoológico para ver o leão Marjan, e quem sabe dessa vez *baba* não ficasse bocejando e olhando para o relógio o tempo todo. Talvez *baba* até lesse um dos meus contos. Eu escreveria cem contos se ele lesse um. Talvez ele me chamasse de Amir *jan*, como fazia Rahim Khan. E talvez, apenas talvez, eu finalmente fosse perdoado por ter matado minha mãe.

Baba estava me contando da vez em que havia cortado catorze pipas no mesmo dia. Eu sorri, concordei, dei risada nos momentos certos, mas mal conseguia ouvir uma palavra do que dizia. Agora eu tinha uma missão. E não desapontaria *baba*. Não daquela vez.

* * *

NEVOU PESADO na noite anterior ao torneio. Hassan e eu ficamos embaixo do *kursi* jogando *panjpar* enquanto o vento farfalhava nos galhos das árvores na janela. Mais cedo naquele dia eu havia pedido a Ali que ajustasse o *kursi* para nós — que era basicamente um aquecedor elétrico debaixo de uma mesa baixa coberta por uma manta acolchoada. Ao redor da mesa nós distribuímos colchões e almofadas, tantos que umas vinte pessoas podiam se acomodar cobrindo as pernas. Hassan e eu costumávamos passar dias inteiros aconchegados sob o *kursi* jogando cartas — principalmente *panjpar*.

Matei o dez de ouros de Hassan, descartando dois valetes e um seis. Na porta ao lado, no escritório, *baba* e Rahim Khan discutiam negócios com dois outros homens — um deles eu reconheci como o pai de Assef. Através da parede, eu ouvia o som arranhado da Rádio de Notícias de Cabul.

Hassan matou o seis e comprou os dois valetes. No rádio, Daoud Khan anunciava alguma coisa sobre investimentos estrangeiros.

— Ele disse que algum dia nós vamos ter televisão em Cabul — comentei.

— Quem?

— Daoud Khan, seu bobão, o presidente.

Hassan deu risada e disse:

— Ouvi dizer que no Irã eles já têm.

Soltei um suspiro.

— Esses iranianos...

Para muitos hazaras, o Irã representava uma espécie de santuário... imagino que, assim como os hazaras, a maioria dos iranianos era formada de muçulmanos xiitas. Mas me lembrei de uma coisa que meu professor dissera naquele verão sobre os iranianos: que eram gente sorridente de fala mansa, que batiam nas suas costas com uma das mãos e roubavam sua carteira com a outra. Quando contei isso a *baba*, ele disse que meu professor era um daqueles afegãos invejosos, porque o Irã era um poder emergente na Ásia e a maioria das pessoas nem conseguia encontrar o Afeganistão no mapa-múndi. "Eu sei que dói dizer isso", explicou *baba*, dando de ombros. "Mas é melhor sentir a dor da verdade do que se consolar com uma mentira."

— Um dia eu vou comprar uma pra você — eu disse a Hassan.

A expressão dele se iluminou.

— Uma televisão? De verdade?

— Claro. E não dessas em preto e branco. O mais provável é que já sejamos adultos, e eu compro duas para nós. Uma pra você e uma pra mim.

— Vou pôr na minha mesa, onde guardo os meus desenhos — disse Hassan.

Fiquei meio triste por ele ter dito aquilo. Triste por quem Hassan era, por onde morava. Por aceitar o fato de que moraria naquele casebre de taipa no quintal até envelhecer, da mesma forma que o pai. Comprei a última carta, descartei um par de damas e um dez. Hassan pegou as damas.

— Sabe, acho que você vai deixar *agha sahib* muito orgulhoso amanhã.

— Você acha isso?

— *Inshallah* — respondeu ele.

— *Inshallah* — repeti, embora o "se Deus quiser" não soasse tão sincero saindo dos meus lábios. Isso era uma coisa do Hassan. Ele era tão puro que a gente sempre se sentia falso perto dele.

Matei o rei dele e joguei minha última carta, o ás de espadas. Ele precisava comprar. Eu tinha ganhado, mas, quando embaralhei as cartas para uma nova partida, tive a nítida impressão de que Hassan tinha me *deixado* ganhar.

— Amir *agha*?

— Que foi?

— Você sabe... eu *gosto* do lugar onde moro. — Ele sempre fazia isso: lia meus pensamentos. — É a minha casa.

— Que seja — eu disse. — Prepare-se para perder de novo.

Sete

Na manhã seguinte, enquanto preparávamos chá-preto para o desjejum, Hassan me contou um sonho que teve.

— A gente estava no lago Gargha, eu, você, meu pai, *agha sahib*, Rahim Khan e milhares de outras pessoas — disse. — Estava calor e fazia sol, e o lago estava claro como um espelho. Mas ninguém nadava, porque diziam que um monstro tinha entrado no lago. Estava no fundo, esperando. — Hassan serviu uma xícara de chá para mim e acrescentou açúcar, soprou algumas vezes. Pôs a xícara na minha frente. — Então estava todo mundo com medo de entrar na água, e de repente você tirou o sapato, Amir *agha*, e tirou a camisa. "Não tem monstro nenhum", você disse. "Vou mostrar a todos vocês." E, antes de alguém conseguir impedir, você mergulhou e começou a nadar assim mesmo. Eu fui atrás, e nós dois nadamos.

— Mas você não sabe nadar.

Hassan deu risada.

— É um sonho, Amir *agha*, a gente pode fazer qualquer coisa... Enfim, todo mundo começou a gritar "Sai daí! Sai daí!", mas a gente continuou a nadar na água gelada. Chegamos até o meio do lago e paramos de nadar. Olhamos para a margem e acenamos para as pessoas. Elas pareciam formiguinhas, mas conseguimos ouvir que estavam aplaudindo. Então elas perceberam. Não tinha monstro nenhum, só água. Depois disso, mudaram o nome do lago para

"Lago de Amir e Hassan, os sultões de Cabul", e nós passamos a cobrar para as pessoas nadarem nele.
— E o que significa isso? — perguntei.
Ele passou geleia no meu *naan*, colocando-o num prato.
— Eu não sei, estava esperando que você conseguisse me explicar.
— Bom, é um sonho besta. Nada acontece nele.
— Meu pai diz que os sonhos sempre significam alguma coisa.
Tomei um gole do chá.
— Então por que não pergunta pra ele? Se ele é tão inteligente — observei, com maior rispidez do que desejava. Eu não tinha dormido nada à noite. Meu pescoço e minha cabeça pareciam uma mola enrolada, meus olhos ardiam. Mesmo assim, eu não precisava ter sido rude com Hassan. Quase pedi desculpa, mas depois não pedi. Hassan entendeu que eu estava nervoso. Hassan sempre me entendia.
Pude ouvir a água correndo no banheiro de *baba*, lá em cima.

AS RUAS CINTILAVAM com a neve recém-caída, e o céu era de um azul imaculado. A neve cobria todos os telhados e pesava nos galhos das raquíticas amoreiras alinhadas na nossa rua. Durante a noite, a neve tinha penetrado em todas as fendas e canaletas. Apertei os olhos diante da branquidão ofuscante quando Hassan e eu saímos pelos portões de ferro batido. Ali fechou os portões atrás de nós. Ouvi quando murmurava uma prece em voz baixa — ele sempre rezava quando o filho saía de casa.
Eu nunca tinha visto tanta gente na nossa rua. Garotos atiravam bolas de neve, fazendo barulho, correndo uns atrás dos outros, dando risada. Os competidores estavam com seus assistentes com os carretéis, fazendo ajustes de última hora. Das ruas adjacentes, eu podia ouvir risadas e alvoroço. Os telhados já estavam repletos de espectadores recostados em cadeiras de jardim, chá quente fumegando em garrafas térmicas, a música de Ahmad Zahir soando nos toca-fitas. Imensamente popular, Ahmad Zahir tinha revolucionado a música afegã e ofendido os puristas ao acrescentar guitarras elétricas, bateria e sopros ao tradicional harmônio e às tablas; nos palcos ou nas festas, ele ignorava a postura austera e quase morosa dos cantores mais velhos e sorria

quando cantava — às vezes até para as mulheres. Olhei para o nosso telhado, vi *baba* e Rahim Khan sentados num banco, os dois de pulôver de lã, tomando chá. *Baba* fez um aceno. Não soube dizer se ele estava acenando para mim ou para Hassan.

— Está na hora de começar — disse Hassan. Usava botas de neve pretas de borracha e um *chapan* verde brilhante sobre um suéter grosso e uma calça desbotada de veludo. A luz do sol refletia em seu rosto, e naquele rosto eu percebi como a cicatriz rósea em seu lábio superior estava apagada.

De repente eu queria desistir. Recolher tudo, voltar para casa. O que eu estava pensando? Por que estava passando por tudo isso, quando já conhecia o resultado? *Baba* estava no telhado, olhando para mim. Senti seu olhar me queimar como um sol inclemente. Seria um fracasso em grande escala, até mesmo para mim.

— Não sei se quero empinar pipa hoje — desabafei.

— O dia está lindo — disse Hassan.

Mudei de um pé para o outro. Tentei desviar o olhar do telhado.

— Não sei. Talvez a gente devesse voltar pra casa.

Hassan deu um passo em minha direção e falou uma coisa, em voz baixa, que me assustou um pouco:

— Lembre-se de uma coisa, Amir *agha*. Não tem monstro, só um lindo dia.

Como eu podia ser tão transparente para Hassan quando, na metade do tempo, eu não fazia ideia do que se passava na cabeça dele? Era eu quem ia à escola, quem sabia ler e escrever. Eu era o inteligente. Hassan não sabia nem ler um livro da primeira série, mas conseguia me ler muito bem. Era um pouco inquietante, mas ao mesmo tempo confortável ter alguém que sempre sabia o que eu precisava.

— Não tem monstro — falei, sentindo-me um pouco melhor, para minha surpresa. Ele sorriu. — Não tem monstro.

— Tem certeza? — Ele fechou os olhos e aquiesceu. — Vamos voar — disse.

De repente me ocorreu que talvez Hassan tivesse inventado aquele sonho. Seria possível? Resolvi que não era. Hassan não era tão inteligente.

Eu não era tão inteligente. Mas, inventado ou não, o sonho bobo aliviara parte da minha ansiedade. Talvez eu *devesse* tirar a camisa e nadar no lago. Por que não?

— Vamos nessa — concordei.

A expressão de Hassan se iluminou.

— Ótimo — disse.

Levantou a nossa pipa, vermelha com bordas amarelas, com a inconfundível assinatura de Saifo logo abaixo do ponto onde as varetas centrais se cruzavam. Lambeu um dedo e ergueu a mão, verificando o vento, em seguida correu a favor dele — nas raras ocasiões em que empinávamos pipas no verão, Hassan chutava poeira para ver em que direção estava o vento. O carretel rolou em minhas mãos até Hassan parar, a uns quinze metros de distância. Segurou a pipa acima da cabeça, como um atleta olímpico mostrando uma medalha de ouro. Puxei a linha duas vezes, nosso sinal habitual, e ele soltou a pipa.

Dividido entre *baba* e os mulás da minha escola, eu ainda não estava decidido a respeito de Deus. Mas quando um *ayat* do Corão que aprendi na escola nas minhas aulas de *diniyat* subia aos meus lábios, eu o sussurrava. Respirei fundo, expirei e puxei a linha. Em um minuto, minha pipa estava subindo ao céu. Fazia um som como o de um pássaro de papel batendo as asas. Hassan bateu palmas, assobiou e voltou correndo para perto de mim. Passei o carretel para ele, mantendo a linha, e ele rapidamente enrolou a linha solta.

Pelo menos umas doze pipas já estavam no céu, como tubarões de papel rondando em busca de uma presa. Em uma hora o número dobrou, e pipas vermelhas, azuis e amarelas planavam e volteavam pelo céu. Uma brisa fria agitava o meu cabelo. O vento estava perfeito para empinar pipas, com a intensidade suficiente para dar alguma sustentação, tornar as manobras mais fáceis. Ao meu lado, Hassan segurava o carretel, as mãos já sangrando por causa do cerol.

Logo começaram os cortes, e a primeira das pipas abatidas cabeceou fora de controle. Caíam do céu como estrelas cadentes, com a cauda brilhante e agitada, espalhando troféus pelos bairros para os caçadores de pipas. Eu conseguia ouvi-los gritar enquanto corriam pelas ruas. Alguém anunciou aos gritos um combate iniciado duas ruas abaixo.

Continuei lançando olhadelas a *baba*, sentado com Rahim Khan no telhado, e imaginei o que estaria pensando. Estaria torcendo por mim? Ou será que uma parte dele gostava de me ver fracassar? Isso era uma coisa que tinha a ver com empinar pipas: a cabeça da gente flutuava com a pipa.

Agora elas estavam caindo em toda parte, e eu ainda voava. Eu continuava no ar. Meu olhar vagava na direção de *baba*, embrulhado em seu suéter de lã. Será que estava surpreso de eu estar durando tanto? *Se não mantiver os olhos no céu, você não vai durar muito mais.* Voltei a olhar para o céu. Uma pipa vermelha se aproximava de mim — percebi bem a tempo. Depois de me emaranhar um pouco com ela, acabei me saindo melhor quando o outro ficou impaciente e tentou me cortar por baixo.

Subindo e descendo as ruas, os caçadores de pipa retornavam triunfantes, segurando no alto as pipas capturadas. Mostravam-nas aos pais, aos amigos. Mas todos sabiam que o melhor ainda estava por vir. O maior troféu de todos ainda estava no ar. Cortei uma pipa amarela brilhante com uma cauda branca anelada, o que me custou outro corte no indicador e sangue escorrendo pela palma da mão. Dei a linha para Hassan segurar enquanto chupava o dedo, enxugando o sangue na calça jeans.

Durante a hora seguinte, o número de pipas sobreviventes diminuiu de cerca de cinquenta para uma dúzia. A minha estava entre as doze restantes. Sabia que essa parte do torneio demoraria um tempo, pois os caras que resistiram até então eram bons — não cairiam facilmente em truques simples como o manjado "subir e mergulhar", o favorito de Hassan.

Às três da tarde, tufos de nuvens flutuavam, e o sol escorregava por trás delas. As sombras começavam a se alongar. Os espectadores nos telhados se enrolavam em cachecóis e casacos pesados. O número havia baixado para meia dúzia, e eu ainda resistia. Minhas pernas doíam, e meu pescoço estava duro. Mas a cada pipa abatida a esperança aumentava no meu coração, como a neve se acumulando num muro, um floco de cada vez.

Meu olhar se ateve a uma pipa azul que andara provocando destruição na última hora.

— Quantas ele cortou? — perguntei.

— Eu contei onze — respondeu Hassan.

— Você sabe de quem pode ser?

Hassan estalou a língua e esticou o queixo. Era um gesto típico de Hassan, que significava que ele não fazia ideia. A pipa azul fatiou uma grande pipa lilás e descreveu dois grandes círculos. Dez minutos depois, cortou outras duas, disparando hordas de caçadores correndo atrás delas.

Trinta minutos depois, só restavam quatro pipas no ar. E eu continuava voando. A impressão era de que eu dificilmente faria um movimento errado, como se todas as lufadas de vento soprassem a meu favor. Nunca me sentira com tanto autocontrole, tanta sorte. Senti-me inebriado. Não me atrevia a olhar para o telhado. Não me arriscava a tirar os olhos do céu. Eu precisava me concentrar, estar atento. Quinze minutos depois, o que naquela manhã parecia um sonho risível de repente se tornava realidade: éramos só o outro sujeito e eu. O da pipa azul.

O ar estava tão tenso quanto a linha com cerol que eu puxava com as mãos sangrando. As pessoas batiam os pés, batiam palmas, assobiavam, cantavam: *Boboresh! Boboresh! Corta! Corta!* Refleti se a voz de *baba* estava entre elas. A música soava alto. O aroma de *mantu* cozido e *pakora* frita emanava dos telhados e de portas abertas.

Mas tudo o que eu ouvia — ou me forçava a ouvir — era a pulsação do sangue na minha cabeça. Tudo o que eu via era a pipa azul. Só sentia o aroma da vitória. Salvação. Redenção. Se *baba* estivesse errado e existisse um Deus como eles diziam na escola, Ele me deixaria vencer. Não sei o que aquilo valia para o outro sujeito; talvez ele só estivesse bravateando. Mas essa era minha única chance de me tornar alguém que fosse notado, não apenas visto, atendido, não só ouvido. Se existisse um Deus, Ele guiaria os ventos, deixaria que soprassem ao meu favor para que, com uma puxada na minha linha, eu me libertasse da dor, dos meus anseios. Eu tinha resistido demais, chegado longe demais. De repente, sem mais nem menos, a esperança se tornou certeza. Eu ia vencer. Só faltava saber quando.

Acabou sendo mais cedo que tarde. Uma lufada de vento levantou minha pipa, e eu levei vantagem. Dei linha, puxei. Alcei minha pipa acima da pipa azul. Mantive a posição. A pipa azul sabia que estava ameaçada. Tentou desesperadamente manobrar para se evadir da situação, mas eu não permiti.

Mantive a posição. A multidão pressentiu que o fim estava próximo. O coro de "Corta! Corta!" ficou mais alto, como os romanos cantando para os gladiadores "Mate! Mate!".

— Você está quase lá, Amir *agha*! Quase lá! — dizia Hassan, ofegante.

Então o momento chegou. Fechei os olhos e soltei a linha. Cortei o dedo de novo quando o vento a arrastou. E depois... nem precisei ouvir o urro da multidão para saber. Nem precisava ter visto. Hassan berrava, enrolando o braço ao redor do meu pescoço.

— Bravo! Bravo, Amir *agha*!

Abri os olhos, vi a pipa azul girando loucamente, como um pneu expelido por um carro em alta velocidade. Pisquei, tentei dizer alguma coisa. Não saiu nada. De repente eu estava flutuando, olhando de cima para mim mesmo. Casaco de couro preto, cachecol vermelho, jeans desbotado. Um garoto magro, meio pálido, um tanto baixo para seus doze anos. Tinha ombros estreitos e uma sombra de círculos escuros ao redor dos olhos castanho-claros. A brisa agitava os cabelos castanhos. Ele olhou para mim lá em cima, e sorrimos um para o outro.

Depois fiquei gritando, e tudo era som e cor, tudo estava vivo e bom. Eu abraçava Hassan com meu braço livre, e pulávamos sem parar, ambos rindo, ambos chorando.

— Você venceu, Amir *agha*. Você venceu!

— *Nós* vencemos! *Nós* vencemos! — foi só o que consegui dizer. Aquilo não estava acontecendo. Dali a um instante eu ia piscar os olhos e despertar daquele lindo sonho, levantar da cama, descer até a cozinha para fazer o desjejum sem ter ninguém para conversar, a não ser Hassan. Vestir a roupa. Esperar *baba*. Desistir. Voltar para minha antiga vida. Então vi *baba* no nosso telhado. Estava na beirada, esmurrando o ar com as duas mãos. Gritando e batendo palmas. E aquele foi o momento mais grandioso dos meus doze anos de vida — ver *baba* naquele telhado, finalmente orgulhoso de mim.

Mas agora ele fazia alguma outra coisa, gesticulando com as mãos de um jeito urgente. Aí eu me dei conta.

— Hassan, nós...

— Eu sei — disse ele, rompendo o nosso abraço. — *Inshallah*, mais tarde vamos comemorar. Agora eu vou atrás daquela pipa azul pra você — anunciou. Largou o carretel e saiu correndo, a barra de seu *chapan* verde arrastando-se na neve atrás.

— Hassan! — chamei. — Volte com a pipa!

Ele já estava virando a esquina, as botas de borracha levantando neve. Parou, virou. Pôs as mãos em concha ao redor da boca.

— Por você, faria mil vezes! — disse. Em seguida deu aquele seu sorriso de Hassan e desapareceu na esquina. Só o vi sorrir com tanta naturalidade assim vinte e seis anos depois, numa esmaecida fotografia polaroide.

Comecei a recolher minha pipa enquanto as pessoas corriam para me cumprimentar. Troquei apertos de mão, agradeci. Os garotos mais novos me olhavam com um brilho de admiração nos olhos; eu era um herói. Mãos davam tapinhas nas minhas costas e desmanchavam meu cabelo. Eu recolhia a linha e correspondia a cada sorriso, mas meu pensamento estava na pipa azul.

Finalmente eu estava com minha pipa nas mãos. Enrolei a linha solta aos meus pés no carretel, distribuí mais alguns apertos de mão e fui correndo para casa. Quando cheguei aos portões de ferro batido, Ali estava à minha espera do outro lado. Passou a mão pela grade.

— Parabéns — disse ele.

Entreguei-lhe a pipa e o carretel, apertando sua mão.

— *Tashakor*, Ali *jan*.

— Eu rezei por você o tempo todo.

— Pode continuar rezando. Ainda não acabamos.

Voltei correndo para a rua. Não perguntei a Ali sobre *baba*. Ainda não queria encontrar com ele. Eu já tinha tudo planejado na mente: ia fazer uma grande entrada, como um herói, com o valioso troféu nas mãos ensanguentadas. Cabeças se virariam, e olhares se encontrariam. Rostam e Sohrab medindo um ao outro. Um momento de silêncio dramático. Então o velho guerreiro se aproximaria do jovem e o abraçaria, reconhecendo seu valor. Reconhecimento. Salvação. Redenção. E depois? Bem... eles viveriam felizes para sempre, é claro. E o que mais?

As ruas de Wazir Akbar Khan eram numeradas e dispostas em ângulo reto, como uma grade. Na época era um bairro recente, ainda em desenvolvimento, com muitos terrenos vazios e casas construídas pela metade, entre condomínios cercados por muros de três metros de altura. Percorri todas as ruas de cima a baixo, à procura de Hassan. Em toda parte as pessoas estavam ocupadas dobrando cadeiras, embalando comida e utensílios depois de um grande dia festivo. Algumas, ainda instaladas nos telhados, gritaram para me parabenizar.

Quatro ruas abaixo da nossa eu vi Omar, o filho de um engenheiro amigo de *baba*. Estava jogando futebol com o irmão, no quintal da frente da casa. Omar era um bom sujeito. Tínhamos sido colegas de classe na quarta série, e uma vez ele me deu uma caneta-tinteiro de presente, daquelas que se carregam com um cartucho.

— Eu soube que você ganhou, Amir — disse. — Parabéns.

— Obrigado. Você viu Hassan?

— O seu hazara?

Confirmei com a cabeça.

Omar cabeceou a bola para o irmão.

— Ouvi dizer que ele é um grande caçador de pipas. — O irmão dele cabeceou a bola de volta. Omar pegou a bola, jogou-a para cima e para baixo. — Ainda que eu sempre fique imaginando como ele consegue. Quer dizer, com aqueles olhinhos puxados, como ele consegue *enxergar* alguma coisa?

O irmão dele explodiu em risos, pedindo a bola de volta. Omar o ignorou. Omar apontou um dedo por cima do ombro, indicando o sudoeste.

— Eu vi Hassan correndo na direção do bazar agora há pouco.

— Obrigado. — Saí correndo.

Quando cheguei lá, o sol começava a desaparecer atrás das montanhas, e a poeira tingia o céu de rosa e lilás. Alguns quarteirões adiante, na mesquita de Haji Yaghoub, o mulá entoava uma *azan*, chamando os fiéis para desenrolar seus tapetes e baixar a cabeça em direção ao oeste numa oração. Hassan nunca perdia nenhuma das cinco orações diárias. Mesmo quando estávamos brincando na rua, ele pedia licença, tirava água do poço do quintal, lavava-se e desaparecia em sua casa. Voltava alguns minutos depois, sorrindo, para me encontrar encostado na parede ou empoleirado numa árvore. Mas nessa noite ele ia perder a oração por minha causa.

O bazar se esvaziava rapidamente, os vendedores encerrando as pechinchas do dia. Trotei pela lama, entre fileiras de cubículos apertados onde se podia comprar um faisão recém-abatido numa das bancas e uma calculadora na banca adjacente. Segui meu caminho pela multidão que se dispersava, mendigos humildes vestidos em camadas de trapos, comerciantes com tapetes nos ombros, vendedores de roupas e açougueiros fechando as lojas no final do dia. Não havia sinal de Hassan.

Parei perto de uma barraca de frutas secas, descrevi Hassan para um velho mercador que segurava sua mula com cestos de pinhão e uvas-passas e usava um turbante azul.

Ele parou para olhar para mim por um longo tempo antes de responder:

— Talvez eu o tenha visto.

— Pra que lado ele foi?

Ele me examinou de cima a baixo.

— O que um garoto como você faz aqui a essa hora procurando um hazara?

Seu olhar pousou com admiração em meu casaco de couro e meu jeans — *calça rancheira*, como costumávamos chamar. No Afeganistão, usar qualquer coisa americana, principalmente se não fosse de segunda mão, era um sinal de riqueza.

— Eu preciso encontrá-lo, *agha*.

— O que ele é seu? — perguntou. Eu não via razão para aquele interrogatório, mas lembrei a mim mesmo que impaciência não faria com que ele fosse mais rápido.

— É o filho do nosso empregado — expliquei.

O velho levantou uma sobrancelha grisalha.

— É mesmo? Que hazara de sorte, tendo um patrão tão preocupado. O pai dele devia se ajoelhar e varrer a poeira dos seus pés com os cílios.

— Vai me dizer ou não?

Ele descansou um braço no lombo da mula e apontou para o sul.

— Acho que vi o garoto que você descreveu correndo para aquele lado. Estava com uma pipa na mão. Uma pipa azul.

— Estava, é? — perguntei. *Por você, faria mil vezes*, ele havia prometido. O bom Hassan de sempre. O bom e confiável Hassan. Mantivera a promessa e caçara a última pipa para mim.

— Mas claro que a essa altura eles já o pegaram — continuou o comerciante, gemendo e depositando outra caixa no lombo da mula.

— Como assim?

— Os outros garotos — respondeu ele. — Os que estavam atrás dele. Vestidos como você. — Deu uma olhada para cima e suspirou. — Mas siga o seu caminho, você está me atrasando para a *namaz*.

Mas eu já estava correndo pelo beco.

Pelos minutos seguintes, vistoriei o bazar em vão. Talvez os olhos do velho vendedor o tivessem traído. Só que ele vira a pipa azul. A ideia de pôr as mãos naquela pipa... Enfiei a cabeça em todos os becos, todas as lojas. Nem sinal de Hassan.

Comecei a me preocupar que ficasse escuro antes de encontrar Hassan quando ouvi vozes à frente. Eu havia chegado a uma rua isolada e lamacenta. Corria perpendicular ao fim da alameda principal, dividindo o bazar em dois. Tomei a direção da rua esburacada e segui as vozes. Minha bota esmagava lama a cada passo, e minha respiração soltava vapor. Um dos lados da ruela corria paralelo a uma ravina nevada por onde deveria passar um córrego na primavera. Do outro lado, fileiras de ciprestes queimados pela neve pululavam entre casas de barro com telhado achatado — não mais que casebres de pau a pique na maioria dos casos — separadas por vielas estreitas.

Ouvi as vozes de novo, dessa vez mais altas, vindas de uma das ruelas. Cheguei mais perto do acesso às vielas. Prendi a respiração. Espiei do outro lado da esquina.

Hassan estava num beco sem saída, numa postura desafiadora: punhos fechados, pernas levemente abertas. Atrás dele, pousada numa pilha de detritos e entulho, estava a pipa azul. Minha chave para o coração de *baba*.

Três garotos bloqueavam a saída de Hassan do beco, os mesmos daquela vez na colina, no dia seguinte ao golpe de Daoud Khan, quando Hassan nos salvara com seu estilingue. Wali estava de um lado, Kamal do outro, Assef no meio. Senti meu corpo se contrair, alguma coisa fria percorrendo minha espinha. Assef parecia relaxado, confiante. Rodopiava seu soco-inglês. Os outros dois estavam mais nervosos, mudando de um pé para o outro, olhando de Assef para Hassan, como se tivessem acuado uma espécie de animal selvagem que só Assef conseguia domar.

— Onde está o seu estilingue, hazara? — perguntou Assef, girando o soco-inglês na mão. — O que você disse mesmo? "Eles vão ter de chamar você de Assef Caolho." Foi isso. Assef Caolho. Essa foi boa. Muito boa. Mas, até aí, é fácil dizer coisas assim quando se tem uma arma carregada na mão.

Percebi que eu estava prendendo a respiração. Expirei devagar, em silêncio. Eu me senti paralisado. Vi que se aproximavam do garoto com quem eu tinha crescido, o garoto cujo rosto com lábio leporino era a minha primeira lembrança.

— Mas hoje é seu dia de sorte, hazara — continuou Assef. Estava de costas para mim, mais eu podia apostar que sorria. — Estou disposto a perdoá-lo. O que vocês acham, rapazes?

— Muita generosidade — respondeu Kamal. — Principalmente depois da maneira rude como ele tratou a gente da última vez. — Ele tentava falar como Assef, só que havia um tremor em sua voz. Depois entendi: ele não temia Hassan, não mesmo. Seu medo era por não fazer ideia do que Assef estava planejando.

Assef fez um gesto de mão conclusivo.

— *Bakhshida*. Perdoado. Está feito. — O tom de voz baixou um pouco. — Mas é claro que nada é de graça neste mundo, e meu perdão vai ter um pequeno preço.

— É justo — disse Kamal.

— Nada é de graça — acrescentou Wali.

— Você é um hazara de sorte — disse Assef, dando um passo na direção de Hassan. — Porque hoje isso só vai te custar essa pipa azul. É um acordo razoável, não é, rapazes?

— Mais do que razoável — respondeu Kamal.

Mesmo do local onde eu estava, podia ver o medo tremulando nos olhos de Hassan, mas ele fez que não com a cabeça.

— Amir *agha* venceu o torneio, e eu peguei essa pipa pra ele. Foi uma competição justa. Essa pipa é dele.

— Um hazara leal. Leal como um cão — comentou Assef. A risada de Kamal soou estridente e nervosa. Assef continuou: — Mas, antes de se sacrificar por ele, pense numa coisa: será que ele faria o mesmo por você? Alguma vez você já pensou por que ele nunca te inclui nas brincadeiras com seus convidados? Por que ele só brinca com você quando não tem outra companhia? Eu vou dizer por quê, hazara. Porque para ele você não é mais que um bichinho de estimação feioso. Algo com que ele pode brincar quando está entediado, algo que pode chutar quando está zangado. Nunca se engane pensando que você é mais do que isso.

— Amir *agha* e eu somos amigos — disse Hassan, parecendo orgulhoso.

— Amigos? — repetiu Assef, rindo. — Seu tolo ridículo! Um dia você vai despertar dessa fantasia e perceber quanto ele é seu amigo. Mas, *bas*! Agora já chega. Me dá essa pipa.

Hassan se abaixou e pegou uma pedra.

Assef hesitou. Ia recuar um passo, mas parou.

— É sua última chance, hazara.

A resposta de Hassan foi armar o braço que segurava a pedra.

— Se é assim que você deseja. — Assef desabotoou e tirou o casaco, dobrou-o devagar e meticulosamente. Encostou o casaco na parede.

Abri a boca, quase disse alguma coisa. Quase. O resto da minha vida teria sido diferente se eu tivesse falado. Mas não falei nada. Só fiquei observando. Paralisado.

Assef fez um gesto de mão, e os outros dois garotos se separaram, formando um semicírculo, acuando Hassan no beco.

— Agora eu mudei de ideia — disse. — Vou deixar você ficar com a pipa, hazara. Vou deixar você ficar com ela, pra nunca esquecer o que eu vou fazer com você.

Foi aí que ele atacou. Hassan atirou a pedra. Acertou a testa de Assef. Ele gritava de dor enquanto arremetia contra Hassan, jogando-o no chão. Wali e Kamal o acompanharam.

Mordi meu punho. Fechei os olhos.

* * *

Uma lembrança:

Sabe que você e Hassan mamaram no mesmo peito? Você sabia disso, Amir agha? Sakina era o nome dela. Era uma hazara loira de olhos azuis de Bamiyan, que cantava antigas canções para vocês. Dizem que existe uma fraternidade entre pessoas que mamam do mesmo seio. Você sabia disso?

Uma lembrança:

— Uma rúpia cada, crianças. Só uma rúpia para eu abrir a cortina da verdade. — *O velho está encostado numa parede de barro. Os olhos cegos são como prata derretida incrustada em crateras gêmeas profundas. Curvado sobre a bengala, o vidente passa a mão nodosa pela superfície do rosto flácido. Estende a mão em concha para nós.* — Não é muito para saber a verdade, é? Uma rúpia cada um? — *Hassan joga uma moeda na mão calosa. Eu também jogo a minha.* — Em nome de Alá, o mais caridoso, mais piedoso — *murmura o velho vidente. Pega primeiro a mão de Hassan, esfrega a palma com um dedo em forma de chifre, circulando, circulando, circulando. Depois o dedo flutua até o rosto de Hassan e faz um som seco e arranhado ao contornar a curva de suas bochechas, o contorno das orelhas. Os dedos calosos tocam os olhos de Hassan. A mão para ali. Fica. Uma sombra passa pelo rosto do ancião. Hassan e eu trocamos um olhar. O velho pega a mão de Hassan e devolve a rúpia. Vira-se para mim.* — E você, meu jovem amigo? — *pergunta. Do outro lado do muro, um galo canta. O ancião tenta pegar minha mão, mas eu a retiro.*

Um sonho:

Estou perdido numa tempestade de neve. O vento uiva, soprando espinhosas cortinas de neve nos meus olhos. Cambaleio por camadas de neve ondulante. Peço ajuda, mas o vento abafa meus gritos. Caio e fico ofegante na neve, perdido na brancura, o vento uivando em meus ouvidos. Vejo a neve apagar minhas pegadas. Eu sou um fantasma, penso, *um fantasma que não deixa pegadas. Grito outra vez, a esperança desaparecendo como minhas pegadas. Mas, dessa vez, ouço uma resposta abafada. Protejo os olhos e consigo sentar. Atrás das cortinas ondulantes de neve, vejo o clarão de um movimento, uma cor fugidia. Uma figura conhecida se materializa. Estende a mão para mim. Vejo ranhuras profundas e paralelas na palma daquela mão, sangue escorrendo, tingindo a neve. Seguro aquela mão, e de* repente a neve desaparece. Estamos num pomar de maçãs verdes, sob pequenos fiapos de nuvens flutuantes. Olho para cima e vejo que o céu está repleto de pipas verdes, amarelas, vermelhas, alaranjadas. Elas brilham na luz da tarde.

UM CAOS DE DETRITOS e entulho recobre o beco. Velhos pneus de bicicleta, garrafas com rótulos descascados, revistas rasgadas, jornais amarelados, tudo espalhado em meio a uma pilha de tijolos e lajotas de cimento. Um fogão de ferro enferrujado com um buraco na lateral jazia encostado numa parede. Mas havia duas coisas no meio do lixo que eu não conseguia parar de olhar: uma era a pipa azul apoiada na parede, perto do fogão de ferro; a outra era a calça de veludo cotelê de Hassan, jogada numa pilha de tijolos erodidos.

— Não sei, não — disse Wali. — Meu pai diz que é pecado.

Ele parecia inseguro, excitado, assustado, tudo ao mesmo tempo. Hassan estava deitado, de bruços. Kamal e Wali seguravam um braço cada um, torcido e dobrado no cotovelo, imobilizando as mãos de Hassan nas costas. Assef estava acima deles, o salto da bota de neve pisando na nuca de Hassan.

— O seu pai não vai saber de nada — disse Assef. — E não há pecado nenhum em dar uma lição a um jumento desrespeitoso.

— Não sei, não — murmurou Wali.

— Faça como quiser — disse Assef. Virou-se para Kamal e perguntou:

— E você?

— Eu... bem...

— É só um hazara — disse Assef.

Mas Kamal continuava olhando para outro lado.

— Tudo bem — impacientou-se Assef. — Só peço que vocês dois fracotes o mantenham imobilizado. Vocês conseguem fazer isso?

Wali e Kamal concordaram. Pareceram aliviados.

Assef ajoelhou-se atrás de Hassan, pôs as mãos no quadril dele e desnudou-lhe as nádegas. Manteve uma das mãos em sua nuca enquanto desafivelava o cinto com a mão livre. Abriu o zíper do jeans. Desceu a cueca. Posicionou-se atrás de Hassan, que não reagia. Nem ao menos choramingava. Virou levemente a cabeça, e vi seu rosto num relance. Vi sua expressão resignada. Era uma expressão que eu já conhecia. Era o olhar do cordeiro.

* * *

Amanhã é o décimo dia do Dhul-Hijjah, *o último mês do calendário muçulmano e o primeiro dos três dias de* Eid Al-Adha, *ou* Eid-e-Qorban, *como chamam os afegãos — o dia de comemorar a data em que o profeta Ibrahim quase sacrificou o próprio filho por Deus. Baba mais uma vez escolheu pessoalmente o cordeiro desse ano, um branco com orelhas pretas caídas.*

Estamos todos no quintal — Hassan, Ali, baba e eu. O mulá recita a oração, cofia a barba. Baba resmunga baixinho: Vamos logo com isso. *Parece aborrecido com as intermináveis orações, com o ritual de tornar a carne* halal. *Baba zomba da história por trás desse Eid, como zomba de tudo o que é religioso. Mas respeita a tradição do Eid-e-Qorban. O costume é dividir a carne em três partes: uma para a família, uma para os amigos e uma para os pobres. Todos os anos, baba dá tudo para os pobres. Os ricos já estão gordos demais, diz.*

O mulá termina a oração. Amém. Pega uma faca de cozinha com uma lâmina comprida. O costume diz para não deixar o cordeiro ver a faca. Ali dá um cubo de açúcar para o animal — outro costume, para tornar a morte mais doce. O cordeiro escoiceia, mas não muito. O mulá o agarra por baixo da mandíbula e encosta a lâmina no pescoço do animal. Um segundo antes de ele cortar a garganta num movimento habilidoso, vejo os olhos do cordeiro. É um olhar que vai atormentar meus sonhos durante semanas. Não sei por que assisto a esse ritual anual no nosso quintal; meus pesadelos continuam até muito tempo depois de as manchas de sangue no gramado se apagarem. Mas sempre assisto. Assisto por causa do olhar de aceitação nos olhos do animal. É um absurdo, mas acho que o animal compreende. Acho que o animal percebe que sua morte iminente é por um propósito superior. Esse é o olhar...

Parei de assistir à cena, afastando-me do beco. Alguma coisa quente escorria pelo meu pulso. Pisquei e vi que ainda estava mordendo meu punho, com força suficiente para tirar sangue das juntas. Também percebi outra coisa. Eu estava chorando. Vindo do beco, ainda ouvi os grunhidos curtos e ritmados de Assef.

Tive uma última chance de tomar uma decisão. Uma oportunidade final de decidir quem eu iria ser. Poderia ter entrado naquele beco, defendido

Hassan — da maneira como ele me defendera todas aquelas vezes no passado — e aceitado o que acontecesse comigo. Ou poderia fugir.

Acabei fugindo.

Fugi porque era um covarde. Tive medo de Assef e do que ele podia fazer comigo. Tive medo de me machucar. Foi o que disse a mim mesmo quando virei as costas para o beco, para Hassan. Foi o que me forcei a acreditar. Na verdade eu *desejava* covardia, pois a alternativa, a verdadeira razão por que fugia, era que Assef estava certo: nada é de graça neste mundo. Talvez Hassan fosse o preço que eu precisava pagar, o cordeiro que tinha de matar para merecer *baba*. Seria um preço justo? A resposta flutuou na minha consciência antes de eu conseguir afastá-la: ele era apenas um hazara, não era?

Voltei correndo pelo caminho pelo qual viera. Atravessei depressa o bazar quase deserto. Entrei num cubículo e me apoiei nas portas de vaivém forradas. Fiquei ali ofegante, suando, desejando que as coisas tivessem acontecido de outra maneira.

Cerca de quinze minutos depois, ouvi vozes e som de pessoas correndo. Agachei atrás do cubículo e vi Assef e os outros seguir, rindo enquanto corriam pela viela vazia. Fiz força para esperar mais dez minutos. Então voltei pela rua esburacada que passava perto da ravina nevada. Forcei os olhos na luz difusa e avistei Hassan andando devagar na minha direção. Encontrei com ele perto de uma bétula desfolhada no limite da ravina.

Estava com a pipa azul nas mãos; foi a primeira coisa que notei. E não posso mentir agora e dizer que meus olhos não verificaram se estava rasgada. O *chapan* que usava estava sujo de lama na frente, e a camisa estava rasgada abaixo do colarinho. Ele parou. Oscilou sobre os pés, como se fosse desmaiar. Depois se equilibrou. E me entregou a pipa.

— Onde você estava? Eu estava te procurando — disse. Pronunciar aquelas palavras foi como mastigar um pedregulho.

Hassan passou a manga da camisa no rosto, enxugando muco e lágrimas. Esperei que me dissesse alguma coisa, mas ficou ali parado em silêncio, sob a luz difusa. Fiquei agradecido à luz do começo da noite por refletir no rosto de Hassan e esconder o meu. Fiquei feliz por não ter de retornar seu olhar. Será que ele sabia que eu sabia? E, se soubesse, o que eu veria se olhasse em seus olhos? Acusação? Revolta? Ou, Deus me livre, o que eu mais temia: autêntica devoção? Isso, mais do que tudo, eu não conseguiria encarar.

Começou a dizer alguma coisa, mas sua voz falseou. Fechou a boca, abriu, fechou outra vez. Deu um passo para atrás. Limpou o rosto. E foi o mais perto que Hassan chegou de falar sobre o que tinha acontecido naquele beco. Achei que poderia começar a chorar, mas, para meu alívio, ele não chorou, e fingi que não ouvi o falsete em sua voz. Assim como fingi que não vi a mancha escura nos fundilhos de sua calça. Ou as gotinhas que lhe escorriam pelo meio das pernas e manchavam a neve de preto.

— *Agha sahib* vai ficar preocupado — foi só o que ele disse.

Virou as costas para mim e saiu mancando.

Tudo aconteceu do jeito que eu havia imaginado. Abri a porta do escritório esfumaçado e entrei. *Baba* e Rahim Khan estavam tomando chá e ouvindo as notícias chiando no rádio. Viraram a cabeça na minha direção. Depois um sorriso apareceu nos lábios do meu pai. Ele abriu os braços. Pus a pipa no chão e fui ao encontro de seus braços grossos e cabeludos. Enterrei o rosto no calor de seu peito e chorei. *Baba* ficou abraçado comigo, balançando-me para a frente e para trás. Em seus braços, esqueci o que eu tinha feito. E aquilo foi bom.

Oito

Por uma semana, eu mal vi Hassan. Acordava e encontrava torradas já com manteiga, chá pronto e um ovo quente na mesa da cozinha. As roupas do dia estavam passadas e dobradas sobre a cadeira de assento de junco no vestíbulo onde Hassan geralmente passava as roupas. Ele costumava esperar que eu sentasse à mesa do desjejum antes de começar a passar — assim podíamos conversar. Costumava também cantar, acima do chiado do ferro de passar, entoando antigas canções hazaras sobre plantações de tulipas. Agora só as roupas me cumprimentavam. Além de um desjejum que eu mal conseguia comer.

Numa manhã nublada, eu estava revirando o ovo mexido no prato quando Ali entrou carregando uma pilha de lenha cortada. Perguntei de Hassan.

— Voltou para a cama — respondeu Ali, ajoelhando-se diante da estufa, abrindo a portinhola quadrada.

— Será que ele poderia brincar hoje?

Ali fez uma pausa, uma acha de lenha na mão. Uma expressão preocupada passou-lhe pelo rosto.

— Ultimamente ele parece que só quer saber de dormir. Cumpre as tarefas, porque eu fico em cima dele, mas depois só quer voltar pra baixo das cobertas. Posso perguntar uma coisa a você?

— Se for preciso.

— Depois do torneio de pipas, ele voltou para casa meio ensanguentado e com a camisa rasgada. Perguntei o que tinha acontecido, e ele disse que não houve nada, que entrou numa disputa com uns garotos por causa da pipa. — Eu não disse nada. Continuei revirando o ovo no prato. — Aconteceu alguma coisa com ele, Amir *agha*? Alguma coisa que ele não está me contando?

Dei de ombros.

— Como é que eu vou saber?

— Você me contaria, não é? *Inshallah*, você me contaria se tivesse acontecido alguma coisa?

— Como já disse, como eu poderia saber se aconteceu alguma coisa? — retruquei. — Talvez ele esteja doente. As pessoas ficam doentes às vezes, Ali. Agora, eu vou morrer de frio aqui ou você está pensando em acender essa estufa ainda hoje?

À NOITE perguntei a *baba* se podíamos ir a Jalalabad na sexta-feira. Ele estava se balançando na cadeira giratória atrás da escrivaninha, lendo um jornal. Deixou o jornal de lado, tirou os óculos de leitura de que eu não gostava nem um pouco — *baba* não era velho, de jeito nenhum, e tinha ainda muitos anos para viver, então por que usava aqueles óculos estúpidos?

— Por que não? — respondeu ele. Ultimamente, *baba* concordava com tudo o que eu dizia. Não só isso, pois duas noites antes ele me perguntara se eu queria ir assistir a *El Cid*, com Charlton Heston, no cinema Aryana. — Você quer convidar Hassan para ir conosco a Jalalabad?

Por que *baba* tinha de estragar tudo desse jeito?

— Hassan está *mareez* — respondi. — Não se sente bem.

— É mesmo? — *Baba* parou de balançar a cadeira. — O que é que ele tem?

Dei de ombros e afundei no sofá perto da lareira.

— Está resfriado ou coisa assim. Ali diz que ele está dormindo até passar.

— Não tenho visto muito Hassan nos últimos dias — disse *baba*. — Então é só isso, um resfriado? — Não pude deixar de odiar o jeito como ele franziu a testa de preocupação.

— Só um resfriado. Então nós vamos na sexta, *baba*?

— Vamos, vamos — respondeu *baba*, afastando-se da mesa. — Que pena Hassan não poder ir. Achei que você se divertiria mais se ele também fosse.

— Bom, nós dois podemos nos divertir juntos — falei.

Baba sorriu. Piscou.

— Vista uma roupa quente — recomendou.

Deveríamos ser só nós dois — era assim que eu queria —, mas na quarta-feira à noite *baba* já conseguira convidar mais umas doze pessoas. Telefonou para o seu primo Homayoun — na verdade, primo em segundo grau — e mencionou que iria a Jalalabad na sexta-feira. Homayoun, que estudara engenharia na França e tinha uma casa em Jalalabad, disse que adoraria levar os filhos e as duas esposas, e, uma vez que iríamos até lá, a prima Shafiqa, que morava em Herat e estava de visita, talvez fosse junto também, e, como ela estava hospedada na casa do tio Nader em Cabul, a família também podia ser convidada, ainda que Homayoun e Nader andassem um pouco estranhados, e, se Nader fosse convidado, claro que seu irmão Faruq também deveria ir, para que não ficasse magoado e deixasse de convidá-los para o casamento da filha no mês seguinte, e...

Enchemos três vans. Eu fui com *baba*, Rahim Khan, *kaka* Homayoun — *baba* me ensinou desde cedo a chamar qualquer homem mais velho de *kaka*, ou tio, e qualquer mulher mais velha de *khala*, ou tia. As duas esposas de *kaka* Homayoun também vieram conosco — a mais velha, de cara amarrada e verrugas nas mãos, e a mais jovem, que andava sempre perfumada e dançava de olhos fechados —, assim como as filhinhas gêmeas de *kaka* Homayoun. Sentei no banco de trás, tonto e enjoado, espremido entre as gêmeas de sete anos, que ficaram se estapeando por cima do meu colo. A estrada para Jalalabad é uma trilha de duas horas por caminhos montanhosos serpenteando encosta abaixo, e meu estômago saltava a cada curva fechada. Todo mundo no carro falava, alto e ao mesmo tempo, quase berrando, que é como falam os afegãos. Pedi a uma das gêmeas — Fazila ou Karima, nunca sei dizer qual é qual — que trocasse de lugar comigo para eu ficar na janela, por causa do meu enjoo. Ela pôs a língua para fora e disse que não. Eu disse que tudo bem, mas que não me culpasse se eu vomitasse no vestido novo dela. Um minuto depois, eu estava debruçado na janela. Fiquei observando a estrada esburacada subindo e descendo, abanando o rabo pela encosta da montanha, contando os caminhões multicoloridos parados, carregados com homens agachados. Tentei fechar os olhos, deixar o vento bater no meu rosto, abrir a boca para engolir o ar puro. Nem assim me senti melhor. Um dedo me cutucou o flanco. Era Fazila/Karima.

— Que foi? — perguntei.

— Eu estava contando pra todo mundo sobre o torneio — disse *baba* ao volante. *Kaka* Homayoun e as esposas sorriam para mim de seus lugares. — Acho que havia umas cem pipas no céu naquele dia, não? — continuou *baba*. — Era mais ou menos isso, Amir?

— Acho que sim — resmunguei.

— Cem pipas, Homayoun *jan*. Sem *laaf*. E a única que restava no ar no final do dia era a do Amir. E ele trouxe a última pipa para casa à noite, uma linda pipa azul. Hassan e Amir correram atrás dela juntos.

— Parabéns — disse *kaka* Homayoun.

A primeira esposa, a de verrugas nas mãos, bateu palmas.

— *Wah wah*, Amir *jan*, estamos muito orgulhosos de você — disse. A esposa mais nova entrou no coro. Logo a seguir todo mundo aplaudia, dizendo seus votos, falando quanto eu os fizera se sentir orgulhosos. Só Rahim Khan, sentado na frente ao lado de *baba*, continuou em silêncio. Ficou me olhando de um jeito estranho.

— Para um pouco, *baba*, por favor — pedi.

— O quê?

— Estou ficando enjoado — murmurei, esticando-me no banco e empurrando as filhas de *kaka* Homayoun.

A expressão de Fazila/Karima se contorceu.

— Para, *kaka*! Ele tá ficando amarelo! Não quero que ele vomite no meu vestido novo! — esganiçou.

Baba começou a estacionar, mas não aguentei. Alguns minutos depois, eu estava sentado numa pedra ao lado da estrada, e eles arejavam a van. *Baba* fumava com *kaka* Homayoun, que pedia que Fazila/Karima parasse de chorar;

ele ia comprar outro vestido para ela em Jalalabad. Fechei os olhos, virei o rosto para o sol. Pequenas manchas se formaram nas minhas pálpebras, como mãos projetando sombras na parede. Retorcendo, mesclando, formando uma só imagem: a calça de veludo cotelê marrom de Hassan jogada numa pilha de tijolos velhos no fundo do beco.

A CASA BRANCA de dois andares de *kaka* Homayoun em Jalalabad tinha uma varanda que dava para um grande jardim murado com caquizeiros e macieiras. Havia sebes que, no verão, o jardineiro esculpia em forma de animais e uma piscina de azulejos esmeralda. Sentei na beira da piscina seca, em cujo fundo se viam uns restos pastosos de neve. Eu balançava os pés na beirada. As filhas de *kaka* Homayoun brincavam de esconde-esconde no fundo do quintal. As mulheres cozinhavam, e eu sentia o cheiro de cebolas já fritando, ouvia o *psst-psst* da panela de pressão, a música, as risadas. *Baba*, Rahim Khan, *kaka* Homayoun e *kaka* Nader fumavam na varanda. *Kaka* Homayoun e *kaka* Nader diziam que haviam trazido o projetor para mostrar as fotos da França. Já fazia dez anos que eles tinham voltado de Paris e continuavam mostrando aquelas fotos bobas.

Eu não deveria estar me sentindo assim. *Baba* e eu finalmente éramos amigos. Tínhamos ido ao zoológico poucos dias antes, visto o leão Marjan, eu tinha atirado uma pedra no urso quando ninguém olhava. Depois fomos à casa de *kabob* na Dadkhoda, em frente ao cinema Park, comemos *kabob* de carneiro com *naan* saído do *tandoor*. *Baba* me contou histórias de suas viagens na Índia e na Rússia, das pessoas que conhecera, como o casal sem pernas nem braços de Bombaim que estava junto havia quarenta e sete anos e criara onze filhos. Deveria ter sido divertido passar um dia como aquele com *baba*, ouvindo suas histórias. Finalmente eu tinha o que desejava havia tantos anos. Só que, agora que eu tinha aquilo, me sentia tão vazio como a piscina abandonada em que balançava as pernas.

As esposas e as filhas serviram o jantar ao pôr do sol — arroz, *kofta* e *qurma* de galinha. Jantamos da maneira tradicional, sentados em almofadas ao redor da sala, a toalha de mesa estendida no chão, comendo com as mãos em volta de pratos para grupos de quatro ou cinco pessoas. Eu não estava com fome, mas sentei assim mesmo, com *baba*, *kaka* Faruq e os dois filhos de *kaka* Homayoun. *Baba*, que tinha tomado alguns uísques antes do jantar, ainda estava arengando sobre o torneio de pipas, sobre como eu sobrevivera a todos, sobre como voltara para casa com a última pipa. Sua voz trovejante dominava o ambiente. As pessoas levantavam a cabeça do prato, bradavam suas congratulações. *Kaka* Faruq bateu nas minhas costas com a mão limpa. Senti como se me enfiasse uma faca no olho.

    Mais tarde, depois da meia-noite e de algumas horas de pôquer entre *baba* e os primos, os homens se deitaram para dormir em colchões dispostos paralelamente na mesma sala em que jantamos. As mulheres foram para o andar de cima. Uma hora depois, eu ainda não tinha conseguido dormir. Continuava me revirando na cama enquanto meus parentes grunhiam, suspiravam e roncavam durante o sono. Sentei na cama. Uma fresta de luz da lua entrava pela janela.

    — Eu vi Hassan ser estuprado — disse para ninguém.

    Baba se mexeu no sono. *Kaka* Homayoun deu um grunhido. Uma parte de mim gostaria que alguém acordasse e ouvisse aquilo, para não ter mais de viver com aquela mentira. Mas ninguém acordou, e no silêncio que se seguiu compreendi a natureza do meu novo caminho: eu ia me dar bem nele.

    Pensei no sonho de Hassan, nós dois nadando no lago. *Não tem monstro nenhum*, ele dissera, *só água*. Só que ele estava enganado. Havia um monstro no lago. Um monstro que pegara Hassan pelos tornozelos e o arrastara até o fundo lodoso. Eu era aquele monstro.

    Foi nessa noite que me tornei insone.

Só VOLTEI A FALAR com Hassan no meio da semana seguinte. Eu tinha comido pouco no almoço, e Hassan estava lavando os pratos. Quando eu subia a escada, a caminho do meu quarto, Hassan perguntou se eu queria dar um passeio até a colina. Respondi que estava cansado. Hassan também parecia cansado — tinha emagrecido, e círculos acinzentados se formavam sob os olhos empapados. Mas, quando ele convidou mais uma vez, aceitei com certa relutância.

    Subimos a colina, nossas botas esmagando a neve enlameada. Nenhum de nós disse nada. Sentamos embaixo da nossa romãzeira, e eu sabia que havia cometido um erro. Eu não devia ter ido. As palavras entalhadas no tronco da árvore com a faca de cozinha de Ali, *Amir e Hassan: os sultões de Cabul...* eu não conseguia olhar para elas agora.

Hassan me pediu para ler o *Shahnamah* para ele, e respondi que tinha mudado de ideia. Que só queria voltar para o meu quarto. Ele olhou para o outro lado e deu de ombros. Descemos do mesmo jeito que havíamos subido: em silêncio. E, pela primeira vez na vida, eu não via a hora de chegar a primavera.

MINHA LEMBRANÇA do resto daquele inverno de 1975 é bastante difusa. Lembro de me sentir mais ou menos feliz quando *baba* estava em casa. Comíamos juntos e íamos assistir a filmes, visitar *kaka* Homayoun ou *kaka* Faruq. Às vezes Rahim Khan vinha nos visitar, e *baba* me deixava ficar no escritório e tomar chá com eles. Até me pedia para ler alguns dos meus contos. Foi bom, e cheguei a pensar que duraria. E acho que *baba* também acreditou. Mas deveríamos saber que não duraria. Pelo menos por alguns meses depois do torneio de pipas, *baba* e eu nos envolvemos numa doce ilusão, enxergando um ao outro de um modo que nunca havíamos feito. Na verdade nos enganamos ao pensar que um brinquedo feito de papel de seda, cola e bambu pudesse preencher o abismo entre nós.

Mas quando *baba* saía de casa — e ele saía bastante —, eu me trancava no quarto. Lia um livro a cada dois dias, escrevia contos, aprendi a desenhar cavalos. Ouvia Hassan se movimentando na cozinha de manhã, escutava o tilintar de talheres, o apito da chaleira. Esperava até ouvir a porta fechar e só então descia para comer. No meu calendário, fiz um círculo em torno do primeiro dia de aula e comecei a contagem regressiva.

Para meu espanto, Hassan continuou tentando reanimar as coisas entre nós. Lembro de sua última tentativa. Eu estava no quarto, lendo uma tradução abreviada de *Ivanhoé* para o persa, quando ele bateu na minha porta.

— O que foi?

— Eu vou até a padaria comprar *naan* — disse ele do outro lado. — Estava pensando se você... se você não gostaria de vir comigo.

— Acho que prefiro ficar aqui lendo — respondi, esfregando as têmporas. Ultimamente, cada vez que Hassan chegava perto eu tinha dor de cabeça.

— Está um dia de sol — insistiu ele.

— Eu já percebi.

— Pode ser divertido sair para caminhar.

— Vá você.

— Eu gostaria que você viesse junto — disse. Fez uma pausa. Alguma coisa fez um som surdo na porta, talvez a testa dele. — Não sei o que eu fiz, Amir *agha*. Gostaria que me dissesse. Não sei por que não brincamos mais.

— Você não fez nada, Hassan. Vá embora.

— Pode me dizer; eu não faço mais.

Enterrei a cabeça no colo, apertei as têmporas com os joelhos, como um torno.

— Eu posso dizer o que quero que você não faça mais — repliquei, os olhos fechados.

— Pode dizer.

— Quero que pare de me perturbar. Quero que vá embora! — disse com rispidez. Queria que ele revidasse, que arrombasse a porta e brigasse comigo; teria tornado as coisas mais fáceis, melhores. Mas não fez nada disso e, quando abri a porta minutos depois, ele não estava mais lá. Caí na cama, enterrei a cabeça no travesseiro e chorei.

Depois disso, Hassan passou a perambular pelas laterais da minha vida. Eu fazia tudo para que nossos caminhos se cruzassem o mínimo possível. Planejava meu dia em torno disso, pois, quando ele estava por perto, o recinto ficava sem oxigênio. Meu peito apertava, e eu não conseguia respirar; ficava ali parado, ofegante na minha pequena bolha atmosférica sem ar. Mas, mesmo quando não estava por perto, ele estava presente. Nas roupas lavadas à mão e passadas a ferro na cadeira de junco, nos chinelos aquecidos deixados na minha porta, na lenha já queimando na estufa quando eu descia para o café da manhã. Para onde quer que me virasse, eu via sinais de sua lealdade, de sua maldita e inarredável lealdade.

No início daquela primavera, poucos dias antes de começar o novo ano letivo, *baba* e eu estávamos plantando tulipas no jardim. Quase toda a neve já tinha derretido, e as montanhas ao norte já estavam salpicadas de manchas de grama verde. Era uma manhã fria e cinzenta, e *baba* estava agachado ao meu lado, cavando a terra e plantando os bulbos que eu lhe entregava. Ele me contava como a maioria das pessoas considerava melhor plantar tulipas no outono e como isso não era verdade, quando de repente eu soltei:

— *Baba*, algum dia o senhor já pensou em arranjar novos empregados?

Baba derrubou o bulbo de tulipa e fincou a pá na terra. Tirou as luvas de jardinagem. Parecia chocado.

— *Chi*? O que você disse?

— Eu só estava pensando, nada mais.

— E por que eu faria uma coisa dessas? — perguntou secamente.

— Acho que o senhor nunca faria isso. Foi só uma pergunta — respondi, a voz enfraquecendo num murmúrio. Já estava arrependido de ter dito aquilo.

— É alguma coisa entre você e Hassan? Sei que está acontecendo alguma coisa entre vocês dois, mas, seja o que for, você precisa lidar com isso, não eu. Prefiro não me envolver.

— Desculpe, *baba*.

Vestiu as luvas de novo.

— Eu cresci com Ali — disse com os dentes cerrados. — Meu pai o adotou, ele amava Ali como um filho. Ali está na minha família há quarenta anos. Quarenta malditos anos. E você acha que vou mandar ele embora? — Virou-se e olhou para mim, o rosto vermelho como uma tulipa. — Eu nunca encostei a mão em você, Amir, mas se disser isso de novo... — Desviou o olhar, abanando a cabeça. — Você me envergonha. E Hassan... Hassan não vai a lugar nenhum, está entendendo? — Baixei os olhos e recolhi um punhado de terra fresca. Deixei-a escorrer entre os dedos. — Eu perguntei se você entendeu! — grunhiu *baba*.

Eu recuei e disse:

— Entendi, *baba*.

— Hassan não vai a lugar nenhum — repetiu *baba*. Cavou mais uma cova com a pá, com mais força do que o necessário. — Ele vai ficar aqui mesmo conosco, no seu devido lugar. Essa é a casa dele, e nós somos a família dele. Nunca mais me faça essa pergunta!

— Nunca mais, *baba*. Desculpe.

Plantamos as tulipas restantes em silêncio.

Eu me senti aliviado quando as aulas começaram, na semana seguinte. Alunos com seus novos cadernos e lápis apontados se reuniam no pátio, levantando poeira, conversando em grupos, esperando pelos apitos dos chefes de classe. *Baba* me levou de carro pela rua de terra que chegava até a entrada. A escola era um antigo edifício de dois andares, com janelas quebradas e corredores escuros e lajeados, com alguns sinais de sua pintura original amarelo-fosca ainda visíveis entre pedaços de reboco. A maioria dos garotos ia à escola a pé, e o Mustang preto de *baba* atraía vários olhares de inveja. Eu deveria estar sorrindo de satisfação quando ele me deixou na porta — meu antigo eu teria sorrido —, mas só consegui sentir um pequeno constrangimento. Acrescido de uma sensação de vazio. *Baba* foi embora sem se despedir.

Evitei a habitual comparação de cicatrizes do torneio de pipas e fiquei na fila. A campainha soou, e marchamos em duplas para a sala designada. Sentei na última fila. Quando o professor de persa entregou os livros de texto, rezei para que os deveres de casa fossem intensos.

A escola me dava motivos para passar muitas horas no quarto. E, por algum tempo, afastou meus pensamentos do que acontecera naquele inverno, do que eu tinha deixado acontecer. Durante algumas semanas me mantive ocupado com gravidade e cinética, átomos e células, guerras anglo-afegãs, sem tempo para pensar em Hassan e no que ele havia passado. Mas minha mente sempre voltava àquele beco. À calça de veludo cotelê marrom jogada nos tijolos. Às gotas de sangue tingindo a neve de um vermelho quase negro.

Numa tarde modorrenta e nublada no começo daquele verão, convidei Hassan para subir a colina comigo. Disse que queria ler um novo conto que havia escrito. Ele estava pendurando roupas para secar no quintal, e percebi sua ansiedade na maneira apressada como concluiu a tarefa.

Subimos a colina falando de trivialidades. Ele perguntou sobre a escola, o que eu estava aprendendo, falei sobre os professores, em especial do terrível professor de matemática, que castigava os alunos faladores enfiando-lhes um bastão de metal no meio dos dedos e apertando-o. Hassan fez uma careta ao ouvir aquilo, dizendo que esperava jamais passar por igual experiência. Eu disse que até então tivera sorte, sabendo que sorte não tinha nada a ver com isso. Afinal, eu também conversava durante as aulas. Mas meu pai era rico e todo mundo o conhecia, por isso me poupavam do castigo do bastão de metal.

Sentamos encostados no muro baixo do cemitério, à sombra da romãzeira. Em mais um ou dois meses, o capim amarelo e queimado estaria forrando a encosta da colina, mas naquele ano as chuvas da primavera haviam durado mais tempo do que o normal, chegando até o início do verão, e a grama ainda estava verde, salpicada de flores silvestres emaranhadas. Lá embaixo, as casas de paredes brancas e tetos planos de Wazir Akbar Khan brilhavam ao sol, as roupas penduradas em varais nos quintais, agitadas pela brisa e dançando como borboletas.

Colhemos uma dúzia de romãs da árvore. Desdobrei o conto que havia levado, abri na primeira página e o coloquei na grama. Levantei e peguei uma romã já passada que caíra no chão.

— O que você faria se eu batesse com isso em você? — perguntei, sacudindo a fruta para cima e para baixo. O sorriso de Hassan murchou. Parecia mais velho do que eu me lembrava. Não. Não *mais* velho, *velho*. Seria possível? Rugas percorriam seu rosto bronzeado, e vincos emolduravam os olhos e a boca. Eu poderia ter escavado aquelas rugas com uma faca. — O que você faria? — repeti.

O rosto dele empalideceu. Ao seu lado, as páginas da história que eu tinha prometido ler ondulavam ao vento. Atirei a romã nele. Acertou o peito, explodindo num borrifo de polpa vermelha. O grito de Hassan foi cheio de dor e surpresa.

— Faça alguma coisa! — exigi. Hassan olhou da mancha no peito para mim. — Levante! Reaja! — provoquei.

Hassan se levantou, mas ficou ali parado, a expressão confusa de um homem arrastado para o mar por uma onda, apenas um instante depois de desfrutar um belo passeio na praia.

Atirei outra romã, dessa vez acertando no ombro. O sumo da fruta espirrou no rosto dele.

— Reaja! — insisti. — Bata em mim também, maldição! — Queria que ele tivesse reagido. Que tivesse me aplicado o castigo pelo qual ansiava, e talvez assim eu finalmente conseguisse dormir à noite. Talvez então as coisas pudessem voltar a ser como eram entre nós dois. Mas Hassan não fazia nada enquanto eu o atingia com romãs vezes e mais vezes. — Você é um covarde! — eu disse. — Nada mais que um grande covarde!

Não sei quantas vezes o acertei. Só sei que, quando finalmente parei, exausto e ofegante, Hassan estava manchado de vermelho, como se atingido por um pelotão de fuzilamento. Caí de joelhos, cansado, exaurido, frustrado.

Em seguida, Hassan pegou uma romã. Andou até mim. Abriu a fruta e esfregou-a na própria testa.

— Pronto — disse em falsete, o caldo vermelho escorrendo pelo rosto como sangue. — Está satisfeito? Se sente melhor? — Deu meia-volta e começou a descer a colina.

Deixei as lágrimas correr livremente, balançando para a frente e para trás sobre os joelhos.

— O que eu vou fazer com você, Hassan? O que eu vou fazer com você? — Mas, quando as lágrimas secaram e comecei a descer a colina, eu já sabia a resposta àquela pergunta.

Fiz treze anos no verão de 1976, o penúltimo verão de paz e anonimato do Afeganistão. Minha relação com *baba* já estava esfriando de novo. Acho que começara no dia em que estávamos plantando tulipas, com meu comentário estúpido sobre contratar outros empregados. Lamentei amargamente ter dito aquilo, mas acho que, mesmo que não tivesse dito nada, nosso breve e feliz interlúdio teria chegado ao fim. Talvez não tão rápido, mas teria acabado. Perto do final do verão, o ruído das colheres e facas raspando os pratos já tinha substituído as conversas à mesa, e *baba* havia retomado o hábito de se recolher no escritório depois do jantar. E o de fechar a porta. Eu voltei a folhear Hafez e Khayyam, a roer as unhas até o sabugo, a escrever contos. Guardava meus contos numa pilha embaixo da cama, para alguma eventualidade, embora duvidasse que *baba* voltasse a pedir que eu os lesse para ele.

O lema de *baba* quando dava uma festa era o seguinte: convidar todo mundo, do contrário não seria uma festa. Lembro de passar os olhos pela lista de convidados uma semana antes da minha festa de aniversário e não conhecer nem um terço dos mais de quatrocentos *kaka*s e *khala*s que viriam trazer presentes e me cumprimentar por ter vivido até os treze anos. Depois entendi que eles não viriam por minha causa. Era o meu aniversário, mas eu sabia quem era a verdadeira estrela do espetáculo.

Durante dias, a casa fervilhou com o pessoal contratado por *baba* para a organização. Estava lá o açougueiro Salahuddin, que apareceu com um novilho e dois cabritos amarrados, recusando ser pago por eles. Ele mesmo matou os animais no quintal, perto de um álamo. "O sangue é bom para a árvore", lembro de ele ter dito quando a grama ao redor do álamo ficou empapada de vermelho. Homens que eu não conhecia trepavam nos carvalhos com rolos de fios cheios de pequenas lâmpadas e metros de extensão. Outros instalaram dezenas de mesas no quintal, estendendo toalhas em cada uma delas. Na noite anterior à grande festa, Del-Muhammad, um amigo de *baba* que tinha uma casa de *kabob* em Shar-e-Nau, veio até a casa com seus sacos de temperos. Assim como o açougueiro, Del-Muhammad — ou Dello, como *baba* o chamava — não aceitou ser pago pelo trabalho. Disse que *baba* tinha feito muito por sua família. Foi Rahim Khan quem cochichou para mim, enquanto Dello marinava a carne, que *baba* havia emprestado o dinheiro para Dello abrir o restaurante. *Baba* se recusara a aceitar o pagamento da dívida até o dia em que Dello apareceu no nosso portão dirigindo um Mercedes-Benz e insistiu que não iria embora enquanto *baba* não aceitasse o dinheiro.

Acho que de certa maneira, dependendo de como se avalie uma festa, a comemoração do meu aniversário foi um grande sucesso. Eu nunca vi a casa tão cheia de gente. Convidados com drinques na mão conversavam nos corredores, fumavam na escada, encostavam-se em portas. Acomodavam-se onde encontrassem espaço, nos balcões da cozinha, no vestíbulo, até embaixo da escada. No quintal, socializavam sob a luz mortiça das lâmpadas azuis, vermelhas e verdes piscando nas árvores, a expressão iluminada pelo clarão de tochas de querosene espetadas em toda parte. *Baba* mandou erguer um palco no alpendre que dava para o jardim e espalhou alto-falantes por todo o quintal. Ahmad Zahir cantou e tocou acordeão no palco, para uma multidão de corpos dançantes.

Tive de cumprimentar todos os convidados pessoalmente — *baba* fez questão disso; ninguém iria fofocar no dia seguinte que ele estava criando um filho mal-educado. Beijei centenas de bochechas, abracei completos estranhos, agradeci pelos presentes. Meu rosto doía, de tanto forçar meu sorriso engessado.

Eu estava com *baba* no quintal, perto do bar, quando alguém disse:

— Feliz aniversário, Amir.

Era Assef, com os pais. O pai de Assef, Mahmood, era um tipo baixo e magricela com a pele escura e o rosto comprido. A mãe, Tanya, era uma mulher miúda e reservada que sorria e piscava demais. Assef estava entre os dois, sorrindo, mais alto que ambos, os braços ao redor de seus ombros. Conduziu os pais em nossa direção, como se *ele* os tivesse trazido ali. Como se fosse o pai, e eles, os filhos. Uma sensação de tontura me envolveu. *Baba* agradeceu por terem vindo.

— Escolhi o seu presente pessoalmente — disse Assef. O rosto de Tanya se contorceu, e os olhos se alternaram entre mim e Assef. Ela sorriu, de maneira inconvincente, piscando. Fiquei pensando se *baba* havia notado.

— Continua jogando futebol, Assef *jan*? — perguntou *baba*. Ele sempre quis que eu fosse amigo de Assef.

Assef sorriu. Era sinistro como ele fazia o sorriso parecer meigo e genuíno.

— É claro, *kaka jan*.

— Ponta-direita, se me lembro bem?

— Na verdade, passei a jogar de centroavante este ano — respondeu Assef. — É uma posição em que se tem mais chances de fazer gols. Vamos jogar contra a equipe do Mekro-Rayan na semana que vem. Vai ser uma boa partida. Eles têm alguns bons jogadores.

Baba fez que sim com a cabeça.

— Sabe, eu também joguei de centroavante quando era mais novo.

— Aposto que ainda conseguiria jogar se quisesse — disse Assef, dando uma piscada bondosa para *baba*.

Baba piscou de volta.

— Vejo que seu pai ensinou bem suas famosas atitudes lisonjeiras. — Bateu com o cotovelo no pai de Assef, quase derrubando o sujeitinho. A risada de Mahmood foi quase tão convincente quanto o sorriso de Tanya, e de repente conjecturei se talvez, em algum nível, eles sentissem medo do filho. Tentei fingir um sorriso, mas só consegui uma débil retorcida nos cantos da boca, meu estômago revirando com a visão de meu pai unido a Assef.

Assef voltou o olhar para mim.

— Wali e Kamal também estão aqui. Eles não iriam perder o seu aniversário por nada no mundo — disse, com uma risada à espreita abaixo da superfície. Concordei em silêncio. — Estamos pensando em fazer um joguinho de voleibol amanhã na minha casa — disse Assef. — Talvez você queira ir. Pode levar Hassan também, se quiser.

— Pode ser divertido — comentou *baba*, sorrindo. — O que você acha, Amir?

— Eu não gosto muito de voleibol — murmurei. Vi a luz se apagar no olhar de *baba*, e seguiu-se um desconfortável silêncio.

— Sinto muito, Assef *jan* — disse *baba*, dando de ombros. Aquilo doeu, *baba* pedindo desculpas por mim.

— Tudo bem, sem problema — disse Assef. — Mas o convite fica em aberto, Amir *jan*. De qualquer forma, ouvi dizer que gosta de ler, por isso comprei um livro para você. Um dos meus favoritos. — Estendeu um pacote embrulhado para presente. — Feliz aniversário.

Ele estava usando camisa de algodão e calça azul, gravata de seda vermelha e sapatos pretos lustrosos. Cheirava a colônia, e o cabelo loiro estava cuidadosamente penteado para trás. Na aparência, era a encarnação do sonho de qualquer pai, um rapaz alto, forte, bem vestido e de boas maneiras, com talento e um porte impressionante, sem mencionar a sagacidade para fazer piadas com adultos. Mas para mim seu olhar o traía. Quando olhei para ele, a fachada se alterou, revelando um lampejo de loucura por trás daquele olhar.

— Não vai pegar o presente, Amir? — *baba* estava perguntando.

— Hã?

— O seu presente — repetiu, de maneira contundente. — Assef está te dando um presente.

— Ah — disse. Peguei o pacote da mão de Assef e baixei os olhos. Gostaria de estar sozinho no meu quarto, com meus livros, longe de toda aquela gente.

— E então? — disse *baba*.

— O quê?

Baba falou em voz baixa, no tom que sempre usava quando eu o envergonhava em público:

— Não vai agradecer a Assef *jan*? Foi muita consideração da parte dele.

Queria que *baba* deixasse de se referir a Assef daquele jeito. Com que frequência ele me chamava de "Amir *jan*"?

— Obrigado — eu disse. — A mãe de Assef olhou para mim como se quisesse dizer alguma coisa, mas não o fez, e percebi que nem o pai nem a mãe de Assef tinham dito uma palavra sequer. Para não constranger a mim e a *baba* ainda mais, e principalmente para sair de perto de Assef e de seu esgar, eu me afastei. — Obrigado por terem vindo — acrescentei.

Esgueirei-me pela multidão de convidados e atravessei os portões de ferro batido. Havia um grande terreno baldio duas casas abaixo da nossa. Ouvi *baba* dizer a Rahim Khan que um juiz havia comprado o terreno e que um arquiteto estava trabalhando no projeto. Por enquanto, ainda estava deserto, a não ser pela sujeira, pelas pedras e pelo mato.

Rasguei o papel de embrulho do presente de Assef e virei a capa à luz da lua. Era uma biografia de Hitler. Joguei-a numa touceira de capim.

Encostei no muro do vizinho, deslizando até o chão. Fiquei sentado no escuro durante algum tempo, os joelhos no peito, olhando as estrelas, esperando a noite terminar.

— Você não deveria estar recebendo os convidados? — perguntou uma voz conhecida. Rahim Khan andava em minha direção, paralelo ao muro.

— Eles não precisam de mim pra isso. *Baba* está lá, lembra? — O gelo no copo de Rahim Khan tilintou quando ele sentou ao meu lado. — Eu não sabia que você bebia.

— Às vezes eu bebo — respondeu ele. Deu-me uma cotovelada de brincadeira. — Mas só em ocasiões muito especiais.

Abri um sorriso e disse:

— Obrigado.

Ele me fez um brinde com o copo e tomou um gole. Acendeu um cigarro, um dos paquistaneses sem filtro que ele e *baba* sempre fumavam.

— Alguma vez eu te contei que quase me casei?

— É mesmo? — perguntei, sorrindo um pouco diante da ideia de Rahim Khan casado. Sempre pensei nele como o alter ego discreto do meu pai, meu mentor literário, meu companheiro, o único que nunca esquecia de me trazer uma lembrança, um *saughat*, quando voltava de uma viagem ao exterior. Mas marido? Pai?

Ele aquiesceu.

— É verdade. Eu tinha dezoito anos. O nome dela era Homaira. Era hazara, filha dos empregados do nosso vizinho. Era linda como uma *pari*, cabelo castanho-claro, grandes olhos amendoados, e uma risada... que até hoje às vezes eu ouço. — Balançou o copo. — A gente costumava se encontrar em segredo no pomar de maçãs do meu pai, sempre depois da meia-noite, quando todo mundo dormia. Passeávamos sob as árvores, eu segurava a mão dela... Estou deixando você constrangido, Amir *jan*?

— Um pouco — respondi.

— Você não vai morrer por causa disso — gracejou, dando outra baforada. — Enfim, tínhamos uma fantasia. Faríamos um casamento grandioso e sofisticado, convidaríamos família e amigos, de Cabul a Kandahar. Eu ia construir uma casa grande para nós, branca com um pátio azulejado e janelas grandes. Plantar árvores frutíferas no jardim e todos os tipos de flores, um gramado para nossos filhos brincarem. Nas sextas-feiras, depois da *namaz* na mesquita, todos se reuniriam na nossa casa para almoçar, e comeríamos no jardim, debaixo das cerejeiras, tomando água fresca do poço. Depois, chá com doces enquanto víamos nossos filhos brincando com os primos... — Tomou um longo gole de seu uísque. Tossiu. — Você precisava ver a expressão do rosto do meu pai quando contei a ele. Minha mãe chegou a desmaiar. Minhas irmãs jogaram água no rosto dela. Ficaram abanando seu rosto e olhando para mim como se eu tivesse cortado a garganta de minha própria mãe. Meu irmão Jalal literalmente foi buscar sua espingarda de caça, mas meu pai o impediu. — Rahim Khan deu uma risada alta. — Éramos Homaira e eu contra o mundo. E vou dizer uma coisa, Amir *jan*: no fim, o mundo sempre vence. É assim que são as coisas.

— E o que aconteceu?

— No mesmo dia, meu pai embarcou Homaira e a família num caminhão e mandou-os para Hazarajat. Nunca mais a vi.

— Sinto muito — disse.

— Provavelmente foi melhor assim — observou Rahim Khan, dando de ombros. — Seria um sofrimento para ela. Minha família jamais a teria aceitado como uma igual. Você não manda uma pessoa engraxar seus sapatos num dia e no dia seguinte a chama de "irmã". — Olhou para mim. — Sabe, Amir *jan*, você pode me contar qualquer coisa que quiser. Quando quiser.

— Eu sei — respondi, hesitante. Ficou olhando para mim um bom tempo, como se estivesse esperando, os olhos negros profundos insinuando um segredo não admitido entre nós. Por um momento, eu quase contei. Quase contei tudo, mas o que ele pensaria de mim? Ele me odiaria, e com toda a razão.

— Toma. — Ele me deu uma coisa. — Quase ia esquecendo. Feliz aniversário. — Era um caderno com capa de couro. Passei os dedos pela costura dourada das bordas. Senti o cheiro do couro. — Para os seus contos — explicou. Eu ia agradecer, quando alguma coisa explodiu, e erupções de fogo iluminaram o céu.

— Fogos de artifício!

Voltamos correndo para casa e encontramos todos os convidados no quintal, olhando para o céu. As crianças saudavam e gritavam a cada *pou* e *chhht*. As pessoas vibravam, aplaudiam cada vez que os clarões chiavam e explodiam em buquês flamejantes. Num intervalo de segundos, o quintal se iluminava com os súbitos lampejos de vermelho, verde e amarelo.

Em uma dessas explosões de luz, vi uma coisa que nunca vou esquecer: Hassan servia bebidas para Assef e Wali numa bandeja de prata. A luz piscou, houve um chiado e uma explosão, depois outro clarão de luz alaranjada: Assef sorria, dando soquinhos no peito de Hassan.

Em seguida, veio uma abençoada escuridão.

Nove

Sentado no meu quarto na manhã seguinte, abri caixas e mais caixas de presentes. Nem sei por que me dei a esse trabalho, pois só dava uma olhada sem entusiasmo e jogava tudo num canto do quarto. A pilha só aumentava: uma câmera Polaroid, um radiotransistor, um sofisticado trem elétrico — e vários envelopes fechados com dinheiro. Eu sabia que nunca iria gastar o dinheiro nem ouvir o rádio, e o trem elétrico jamais andaria nos trilhos no meu quarto. Eu não queria nada daquilo — estava tudo manchado de sangue; *baba* nunca teria dado uma festa daquelas se eu não tivesse vencido o torneio.

Baba me deu dois presentes. Um certamente seria motivo de inveja de todos os garotos do bairro: uma Schwinn Stingray novinha em folha, a rainha das bicicletas. Poucos garotos na cidade de Cabul possuíam uma, e agora eu era um deles. Tinha o guidom alto com empunhaduras de borracha e o famoso selim em forma de banana. As raias eram douradas, e a armação de aço era vermelha como um pirulito. Ou como sangue. Qualquer garoto teria montado imediatamente na bicicleta e saído para dar uma volta no quarteirão. Eu mesmo teria feito isso meses atrás.

— Gostou? — perguntou *baba*, da porta do meu quarto. Dei um sorriso encabulado e disse um rápido "obrigado". Gostaria de ter sido mais festivo.
— Nós podemos sair para dar uma volta — sugeriu. Um convite, mas sem muito entusiasmo.

— Talvez mais tarde. Estou um pouco cansado — respondi.
— Claro — concordou *baba*.
— *Baba*?
— Sim?
— Obrigado pelos fogos de artifício — disse. Um agradecimento, porém sem muito entusiasmo.
— Vá descansar um pouco — disse *baba*, tomando a direção do seu quarto.

O outro presente que *baba* me deu — e ele não esperou até eu o abrir — foi um relógio de pulso. Tinha o mostrador azul com ponteiros dourados em forma de relâmpago. Nem cheguei a experimentá-lo. Joguei-o na pilha de brinquedos no canto. O único presente que não joguei naquela pilha foi o caderno de capa de couro de Rahim Khan. Foi o único que não me pareceu manchado de sangue.

Sentei na beira da cama, girando o caderno nas mãos, pensando sobre o que Rahim Khan tinha contado sobre Homaira, como a recusa do pai acabou sendo melhor no final. *Seria um sofrimento para ela*. Como acontecia quando o projetor de *kaka* Homayoun enguiçava na mesma cena, uma imagem não parava de piscar na minha cabeça: Hassan, cabeça baixa, servindo bebidas para Assef e Wali. Talvez *fosse* melhor assim. Diminuiria o sofrimento dele. E o meu, também. De qualquer forma, uma coisa tinha ficado clara: um de nós teria de partir.

Naquela tarde, levei a Schwinn para seu primeiro e último passeio. Pedalei algumas vezes pelo quarteirão e voltei. Entrei pelo caminho onde Hassan e Ali estavam limpando a bagunça da festa da noite anterior. Copos de papel, guardanapos amassados e garrafas vazias de refrigerante se espalhavam pelo quintal. Ali dobrava as cadeiras, encostando-as na parede. Ele me viu e acenou.

— *Salaam*, Ali — respondi, também acenando.

Ali ergueu um dedo, pedindo para eu esperar, e foi até os seus aposentos. Um instante depois, saiu com uma coisa nas mãos.

— Não houve oportunidade ontem à noite para que Hassan e eu lhe déssemos isto — disse, entregando-me uma caixa. — É modesto e não está à sua altura, Amir *agha*. Mas esperamos que goste assim mesmo. Feliz aniversário.

Senti um nó se formar na garganta.

— Obrigado, Ali — falei. Eu preferia que eles não tivessem comprado nada. Abri a caixa e vi um exemplar de *Shahnamah* novinho, de capa dura e em papel cuchê e com ilustrações coloridas sob as passagens. Lá estava Ferangis observando o filho recém-nascido, Kai Khosrau. Lá estava Afrasiyab cavalgando seu cavalo, espada na mão, liderando seu exército. E, claro, Rostam infligindo um ferimento mortal no filho, o guerreiro Sohrab.

— É muito bonito — comentei.

— Hassan disse que o seu exemplar está velho e desgastado, faltando algumas páginas — disse Ali. — Todas as imagens são desenhadas à mão, com pena e tinta — acrescentou orgulhoso, examinando um livro que nem ele nem o filho conseguiam ler.

— É lindo — falei. E era mesmo. E imaginei que tampouco fosse barato. Eu queria dizer a Ali que não era o livro, era *eu* que não estava à altura. Voltei a subir na bicicleta.

— Agradeça a Hassan em meu nome — acrescentei.

Acabei jogando o livro também na pilha de presentes no canto do quarto. Mas meu olhar insistia em voltar para ele, por isso o enterrei embaixo de tudo. Antes de me deitar naquela noite, perguntei a *baba* se ele tinha visto o meu relógio novo em algum lugar.

NA MANHÃ SEGUINTE, esperei no quarto até Ali limpar a mesa do café na cozinha. Esperei que lavasse os pratos, limpasse as superfícies. Fiquei olhando da janela do quarto e esperei que Ali e Hassan saíssem para adquirir mantimentos no bazar, empurrando os carrinhos de compra.

Então peguei uns envelopes de dinheiro da pilha de presentes e o meu relógio e saí em silêncio. Parei diante do escritório de *baba* e tentei escutar. Ele estava lá desde cedo, dando telefonemas. Nesse momento falava com alguém sobre um carregamento de tapetes que deveria chegar na semana seguinte. Desci a escada, atravessei o quintal e entrei na casa de Ali e Hassan, perto da ameixeira. Levantei o colchão de Hassan e coloquei sob ele meu relógio novo e algumas cédulas afegãs.

Esperei mais trinta minutos. Então bati na porta de *baba* e disse o que esperava que fosse a última linha de uma longa lista de vergonhosas mentiras.

* * *

PELA JANELA do meu quarto, vi Ali e Hassan chegarem com os carrinhos carregados de carne, *naan*, frutas e vegetais pela entrada da casa. Vi *baba* sair da casa e se encaminhar até Ali. As bocas se moveram, formando palavras que eu não conseguia ouvir. *Baba* apontou para a casa, e Ali aquiesceu. Os dois se separaram. *Baba* voltou para casa; Ali seguiu com Hassan para a casinha deles.

Algum tempo depois, *baba* bateu na minha porta.

— Venha até o meu escritório — disse. — Vamos sentar todos e resolver essa história.

Fui ao escritório de *baba*, sentei num dos sofás de couro. Só meia hora depois Hassan e Ali chegaram.

OS DOIS TINHAM CHORADO; dava para ver, pelos olhos vermelhos e inchados. Ficaram na frente de *baba*, de mãos dadas, e me perguntei quando e como eu havia me tornado capaz de causar um sofrimento desse tipo.

Baba foi direto e perguntou:

— Você roubou aquele dinheiro? Hassan, você roubou o relógio do Amir?

A resposta de Hassan foi uma só palavra, enunciada numa voz baixa e rouca:

— Sim.

Recuei, como se tivesse levado uma bofetada. Meu coração afundou, e quase vomitei toda a verdade. Depois compreendi. Era o sacrifício final de Hassan por mim. Se ele dissesse que não, *baba* teria acreditado nele, porque todos sabíamos que Hassan nunca mentia. E, se *baba* acreditasse nele, então eu seria acusado; teria de me explicar e seria exposto pelo que eu realmente era. *Baba* nunca, jamais, me perdoaria. E isso levou a outro entendimento: Hassan sabia. Ele sabia que eu tinha visto tudo naquele beco, que estava lá e não fiz nada. Sabia que eu o tinha traído e mesmo assim estava me salvando mais uma vez, talvez a última. Eu o amei naquele momento, amei mais do que jamais amara alguém, e quis lhe dizer que *eu* era a serpente na grama, o monstro no lago. Que não merecia aquele sacrifício; que era um mentiroso, enganador e ladrão. E eu teria contado, se uma parte de mim não estivesse feliz. Feliz porque tudo aquilo ia acabar logo. *Baba* ia demitir os dois, haveria algum sofrimento, mas a vida continuaria. Eu queria isso, seguir em frente, esquecer, começar do zero. Queria poder respirar de novo.

Só que *baba* me deixou estarrecido ao dizer:

— Eu perdoo você.

Ele o perdoou? Mas roubo era o único pecado imperdoável, o denominador comum de todos os pecados. *Quando você mata um homem, está roubando uma vida. Está roubando da esposa o direito de ter um marido, roubando um pai dos filhos. Quando você mente, está roubando de alguém o direito de saber a verdade. Quando trapaceia, está roubando o direito à justiça. Não há ato mais infame do que roubar. Baba* não tinha me sentado no colo e dito aquelas palavras? Como ele podia simplesmente perdoar Hassan? E, se *baba* podia perdoar isso, então por que não podia me perdoar por não ser o filho que ele sempre quis? Por quê?

— Nós vamos embora, *agha sahib* — disse Ali.

— O quê? — espantou-se *baba*, empalidecendo.

— Não podemos continuar morando aqui — continuou Ali.

— Mas eu o perdoei, Ali, você não ouviu? — disse *baba*.

— A vida aqui se tornou impossível para nós agora, *agha sahib*. Nós vamos embora. — Ali puxou Hassan para mais perto, abraçou o filho pelos ombros. Era um gesto de proteção, e eu sabia de quem Ali estava protegendo o filho. Ali olhou na minha direção, e em seu olhar frio e inclemente eu percebi que Hassan havia lhe contado. Havia contado tudo sobre o que Assef e os amigos tinham feito com ele, sobre a pipa, sobre mim. Estranhamente me senti bem por alguém saber quem eu realmente era; estava cansado de fingir.

— Não me importo com o dinheiro ou o relógio — disse *baba*, os braços abertos, as palmas das mãos para cima. — Não entendo por que você está fazendo isso... o que você quer dizer com "impossível"?

— Sinto muito, *agha sahib*, mas nossas malas estão prontas. Já tomamos a nossa decisão.

Baba se levantou, o sofrimento estampado em seu rosto.

— Ali, eu não tratei bem de você? Não fui bom com você e com Hassan? Você é o irmão que eu nunca tive, Ali, você sabe disso. Por favor, não faça isso.

— Não torne as coisas ainda mais difíceis do que já são, *agha sahib* — respondeu Ali. Sua boca se retorceu, e por um momento achei que tinha visto uma careta. Só então entendi a dimensão da dor que estava causando, o negrume do sofrimento que havia provocado em todos, que nem mesmo o rosto paralisado de Ali conseguiu esconder sua tristeza. Fiz força para olhar para Hassan, mas ele estava de cabeça baixa, os ombros caídos, o dedo enrolando uma linha solta na barra da camisa.

Agora *baba* suplicava:

— Ao menos me diga por quê. Eu preciso saber!

Ali não contou a *baba*, assim como não contestou quando Hassan confessou o roubo. Eu nunca vou saber por quê, mas podia imaginar os dois naquele casebre escuro, chorando, Hassan implorando para Ali não me entregar. Mas não conseguia imaginar o quanto deve ter sido difícil para Ali manter aquela promessa.

— Você pode nos levar até a estação rodoviária?

— Eu proíbo você de fazer isso! — gritou *baba*. — Está me ouvindo? Eu proíbo você!

— Com todo o respeito, você não pode me proibir nada, *agha sahib* — disse Ali. — Nós não trabalhamos mais aqui.

— Para onde vocês vão?

— Hazarajat.

— Para a casa do seu primo?

— Sim. Você pode nos levar até a estação, *agha sahib*?

Então vi *baba* fazer uma coisa que eu nunca o vira fazer: ele chorou. Fiquei um pouco assustado ao ver um homem adulto soluçar. Os pais não costumam chorar.

— Por favor — *baba* dizia, mas Ali já estava a caminho da porta, com Hassan atrás dele. Nunca vou esquecer a maneira como *baba* disse aquilo, a dor em sua súplica, o medo.

Em Cabul, é raro chover no verão. O céu azul fica alto e longínquo, o sol como um ferro em brasa queimando a nuca da gente. Riachos onde Hassan e eu ricocheteávamos pedras durante a primavera secavam, e os riquixás levantavam poeira quando passavam. As pessoas iam às mesquitas para as dez *raka'ts* da oração do meio-dia e se retiravam para a primeira sombra que encontrassem para tirar uma soneca, esperando pelo frescor do início da noite. O verão significava longos dias na escola, suando em salas de aula lotadas e mal ventiladas, aprendendo a recitar *ayats* do Corão, lutando com aquelas exóticas palavras árabes que torciam a língua. Significava pegar moscas com a mão, enquanto o mulá arrastava as palavras e a brisa quente trazia o cheiro de merda do banheiro do lado de fora da escola, levantando nuvens de poeira até o esquálido cesto de basquete.

Mas chovia na tarde em que *baba* levou Ali e Hassan até a estação rodoviária. Nuvens pesadas rolavam, pintando o céu de cinza-chumbo. Em minutos, cortinas de água começavam a cair, e o ruído contínuo da chuva enchia meus ouvidos.

Baba se oferecera para levar os dois de carro até Bamiyan, mas Ali recusou. Pela janela embaçada de água do meu quarto, vi Ali carregando a única mala em que estavam todos os seus pertences até o carro de *baba* parado na frente do portão. Hassan levava nas costas o seu colchão, bem enrolado e amarrado com uma corda. Tinha deixado todos os brinquedos na casa vazia, como descobri no dia seguinte, empilhados num canto da mesma forma que meus presentes de aniversário no meu quarto.

Filetes de chuva escorregavam pela minha janela. Vi *baba* fechar o porta-malas. Já encharcado, andou até o lugar do motorista. Virou-se e disse alguma coisa para Ali, que estava no banco traseiro, talvez um último esforço para que mudasse de ideia. Conversaram um pouco, *baba* cada vez mais molhado, debruçado, um braço no teto do automóvel. Mas quando ele se aprumou, percebi pelos ombros curvados que a vida que eu conhecia desde que nascera estava acabada. *Baba* entrou no carro. Os faróis acenderam e cortaram a chuva com dois cones de luz. Se fosse um daqueles filmes indianos a que Hassan e eu costumávamos assistir, essa era a parte em que eu corria para fora, meus pés descalços chapinhando na chuva. Correria atrás do carro, gritando para que parasse. Tiraria Hassan do banco de trás e pediria desculpas, mil desculpas, com minhas lágrimas misturando-se com a chuva. Nós nos abraçaríamos na chuvarada. Mas isso não era um filme indiano. Eu *estava* triste, mas não chorei nem corri atrás do carro. Fiquei olhando o automóvel de *baba* sair pelo portão, levando a pessoa cuja primeira palavra que pronunciara fora meu nome. Tive um último vislumbre borrado de Hassan encolhido no banco traseiro antes de *baba* virar à esquerda na esquina onde tantas vezes jogamos bolinhas de gude.

Recuei alguns passos, e a única coisa que via era a chuva batendo no vidro da janela, que parecia prata derretida.

Dez

Março de 1981

À NOSSA FRENTE havia uma jovem mulher. Usava um vestido verde-oliva e um xale preto cobrindo o rosto para se proteger do frio da noite. Ela rezava cada vez que o caminhão balançava ou caía num buraco na estrada, com seu "*Bismillah!*" soando mais alto a cada solavanco do veículo. O marido, um grandalhão com calça baggy e turbante azul-celeste, segurava um bebê num braço e dedilhava contas de oração com a mão livre. Os lábios se moviam numa prece silenciosa. Havia outras pessoas, mais ou menos uma dúzia ao todo, incluindo *baba* e eu, sentados com nossas malas entre as pernas, amontoados com aqueles estranhos na carroceria coberta de lona de um velho caminhão russo.

Minhas entranhas me incomodavam desde que saímos de Cabul, pouco depois das duas da manhã. *Baba* nunca disse nada, mas eu sabia que ele via meus enjoos em automóveis como mais uma de minha série de fraquezas — eu percebia pela maneira constrangida com que olhava para o casal cada vez que meu estômago doía tanto que eu precisava gemer. Quando o sujeito grandalhão com as contas de oração — o marido da mulher que rezava — perguntou se eu ia vomitar, respondi que era provável. *Baba* olhou para o outro lado. O homem levantou a lona do caminhão do lado dele e bateu na janela do motorista, pedindo que parasse. Mas o motorista, Karim, um tipo esquelético de pele escura com feições de gavião e um bigodinho fino, fez que não com a cabeça.

— Estamos perto demais de Cabul — respondeu, gritando. — Diga para ele segurar o estômago.

Baba resmungou alguma coisa em voz baixa. Eu queria lhe dizer que sentia muito, mas de repente comecei a salivar, um gosto de bile no fundo da garganta. Virei para o lado, levantei a lona e vomitei ao lado do caminhão em movimento. Atrás de mim, *baba* pedia desculpas aos outros passageiros. Como se fosse crime enjoar num veículo em movimento. Como se ninguém com dezoito anos pudesse enjoar. Vomitei mais duas vezes antes de Karim concordar em parar, principalmente para não sujar o caminhão dele, o instrumento com que ganhava a vida. Karim era um contrabandista de gente — um negócio bem lucrativo na época, transportar gente da Cabul ocupada pelos *shorawi* para a segurança relativa do Paquistão. Ele estava nos levando para Jalalabad, a cerca de cento e setenta quilômetros a sudeste de Cabul, onde seu irmão, Toor, que tinha um caminhão maior e um segundo comboio de refugiados, esperava para nos levar pelo Passo Khyber até Peshawar.

Estávamos a alguns quilômetros a oeste das cataratas de Mahipar quando Karim estacionou no acostamento. Mahipar — que significa "Peixe Voador" — era um pico bem alto, com um precipício que dava para a hidrelétrica alemã construída no Afeganistão em 1967. *Baba* e eu tínhamos ido até lá inúmeras vezes a caminho de Jalalabad, a cidade dos ciprestes e das plantações de cana-de-açúcar onde os afegãos passavam as férias de inverno.

Saltei da traseira do caminhão e fiquei parado no acostamento ao lado da estrada. A boca cheia de saliva, um sinal do espasmo prestes a se manifestar. Cambaleei até a beira do penhasco acima de um vale profundo envolto pela escuridão. Abaixei, mãos nos joelhos, e esperei pela bile. Em algum lugar, um galho estalou, uma coruja piou. O vento, fraco e frio, farfalhava pelos galhos das árvores e agitava os arbustos espalhados pela encosta. Lá de baixo, vinha o som esmaecido da água correndo pelo vale.

Enquanto estava naquele acostamento, pensei na maneira como tínhamos partido da casa onde vivi toda a minha vida, como se estivéssemos saindo para fazer um lanche: pratos sujos de *kofta* empilhados na pia da cozinha; roupa suja no cesto de vime na área de serviço; camas desarrumadas; os ternos formais de *baba* pendurados no armário. Tapetes ainda pendiam das paredes da sala de visita, e os livros da minha mãe continuavam entulhando as prateleiras do escritório de *baba*. Os sinais de nossa fuga eram sutis: a foto de casamento dos meus pais tinha sido retirada, assim como a fotografia granulada do meu avô com o rei Nader Shah ao lado do veado morto. Alguns itens de vestuário também foram retirados dos armários. O caderno de capa de couro que Rahim Khan me dera de presente cinco anos atrás também não estava lá.

De manhã, Jalaluddin — nosso sétimo empregado em cinco anos — provavelmente acharia que saímos para dar uma volta a pé ou de carro. Não dissemos nada a ele. Não se podia confiar em mais ninguém em Cabul — diante de ameaças ou de uma pequena quantia, as pessoas delatavam umas às outras: vizinho dedurava vizinho, filhos entregavam pais, irmão denunciava irmão, empregados traíam patrões, amigos espionavam amigos. Pensei no cantor Ahmad Zahir, que tinha tocado acordeão no meu aniversário de treze anos. Ele saíra de carro com alguns amigos, e mais tarde alguém encontrou seu corpo ao lado da estrada com uma bala na nuca. Os *rafiqs*, os camaradas, estavam em toda parte e dividiram Cabul em dois grupos: os que bisbilhotavam e os que não bisbilhotavam. O mais capcioso é que ninguém sabia quem pertencia a qual grupo. Uma observação casual do alfaiate enquanto se experimentava uma roupa poderia acabar nas masmorras de Poleh-Charkhi. Uma reclamação sobre o toque de recolher com o açougueiro podia acabar com alguém atrás das grades olhando para o cano de um rifle Kalashnikov. Mesmo na mesa de refeições, na privacidade da própria casa, as pessoas precisavam falar com muito cuidado — os *rafiqs* estavam também nas escolas, ensinavam as crianças a espionar os próprios pais, o que ouvir, a quem comunicar.

O que eu estava fazendo nessa estrada no meio da noite? Eu deveria estar na cama, debaixo do cobertor, com um livro com uma página marcada ao lado. Só podia ser um sonho. Tinha de ser. Amanhã de manhã eu ia acordar, olhar pela janela: nenhum soldado russo carrancudo patrulhando as calçadas, nenhum tanque rodando pelas ruas da minha cidade com canhões girando como dedos acusadores, sem escombros, sem toque de recolher, nenhum blindado do Exército manobrando nos bazares. Então, atrás de mim, ouvi *baba* e Karim discutindo o que fora combinado para Jalalabad enquanto fumavam um cigarro. Karim garantia que seu irmão tinha um caminhão maior, de "excelente qualidade e primeira classe", e que o trajeto até o Paquistão seria bem rotineiro. "Ele poderia levar vocês até lá com os olhos vendados", explicara Karim. Ouvi quando disse a *baba* que ele e o irmão conheciam os soldados russos e afegãos que trabalhavam nos pontos de controle e como haviam estabelecido um acordo "mutuamente lucrativo". Isso não era um sonho. Como um sinal indicativo, de repente um caça MIG passou uivando acima de nós. Karim jogou o cigarro fora e tirou uma arma da cintura. Apontou para o céu fingindo que atirava, cuspindo e amaldiçoando o MIG.

Imaginei onde estaria Hassan. Pouco depois, aconteceu o inevitável. Vomitei num emaranhado de folhas, e meus gemidos e urros foram abafados pelo rugido ensurdecedor do MIG.

Paramos no posto de controle de Mahipar vinte minutos depois. Nosso motorista deixou o caminhão em ponto morto e desceu para cumprimentar as vozes que se aproximavam. Passos esmagavam o cascalho. Palavras foram trocadas, curtas e em voz baixa. Vi o lampejo de um isqueiro.

— *Spasseba*.

Outro lampejo de isqueiro. Alguém riu, um cacarejo agudo que me provocou um sobressalto. A mão de *baba* apertou minha coxa. A risada do homem transformou-se numa canção, uma interpretação arrastada e desafinada de uma antiga música de casamento afegã, entoada com um forte sotaque russo:

Ahesta boro, Mah-e-man, ahesta boro.
Vá devagar, minha querida lua, vá devagar.

Saltos de botas soaram no asfalto. Alguém abriu a lona pendurada na traseira do caminhão, e três rostos espiaram dentro. Um era de Karim, os outros dois eram soldados, um afegão e um russo sorridente, cara de buldogue, cigarro pendurado no canto da boca. Atrás deles, uma lua cor de osso pairava no céu. Karim e o soldado afegão trocaram algumas palavras em pashtu. Entendi um pouco — alguma coisa sobre Toor e sua má sorte. O soldado russo enfiou a cabeça na traseira do caminhão. Cantarolava a música de casamento e tamborilava com os dedos na tampa traseira. Mesmo na luz difusa do luar, percebi a aparência vítrea dos olhos dele enquanto passava de um viajante a outro. Apesar do frio, o suor porejava em sua testa. Os olhos se fixaram na jovem com o xale preto. Falou com Karim em russo sem tirar os olhos dela. Karim deu uma resposta curta em russo, que o soldado retribuiu com uma observação mais curta ainda. O soldado afegão também disse algo, num tom de voz baixo e conciliador. Mas o soldado russo deu um grito que fez os outros sobressaltar. Senti *baba* ficar tenso ao meu lado. Karim limpou a garganta, baixou a cabeça. Disse que o soldado queria passar meia hora com a moça na traseira do caminhão.

A mulher cobriu o rosto com o xale. Rompeu em lágrimas. O bebê no colo do marido também começou a chorar. O rosto do marido ficou pálido como a lua pairando acima. Disse a Karim que pedisse ao "senhor soldado *sahib*" um pouco de piedade, talvez ele tivesse uma irmã ou mãe, ou quem sabe uma esposa. O russo ouviu Karim e latiu uma série de palavras.

— É o preço dele para deixar a gente passar — disse Karim. Não conseguia encarar o marido.

— Mas nós já pagamos um preço justo. Ele está recebendo um bom dinheiro — retrucou o marido.

Karim e o soldado russo trocaram algumas palavras.

— Ele diz... diz que todo preço tem um imposto.

Foi aí que *baba* se levantou. Foi minha vez de apertar a mão na coxa dele, mas *baba* se desvencilhou, afastando a perna. Quando ficou de pé, eclipsou a lua.

— Eu quero que você pergunte uma coisa a esse homem — disse a Karim, mas olhava diretamente para o oficial russo. — Pergunte onde está a decência dele.

Os dois se falaram.

— Ele diz que isso é uma guerra. Não existe decência na guerra.

— Diga que ele está errado. A guerra não nega a decência. *Exige* decência, mais ainda do que em tempos de paz.

Você tem de ser sempre o herói?, pensei, o coração palpitando. *Não pode deixar as coisas como estão pelo menos uma vez?* Mas eu sabia que ele não conseguia fazer isso — não era da natureza dele. O problema é que essa natureza poderia matar a todos nós.

O soldado russo disse alguma coisa a Karim, um sorriso pairando nos lábios.

— *Agha sahib* — falou Karim —, esses *roussi* não são como nós. Eles não entendem nada sobre respeito nem honra.

— O que ele disse?

— Que vai gostar de meter uma bala na sua cabeça quase tanto quanto... — parou de falar, mas apontou com a cabeça na direção da mulher que chamara a atenção do guarda. O soldado jogou o cigarro fora e sacou a pistola. *Então é aqui que* baba *morre*, pensei. *É assim que vai acontecer*. Na minha cabeça, recitei uma prece que havia aprendido na escola.

— Diga a ele que vou ser baleado mil vezes antes de permitir que essa indecência ocorra — falou *baba*. Meu pensamento recuou até aquele dia de inverno, seis anos antes. Eu espiando naquele beco, Kamal e Wali segurando Hassan. Os músculos das nádegas de Assef se contraindo e descontraindo, o quadril se mexendo para a frente e para trás. Belo herói eu tinha sido, lamentando-me por causa da pipa. Às vezes até eu me perguntava se era realmente filho de *baba*.

O russo com cara de buldogue ergueu a pistola.

— *Baba*, sente-se, por favor — pedi, puxando a manga dele. — Acho que ele vai mesmo atirar em você.

Baba afastou minha mão com um tapa.

— Será que eu não te ensinei nada? — retrucou. Virou-se para ao soldado sorridente. — Diga que é melhor ele me matar no primeiro tiro. Pois se eu não cair vou fazer esse sujeito em pedaços, maldito seja o pai dele!

O sorriso do soldado russo não se alterou quando ele ouviu a tradução. Soltou a trava de segurança da arma. Apontou o cano para o peito de *baba*. Com o coração batendo na boca, enterrei o rosto nas mãos.

A arma disparou.

Então está feito. Tenho dezoito anos e estou só. Não tenho ninguém no mundo. Baba está morto, e eu tenho de enterrar o corpo dele. Onde vou enterrá-lo? Para onde vou depois disso?

O turbilhão de pensamentos entrecortados girando na minha cabeça parou quando abri os olhos e vi *baba* ainda de pé. Vi um segundo oficial russo com os outros. Era do cano de sua arma, apontando para cima, que saía a fumaça. O soldado que queria atirar em *baba* já havia guardado a pistola. Ele arrastava os pés. Nunca senti tanta vontade de chorar e rir ao mesmo tempo.

O segundo oficial russo, forte e de cabelos grisalhos, falou conosco em seu persa hesitante. Pediu desculpas pelo comportamento do companheiro.

— A Rússia os manda pra cá pra lutar — disse. — Mas são apenas garotos e, quando chegam aqui, encontram o prazer das drogas. — Lançou ao oficial mais jovem um olhar pesaroso, como um pai exasperado com o mau comportamento do filho. — Esse aí agora é viciado. Eu tento fazê-lo parar... — Fez um sinal para que fôssemos embora.

Momentos depois, estávamos partindo. Ouvi uma risada e depois a voz do primeiro soldado, pastosa e desafinada, cantando a velha música de casamento.

SEGUIMOS EM SILÊNCIO por mais ou menos quinze minutos até o marido da jovem de repente se levantar e fazer uma coisa que eu já tinha visto muita gente fazer antes dele: beijar a mão de *baba*.

A MÁ SORTE DE TOOR. Eu não tinha ouvido isso num trecho da conversa em Mahipar?

Entramos em Jalalabad cerca de uma hora antes do amanhecer. Karim nos transferiu rapidamente do caminhão para uma casa térrea na interseção entre duas estradas de terra ladeadas por casas baixas, acácias e lojas fechadas. Ergui a gola do casaco para me proteger do frio enquanto entramos depressa na casa, arrastando nossos pertences. Por alguma razão, lembro de ter sentido cheiro de rabanete.

Assim que entramos na sala despojada e mal iluminada, Karim trancou a porta da frente e puxou os lençóis rasgados usados como cortinas. Em seguida, respirou fundo e nos deu a má notícia: seu irmão Toor não podia nos levar a Peshawar. O motor do caminhão dele havia fundido na semana passada, e Toor continuava esperando as peças.

— Na semana *passada*? — alguém exclamou. — Se você já sabia disso, por que trouxe a gente até aqui?

Vislumbrei um movimento rápido com o canto dos olhos. Logo depois uma coisa atravessou a sala, e o que vi em seguida foi Karim esmagado contra a parede, os pés balançando a mais de meio metro do chão. As mãos de *baba* apertavam o pescoço dele.

— Eu vou dizer por quê! — vociferou *baba*. — Porque ele foi pago pelo seu trajeto na viagem. Era só isso que importava pra ele. — Karim emitia sons guturais engasgados, e saliva escorria pelo canto de sua boca.

— Larga o pescoço dele, você vai acabar matando o sujeito! — disse um dos passageiros.

— É o que pretendo fazer — replicou *baba*. O que nenhum outro na sala sabia era que *baba* não estava brincando. Karim estava ficando vermelho, balançando as pernas. *Baba* continuou a estrangulá-lo até a jovem mãe, a que o oficial russo havia desejado, implorar que parasse.

Quando *baba* afinal o soltou, Karim desabou no assoalho e rolou para longe, tentando respirar. O recinto ficou em silêncio. Menos de duas horas atrás, *baba* se apresentara para ser baleado pela honra de uma mulher que ele nem conhecia. Agora havia quase estrangulado um homem, e o teria feito com muita naturalidade não fossem os pedidos da mesma mulher.

Ouviu-se uma pancada na porta ao lado. Não, na porta, não; embaixo.

— O que foi isso? — alguém perguntou.

— São os outros — resfolegou Karim, respirando com dificuldade. — No porão.

— Há quanto tempo eles estão esperando? — perguntou *baba*, em pé diante de Karim.

— Há duas semanas.

— Você não disse que o caminhão quebrou na semana passada?

Karim esfregou o pescoço.

— Talvez tenha sido na semana anterior — esganiçou.

— Quanto tempo?

— O quê?

— Quanto tempo até chegarem as peças? — rugiu *baba*.

Karim hesitou, mas não disse nada. Fiquei contente de estar escuro. Não queria ver a fúria assassina na expressão de *baba*.

* * *

O FEDOR DE ALGUMA COISA úmida, como fungos, invadiu minhas narinas no momento em que Karim abriu a porta que levava ao porão por uma escada que rangia. Descemos em fila indiana. Os degraus gemiam sob o peso de *baba*. Em pé no porão frio, me senti observado por olhos que piscavam no escuro. Divisei formas amontoadas pelo recinto, as silhuetas projetadas nas paredes pela luz difusa de dois lampiões de querosene. Um murmúrio abafado soou no porão, mesclado com o som de gotas de água pingando em algum lugar, e algo mais, um som arranhado.

Baba suspirou atrás de mim e largou as malas.

Karim disse que levaria apenas alguns dias para o caminhão ser consertado. Depois, seguiríamos para Peshawar. Para a liberdade. Para a segurança.

O porão foi nossa casa durante a semana seguinte, e, na terceira noite, descobri a fonte dos sons de arranhões. Ratos.

QUANDO MEUS OLHOS se acostumaram com a escuridão, contei cerca de trinta refugiados naquele porão. Ficávamos sentados lado a lado, com as costas nas paredes, comendo bolachas, pão com tâmaras, maçãs. Naquela primeira noite, todos os homens rezaram juntos. Um dos refugiados perguntou a *baba* por que não rezava com eles.

— Deus vai nos salvar a todos. Por que você não reza para Ele?

Baba aspirou uma pitada do seu rapé. Esticou as pernas.

— O que vai nos salvar são oito cilindros e um bom carburador.

Isso silenciou de vez todos os demais sobre a questão de Deus.

Só mais tarde naquela primeira noite descobri que duas das pessoas escondidas conosco ali eram Kamal e o pai. Foi um choque ver Kamal naquele porão a poucos passos de mim. Mas quando ele e o pai vieram até perto de nós e vi o rosto de Kamal, eu o vi *de verdade*...

Kamal tinha murchado — simplesmente não havia outra palavra para defini-lo. Os olhos eram vazios e não expressavam nenhum reconhecimento. Os ombros estavam curvados e as bochechas caíam flácidas, como se estivessem cansadas demais para aderir aos ossos abaixo. O pai dele, dono de uma sala de cinema em Cabul, contou a *baba* que, três meses antes, sua esposa tinha sido morta no templo por uma bala perdida. Depois começou a falar com *baba* sobre Kamal. Ouvi apenas trechos da conversa. *Nunca deveria ter deixado ele ir sozinho... sempre tão bonitão, sabe... quatro deles... tentou lutar... Deus... pegaram... sangrando lá embaixo... a calça... não fala mais... só fica olhando...*

Não haveria caminhão, foi o que Karim nos contou depois de uma semana naquele porão infestado de ratos. O caminhão não tinha conserto.

— Existe outra opção — sugeriu, erguendo a voz em meio aos gemidos. O primo dele tinha um caminhão-tanque e já havia contrabandeado gente algumas vezes. Ele estava em Jalalabad e provavelmente levaria todos nós.

Todos, exceto um casal mais velho, decidiram ir.

Partimos naquela noite, *baba*, eu, Kamal e o pai, e os outros. Karim e o primo, um careca de rosto quadrado chamado Aziz, nos ajudaram a entrar no tanque de combustível. Um a um, subimos a escada de acesso na traseira do caminhão e entramos no tanque. Lembro que *baba* subiu até metade da escada, mas voltou tirando a caixa de rapé do bolso. Esvaziou-a e pegou um punhado de terra do meio da estrada sem pavimento. Beijou a terra. Despejou-a na caixa. Guardou-a no bolso do casaco, perto do coração.

Pânico.

Você abre a boca. Abre tanto que estala a mandíbula. Manda os pulmões aspirar ar, agora; você precisa de ar, agora. Mas suas vias aéreas o ignoram. Desabam, apertam, espremem, e de repente você está respirando por um canudinho. A boca fecha e os lábios enrugam, e você só consegue um grasnado estridente. As mãos se retorcem e tremem. Em algum lugar uma represa rompeu e um fluxo de suor frio se derrama, ensopando seu corpo. Você quer gritar. Gritaria, se pudesse. Mas você precisa respirar para gritar.

Pânico.

O porão era escuro. Mas o tanque de combustível era como breu. Eu olhava para a direita, esquerda, acima, abaixo, mexia as mãos na frente dos olhos, mas só via uma sugestão de movimento. Piscava uma vez, piscava de novo. Nada. O ar não era normal, era espesso demais, quase sólido. Ar não pode ser sólido. Queria esticar os braços e pegar pedacinhos de ar, enfiá-los na traqueia. E o fedor de gasolina. Os olhos ardiam com os vapores, como se alguém tivesse virado minhas pálpebras e esfregado limão nelas. Meu nariz pegava fogo a cada inspiração. *Você pode morrer num lugar desses*, pensei. Um grito vinha chegando. Chegando, chegando...

Então, um pequeno milagre. *Baba* agarrou minha manga, e um brilho verde luziu no escuro. Luz! O relógio de pulso de *baba*. Fiquei com os olhos grudados naqueles ponteiros fluorescentes. Tinha tanto medo de perder aquilo que nem me atrevia a piscar.

Aos poucos, fui tomando consciência dos arredores. Ouvi gemidos e preces sussurradas. Ouvi um bebê chorar, a voz abafada da mãe em consolo. Alguém ameaçou vomitar. Outro amaldiçoou os *shorawi*. O caminhão balançava de um lado para o outro, para cima e para baixo. Cabeças batiam no metal.

— Pense em alguma coisa boa — disse *baba* no meu ouvido. — Alguma coisa alegre.

Alguma coisa boa. Alguma coisa alegre. Deixei a mente vagar. Deixei o pensamento fluir:

Noite de sexta-feira em Paghman. Um campo aberto gramado, salteado por amoreiras em flor. Hassan e eu com grama alta até os tornozelos, eu puxando a linha, o carretel girando nas mãos calosas de Hassan, nossos olhos voltados para a pipa no céu. Nenhum de nós fala nada, não por falta do que dizer, mas porque não precisamos dizer nada — é assim entre pessoas que fazem parte das primeiras lembranças da outra, pessoas que mamaram no mesmo seio. Uma brisa agita a grama, e Hassan dá linha no carretel. A pipa gira, mergulha, estabiliza-se. Nossas sombras gêmeas dançam na grama ondulante. Em algum lugar além da mureta de tijolos, no outro lado do campo, ouvimos conversas e risadas e o murmurinho de uma fonte de água. E música, alguma coisa antiga e conhecida, acho que é *Ya Mowlah* com cordas *rubab*. Alguém chama nossos nomes atrás do muro, dizendo que está na hora do chá com bolo.

Não me lembrava qual era o mês, nem o ano. Só sabia que aquela recordação vivia em mim, um pedaço bom de passado perfeitamente encapsulado, uma pincelada colorida na tela cinza e deserta em que se transformara nossa vida.

* * *

O RESTO DA VIAGEM se resume a partes e pedaços esparsos de lembranças que vêm e vão, em sua maior parte sons e aromas: MIGs rugindo acima de nossa cabeça; disparos em *staccato*; um jumento zurrando por perto; toques de sineta e balidos de cabras; cascalho esmagado sob os pneus do caminhão; um bebê chorando no escuro; o fedor de gasolina, vômito e merda.

Minha memória seguinte é a luz ofuscante da primeira hora da manhã quando saí do tanque de combustível. Lembro de ter virado o rosto para o céu, franzindo os olhos, respirando como se o mundo estivesse sem ar. Deitei no acostamento da estrada de terra, perto de um fosso de pedra, e olhei para o céu cinzento da manhã, agradecendo pelo ar, agradecendo pela luz, agradecendo por estar vivo.

— Estamos no Paquistão, Amir — disse *baba*, em pé na minha frente. — Karim diz que vai chamar um ônibus para nos levar a Peshawar.

Virei de bruços, ainda deitado na terra fria, e vi nossas malas ao lado dos pés de *baba*. Através do V invertido do vão de suas pernas, avistei o caminhão parado ao lado da estrada, os outros refugiados descendo a escada traseira. Mais além, a rodovia de terra passava por descampados que pareciam folhas de chumbo sob o céu cinza e desapareciam atrás de uma linha de colinas em forma de cuia. Pelo caminho, havia um pequeno vilarejo incrustado no alto de uma encosta banhada de sol.

Meus olhos se voltaram para as malas. Elas me deixaram triste por *baba*. Depois de tudo o que ele havia construído, planejado, batalhado para conseguir, depois de todos os sonhos e frustrações, este era o resumo da vida dele: um filho decepcionante e duas malas.

Alguém gritava. Gritava, não, lamentava-se. Vi os passageiros se amontoando num círculo, ouvi suas vozes urgentes. Alguém disse a palavra "vapores". Alguém mais disse o mesmo. A lamúria se transformou num grito gutural e estridente.

Baba e eu corremos até a aglomeração e abrimos caminho entre as pessoas. O pai de Kamal estava sentado de pernas cruzadas no meio do círculo, balançando para a frente e para trás, beijando o semblante cinzento do filho.

— Ele não está respirando! Meu filho não está respirando! — ele chorava. O corpo sem vida de Kamal estava no colo do pai. A mão direita, aberta e caída, balançava no ritmo dos soluços do pai. — Meu filho! Ele não respira! Alá, ajude meu filho a respirar!

Baba ajoelhou ao lado dele e o abraçou pelos ombros. Mas o pai de Kamal o empurrou e avançou para Karim, que estava perto do primo. O que aconteceu em seguida foi bem rápido e durou muito pouco para ser chamado de luta. Karim gritou de surpresa e andou para trás. Vi um braço girar, uma perna chutar. Um instante depois, o pai de Kamal estava com a arma de Karim na mão.

— Não! — gritou Karim.

Mas antes que qualquer um pudesse fazer ou dizer alguma coisa, o pai de Kamal enfiou o cano do revólver na própria boca. Nunca vou esquecer o eco daquele tiro. Nem o clarão de luz, tampouco o borrifo vermelho.

Curvei-me de novo e tentei vomitar na beira da estrada, embora não tivesse nada no estômago.

Onze

Fremont, Califórnia, anos 1980

Baba adorava a *ideia* da América.

Mas morar nos Estados Unidos lhe causou uma úlcera.

Lembro das caminhadas que fazíamos pelo parque Lake Elizabeth em Fremont, a poucas ruas de distância do nosso apartamento, observando garotos praticando natação, garotinhas rindo nos balanços do playground. *Baba* me falava de suas opiniões políticas durante esses passeios, com longas e detalhadas dissertações.

— Apenas três países no mundo têm homens de verdade, Amir — dizia. Contava nos dedos: os Estados Unidos, o impetuoso salvador, a Inglaterra e Israel. — Os outros... — fazia um gesto com a mão e emitia um *pfff* — ... têm apenas velhas fofoqueiras.

A parte sobre Israel costumava provocar a ira de afegãos em Fremont, que o acusavam de ser pró-judeu e, de fato, anti-islã. *Baba* se encontrava com eles para tomar chá com bolo de *rowt* no parque e os enlouquecia com sua política.

— O que eles não entendem — ele me explicava depois — é que isso não tem nada a ver com religião. — Do ponto de vista de *baba*, Israel era uma ilha de "homens de verdade" num mar de árabes que só pensavam em enriquecer com petróleo e não se preocupavam com o povo. — Israel faz isso, Israel faz aquilo — dizia *baba* zombando do sotaque árabe. — Então façam alguma coisa a respeito! Tomem uma atitude! Vocês são árabes, então ajudem os palestinos!

Ele detestava Jimmy Carter, a quem chamava de "cretino dentuço". Em 1980, quando ainda estávamos em Cabul, os Estados Unidos anunciaram que iriam boicotar os Jogos Olímpicos de Moscou.

— *Wah wah!* — exclamou *baba* com desprezo. — Brezhnev está massacrando os afegãos, e só o que esse comedor de amendoim consegue dizer é que não vai nadar na piscina dele. — *Baba* acreditava que, sem querer, Carter tinha feito mais pelo comunismo do que Leonid Brezhnev. — Ele não serve para governar este país. É como pôr um garoto que não sabe nem andar de bicicleta ao volante de um Cadillac novinho em folha. — O que os Estados Unidos e o mundo precisavam era de um homem enérgico. Um homem de respeito, alguém que tomasse atitudes em vez de ficar torcendo as mãos. Esse alguém surgiu na forma de Ronald Reagan. E, quando Reagan foi à TV e chamou os *shorawi* de "Império do Mal", *baba* saiu e comprou uma foto do sorridente presidente com os polegares para cima. Mandou emoldurar a fotografia e pendurou-a no nosso corredor, ao lado da foto em preto e branco dele próprio e sua gravatinha fina apertando a mão do rei Zahir Shah. A maioria dos nossos vizinhos em Fremont era formada de motoristas de ônibus, policiais, frentistas de postos de gasolina e mães solteiras vivendo de seguro-desemprego, exatamente o tipo de trabalhador que logo sufocaria sob o travesseiro que a Reganomics colocaria no rosto deles. *Baba* era o único republicano no nosso prédio.

Mas a fumaça da Bay Area irritava os olhos dele, o ruído do tráfego lhe causava dores de cabeça e o pólen o fazia tossir. Os frutos nunca eram tão doces, a água nunca era pura, e onde estavam as árvores e os campos abertos? Durante dois anos, tentei fazer *baba* se matricular em algum curso para melhorar seu inglês mal falado. Mas ele ironizava a ideia. "Talvez eu aprenda a soletrar 'gato' e o professor me dê uma estrelinha brilhante para te mostrar em casa", resmungava.

Num domingo, na primavera de 1983, entrei numa pequena livraria que vendia livros de bolso usados, perto de um cinema indiano, próxima à interseção entre a Amtrak e o Fremont Boulevard. Avisei *baba* que voltaria em cinco minutos, e ele deu de ombros. Era seu dia de folga no posto de gasolina onde trabalhava, em Fremont. Eu o vi atravessar o Fremont Boulevard e entrar no

Fast & Easy, um mercadinho de um casal vietnamita de idade, o sr. e a sra. Nguyen. Os dois formavam um casal grisalho e amistoso, ela com Parkinson, e ele com um implante de quadril. "Agora ele é como o Homem de Seis Milhões de Dólares", ela sempre me dizia, rindo sem dentes. "Lembra do Homem de Seis Milhões de Dólares, Amir?"

E o sr. Nguyen fazia uma careta imitando Lee Majors e fingia correr em câmera lenta.

Eu estava folheando uma edição antiga de um policial de Mike Hammer quando ouvi gritos e vidro quebrando. Larguei o livro e corri para a rua. Vi os Nguyen atrás do balcão, encolhidos na parede, o rosto pálido dos dois, o sr. Nguyen abraçando a esposa. No chão, laranjas, revistas, um pote de carne-seca quebrado e cacos de vidro aos pés de *baba*.

Acontece que *baba* não tinha dinheiro no bolso para as laranjas. Fez um cheque para pagar, e o sr. Nguyen pediu uma identidade.

— Ele quer ver minha carteira de motorista! — berrou *baba* em persa. — Faz quase dois anos que compramos essas drogas de frutas e enchemos o bolso dele de dinheiro, e o filho de um cão quer ver minha identidade!

— *Baba*, não é nada pessoal — disse, sorrindo para os Nguyen. — Eles precisam pedir uma identidade.

— Eu não quero que você venha mais aqui — disse o sr. Nguyen, postando-se na frente da esposa e ameaçando *baba* com a bengala. Virou-se para mim. — Você é um jovem simpático, mas seu pai é louco. Não é mais bem-vindo aqui.

— Ele acha que eu sou ladrão? — perguntou *baba*, elevando a voz. Começou a juntar gente na porta, todo mundo olhando. — Que espécie de país é esse? Ninguém confia em ninguém!

— Eu vou chamar a polícia — disse a sra. Nguyen, pondo a cara para fora. — Você sai, ou eu chamo a polícia.

— Por favor, sra. Nguyen, não precisa chamar a polícia. Vou levar meu pai para casa. Não precisa chamar a polícia, certo? Por favor?

— Sim, você leva o seu pai pra casa. Boa ideia — disse o sr. Nguyen. Por trás dos óculos bifocais de aro de metal, os olhos do sr. Nguyen não desgrudavam de *baba*.

Levei *baba* até a porta. Ele chutou uma revista no caminho. Quando consegui que prometesse ficar lá fora, voltei à loja e pedi desculpas aos Nguyen. Disse que meu pai estava passando por uma situação difícil. Dei nosso endereço e o número do telefone à sra. Nguyen e pedi para fazer um orçamento dos prejuízos.

— Por favor, me ligue assim que souber. Eu vou pagar tudo, sra. Nguyen. Mil desculpas. — A sra. Nguyen pegou o papel da minha mão e aquiesceu. Vi que as mãos dela tremiam mais do que o habitual, e isso me deixou zangado com *baba*, por fazer uma senhora de idade tremer desse jeito. — Meu pai ainda está se adaptando à vida na América — disse, tentando explicar.

Eu queria contar a eles que, em Cabul, nós usávamos gravetos quebrados como cartão de crédito. Hassan e eu levávamos um pedacinho de pau para o padeiro. Ele fazia marcas no nosso pauzinho com uma faca, uma marca para cada *naan* que tirava das labaredas que rugiam no *tandoor* para nós. No fim do mês, meu pai pagava pelo número de marcas no pauzinho. Era assim. Sem perguntas. Sem identidade.

Mas não disse nada. Agradeci ao sr. Nguyen por não ter chamado a polícia. Levei *baba* para casa. Ele ficou fumando na sacada, emburrado, enquanto eu preparava arroz com pescoço de frango. Fazia um ano e meio que tínhamos descido do Boeing chegando de Peshawar, e *baba* ainda estava se adaptando.

Comemos em silêncio. Depois de dois bocados, *baba* empurrou o prato. Olhei para ele no outro lado da mesa, as unhas lascadas e pretas de óleo de motor, as juntas esfoladas, os cheiros do posto de gasolina em suas roupas — pó, suor e gasolina. *Baba* era como um viúvo que voltava a se casar sem conseguir esquecer a esposa morta. Sentia falta das plantações de cana-de-açúcar de Jalalabad e dos jardins de Paghman. Sentia falta de pessoas entrando e saindo de casa, de andar pelas ruas movimentadas do Shor Bazaar e de cumprimentar gente que o conhecia e conhecia o pai dele, o avô, pessoas que tinham ancestrais em comum e cujo passado se misturava com o dele.

Para mim, a América era um lugar para enterrar minhas lembranças.

Para *baba*, um lugar para prantear as próprias lembranças.

— Talvez a gente devesse voltar a Peshawar — eu disse, observando o gelo flutuar no meu copo de água.

Passamos seis meses em Peshawar até o Departamento de Imigração emitir nossos vistos. Nosso encardido apartamento de um quarto cheirava a meias sujas e cocô de gato, mas estávamos cercados de pessoas conhecidas, ou ao menos pessoas que *baba* conhecia. Ele convidada o corredor inteiro de vizinhos para jantar, a maioria composta de afegãos esperando visto. Inevitavelmente, alguém trazia um conjunto de tablas, e outro alguém trazia uma gaita. O chá ficava no fogo, e qualquer um que tivesse uma voz aceitável cantava até o sol nascer, até os mosquitos pararem de zumbir e as palmas das mãos começarem a arder.

— Você era mais feliz lá, *baba*. Era mais parecido com a nossa casa — comentei.

— Peshawar era bom para mim. Não para você.

— Você trabalha muito aqui.

— Agora até que não está tão ruim — replicou, referindo-se ao fato de ter se tornado o gerente do turno do dia no posto de gasolina. Mas eu tinha visto a maneira como ele fazia caretas e esfregava os pulsos nos dias mais úmidos. O modo como o suor escorria de sua testa quando pegava o vidro de antiácido depois das refeições. — Além do mais, eu não trouxe a gente aqui por minha causa, não é?

Passei o braço por cima da mesa e peguei a mão dele. Minha mão de estudante, lisa e macia, sobre sua mão de trabalhador, áspera e calejada. Pensei em todos os caminhões, trens elétricos e bicicletas que ele havia comprado para mim em Cabul. Agora, a América. Um último presente para Amir.

Apenas um mês depois de chegarmos aos Estados Unidos, *baba* conseguiu um emprego perto do Washington Boulevard, como assistente num posto de gasolina de um conhecido afegão — ele começara a procurar trabalho na mesma semana em que chegamos. Seis dias por semana, *baba* trabalhava em turnos de doze horas, bombeando gasolina, supervisionando o registro, trocando óleo e lavando para-brisas. Às vezes eu levava o almoço dele e o encontrava procurando um maço de cigarros nas prateleiras, um cliente esperando do outro lado do balcão sujo de óleo, o rosto pálido e abatido sob as luzes fluorescentes. A campainha eletrônica da porta fazia *ding-dong* quando eu entrava, e *baba* olhava por cima do ombro, sorria e acenava, os olhos lacrimejantes de cansaço.

No dia em que foi contratado, *baba* e eu fomos falar com a nossa assistente social em San Jose, a sra. Dobbins. Era uma negra corpulenta, de olhos coruscantes e sorriso de covinhas. Contou que antigamente cantava na igreja, e acreditei nela — tinha uma voz que remetia a leite quente com mel. *Baba* jogou o bloquinho de vale-alimentação na mesa dela.

— Obrigado, mas eu não preciso mais — disse. — Eu sempre trabalho. No Afeganistão eu trabalho, na América eu trabalho. Muito obrigado, sra. Dobbins, mas não quero dinheiro de graça.

A sra. Dobbins piscou os olhos. Pegou os vales-alimentação, desviou o olhar de mim para *baba*, como se estivéssemos pregando uma peça ou "levando ela no bico", como dizia Hassan.

— Estou neste trabalho há quinze anos e nunca vi ninguém fazer isso — disse.

E foi assim que *baba* encerrou aquelas humilhantes ocasiões em que usava vale-alimentação nas caixas registradoras, aliviando um de seus maiores temores: o de que um afegão o visse comprando comida com dinheiro de caridade. *Baba* saiu do escritório do serviço social como um homem que tivesse se curado de um tumor.

Naquele verão de 1983, me formei no ensino médio com vinte anos, de longe o mais velho a jogar o barrete para o alto no campo de futebol naquele dia. Lembro que me perdi de *baba* naquela confusão de famílias, câmeras espocando flashes e becas azuis. Encontrei-o perto da linha de fundo, as mãos enfiadas nos bolsos, a câmera pendurada no peito. Ele desaparecia e reaparecia atrás das pessoas que se movimentavam entre nós: garotas vestidas de azul vibrando e sendo abraçadas, chorando, garotos cumprimentando pais e colegas. A barba de *baba* estava embranquecendo, o cabelo rareando nas têmporas, e será que ele não era mais alto em Cabul? Usava o terno marrom — seu único terno, o mesmo que vestia para ir a casamentos e funerais afegãos — e a gravata vermelha que tinha comprado meses antes em seu aniversário de cinquenta anos. Então ele me viu e acenou. Sorriu. Fez sinal para eu pôr o barrete e tirou uma foto minha com a torre do relógio da escola ao fundo. Sorri para ele — de certa forma, esse dia era mais dele do que meu. Caminhou até mim, passou o braço em meu pescoço e me deu um beijo na testa.

— Estou *moftakhir*, Amir — disse. Orgulhoso. Os olhos dele brilharam quando disse isso, e gostei de estar na outra ponta daquele olhar.

Naquela noite ele me levou a uma casa de *kabob* afegã em Hayward e pediu comida demais. Disse ao proprietário que o filho ia para a faculdade no outono. Eu tinha discutido brevemente com ele sobre isso pouco antes da formatura, dizendo preferir arrumar um emprego. Ajudar, economizar algum dinheiro, talvez começar a faculdade no ano seguinte. Mas ele calou minha boca com um dos abrasivos olhares de *baba*, e as palavras evaporaram na minha língua.

Depois do jantar, *baba* me levou a um bar que ficava em frente ao restaurante. O lugar era escuro, o aroma ácido de cerveja que sempre detestei permeava as paredes. Homens com boné de beisebol e camiseta regata jogavam bilhar, e nuvens de fumaça de cigarro pairavam sobre as mesas verdes, espiralando na luz fluorescente. Atraímos olhares, *baba* com seu terno marrom e eu com minha calça xadrez e paletó esporte. Sentamos no balcão, perto de um velho, o rosto enrugado e doentio sob a luz azulada da propaganda de cerveja Michelob. *Baba* acendeu um cigarro e pediu duas cervejas.

— Hoje eu estou muito feliz — anunciou para ninguém e para todos. — Hoje estou bebendo com o meu filho. E mais uma, por favor, para o meu amigo aqui — continuou, batendo nas costas do homem ao lado. O velho tocou a ponta do dedo no chapéu e sorriu. Um sorriso sem os dentes superiores.

Baba terminou a cerveja em três goladas e pediu outra. Já havia tomado três antes de eu me forçar a tomar um quarto da minha. A essa altura, ele já tinha pago um uísque para o velho e convidado os quatro jogadores de bilhar para tomar uma Budweiser. Os homens apertaram a mão dele e bateram em suas costas. Beberam à sua saúde. Alguém acendeu o cigarro dele. *Baba* afrouxou a gravata e deu um punhado de moedas ao velho. Apontou para o jukebox.

— Diga para ele pôr as músicas favoritas dele — pediu para mim. O velho aquiesceu e fez uma saudação a *baba*. Logo, a música country imperava no recinto, e, de repente, *baba* tinha começado uma festa.

A certa altura, *baba* levantou, ergueu sua cerveja, derramando um pouco no chão empoeirado, e gritou:

— Foda-se a Rússia! — Seguiram-se risadas que ecoaram pelo bar. *Baba* pagou outra rodada de cerveja para todos.

Quando saímos, todo mundo ficou triste por ele estar indo embora. Cabul, Peshawar, Hayward. *O bom e velho* baba, pensei, sorrindo.

Voltei dirigindo o velho Buick Century amarelo-ocre de *baba*. Ele cochilou no caminho, roncando como uma britadeira. Senti o cheiro de álcool e tabaco nele, doce e pungente. Mas ele acordou quando paramos o carro e disse numa voz rouca:

— Siga em frente até o final do quarteirão.

— Por quê, *baba*?

— Vá em frente. — Ele me fez estacionar no lado sul da rua. Enfiou a mão no bolso do paletó e me deu um molho de chaves. — Tome — falou, apontando para o carro à nossa frente. Era um Ford antigo, comprido e largo, de uma cor escura que não consegui distinguir à luz do luar. — Precisa de uma pintura; vou pedir a um dos garotos do posto de gasolina que instale um novo para-choque, mas está funcionando.

Peguei as chaves, atordoado. Alternei o olhar entre ele e o carro.

— Você vai precisar dele para ir à faculdade — disse.

Segurei a mão dele. Apertei-a. Meus olhos lacrimejavam, e fiquei contente de meu rosto estar na penumbra.

— Obrigado, *baba*.

Saímos do carro, e entrei no Ford. Era um Grand Torino. Azul-marinho, pelo que dissera *baba*. Dirigi em volta do quarteirão, testando os freios, o rádio, o pisca-pisca. Parei no estacionamento do nosso prédio e desliguei o motor.

— *Tashakor, baba jan* — disse. Queria dizer mais, dizer quão comovido me sentia pela generosidade, quanto reconhecia tudo o que ele tinha feito por mim, tudo o que ainda estava fazendo. Mas sabia que isso o deixaria constrangido. Em vez disso, repeti: — *Tashakor*.

Ele sorriu e recostou-se no banco, a testa quase tocando a capota. Não falamos nada. Só ficamos sentados no escuro, ouvindo o tique-tique do motor esfriando, o grito de uma sirene ao longe. Em seguida *baba* virou o rosto para mim.

— Gostaria que Hassan estivesse conosco hoje — disse.

Ao som do nome de Hassan, duas mãos de aço apertaram a minha traqueia. Abaixei o vidro da janela. Esperei até as mãos afrouxarem o aperto.

EU IA ME MATRICULAR na faculdade no outono, como disse a *baba* no dia seguinte à formatura. Ele estava tomando chá-preto gelado e mastigando sementes de cardamomo, seu confiável antídoto pessoal para os sintomas de ressaca.

— Acho que vou fazer literatura inglesa — disse. Estremeci internamente, esperando a resposta dele.

— Literatura?

— Redação criativa.

Ele refletiu a respeito. Bebericou o chá.

— Histórias, você quer dizer. Você vai inventar histórias. — Baixei os olhos para fitar os meus pés. — Eles pagam por isso, para inventar histórias?

— Se a gente for bom — respondi. — E se descobrirem a gente.

— Qual a probabilidade disso... de ser descoberto?

— Apenas acontece — respondi.

Ele aquiesceu.

— E o que você vai fazer até ficar bom e ser descoberto? Como vai ganhar dinheiro? Se casar, como vai sustentar sua *khanum*?

Eu não conseguia olhar nos olhos dele.

— Eu... posso arranjar um emprego.

— Ah — replicou ele. — *Wah wah!* Então, se entendi bem, você vai estudar vários anos para se formar, depois vai arranjar um emprego de *chatti* como o meu, que você poderia arrumar hoje mesmo, por uma pequena chance de que seus estudos possam um dia ajudar você a ser... descoberto. — Respirou fundo e tomou um gole de chá. Resmungou alguma coisa sobre faculdade de medicina, direito e sobre um "trabalho de verdade".

Minhas bochechas ardiam, e fui invadido por um sentimento de culpa, a culpa de folgar à custa da úlcera dele, das unhas empretecidas e dos pulsos doídos. Mas eu ia manter a minha posição, decidi. Não queria mais me sacrificar por *baba*. A última vez que tinha feito isso, passei por um inferno.

Baba suspirou e, dessa vez, enfiou um monte de sementes de cardamomo na boca.

Às vezes eu sentava ao volante do meu Ford, abaixava os vidros e dirigia por horas, da East Bay até a South Bay, subindo a península e voltando. Dirigia pelas ruas ladeadas por álamos do nosso bairro em Fremont, onde pessoas que já haviam apertado a mão de reis moravam em casas térreas esquálidas com janelas gradeadas, onde velhos automóveis como o meu pingavam óleo nas entradas das garagens. Cercas de correntes cor de grafite fechavam os quintais do nosso bairro. Brinquedos, pneus carecas e garrafas de cerveja com rótulos descascados espalhavam-se pelos gramados malcuidados. Eu passava por parques sombreados que cheiravam a casca de árvore, por centros comerciais tão grandes que poderiam abrigar cinco torneios de *buzkashi* ao mesmo tempo. Dirigia o Torino até as colinas de Los Altos, passando por casas com janelas panorâmicas e leões prateados que guardavam os portões de ferro batido, casas com fontes de querubins alinhadas em alamedas bem ajardinadas e sem nenhum Ford Torino na garagem. Residências que faziam a casa de *baba* em Wazir Akbar Khan parecer o casebre de um serviçal.

Algumas manhãs de sábado eu levantava mais cedo e rumava para o sul pela Highway 17, forçando o Ford pelas estradas curvas das montanhas até Santa Cruz. Estacionava perto do velho farol e esperava o nascer do sol, ficava no carro e observava a bruma vir rolando do mar. No Afeganistão, eu só tinha visto o mar no cinema. Sentado no escuro ao lado de Hassan, eu sempre me perguntava se era verdade o que tinha lido, que o ar marinho tinha cheiro de sal. Eu dizia a Hassan que um dia andaríamos por uma praia forrada de algas, fincaríamos os pés na areia e ficaríamos olhando a água recuar dos nossos pés. A primeira vez em que vi o Pacífico, eu quase chorei. Era tão vasto e azul quanto os oceanos das telas de cinema da minha infância.

Às vezes, no começo da noite, eu estacionava o carro e andava até uma passagem de nível na estrada. Com o rosto encostado na cerca, tentava contar as luzes traseiras vermelhas enfileiradas que piscavam, estendendo-se até onde meus olhos podiam ver. BMWs, Saabs, Porsches. Automóveis que eu nunca tinha visto em Cabul, onde a maioria das pessoas dirigia velhos Volga russos, antigos Opel ou Paikan iranianos.

Quase dois anos haviam se passado desde a nossa chegada aos Estados Unidos, e eu ainda me maravilhava com o tamanho desse país, com sua vastidão. Depois de cada estrada seguia-se outra estrada, depois de cada cidade havia outra cidade, colinas depois de montanhas e montanhas depois de colinas e, depois disso tudo, mais cidades e mais gente.

Muito antes de o Exército *roussi* entrar no Afeganistão, muito antes de aldeias serem queimadas e escolas destruídas, muito antes de minas terem sido plantadas como sementes da morte e crianças serem enterradas em túmulos de pedras empilhadas, Cabul já tinha se tornado uma cidade fantasma para mim. Uma cidade de fantasmas de lábio leporino.

A América era diferente. Era um rio que seguia rugindo, indiferente ao passado. Eu podia vadear esse rio, deixar meus pecados se afogarem no fundo, deixar as águas me levarem a algum lugar distante. Algum lugar sem fantasmas, sem lembranças, sem pecados.

Se não por outra razão, só por isso, eu adotei a América.

No verão seguinte, o verão de 1984 — o verão em que completei vinte e um anos —, *baba* vendeu o Buick e comprou, por quinhentos e cinquenta dólares, uma Kombi 1971 dilapidada de um velho conhecido do Afeganistão, um ex-professor de ciências no ensino médio em Cabul. Os vizinhos da rua ficaram surpresos na tarde em que a Kombi entrou resfolegando na rua e seguiu peidando até o nosso estacionamento. *Baba* desligou o motor e deixou a perua rolar em silêncio até a nossa vaga no estacionamento. Nós nos afundamos no banco, rimos até lágrimas rolarem pelas bochechas e, mais importante, até ter certeza de que os vizinhos não estavam mais olhando. A perua era uma triste carcaça de metal enferrujado, com vidros quebrados substituídos por sacos de lixo preto, pneus carecas e a tapeçaria reduzida a molas salientes. Mas o velho professor havia garantido a *baba* que o motor e a transmissão estavam bons e, quanto a isso, não mentira.

Aos sábados, *baba* me acordava ao amanhecer. Enquanto se vestia, folheava os classificados nos jornais locais e assinalava com um círculo os anúncios de vendas de segunda mão. Fazíamos um mapa da nossa rota — Fremont, Union City, Newark e Hayward primeiro, depois San Jose, Milpitas, Sunnyvale e Campbell, se houvesse tempo. *Baba* dirigia a Kombi, bebericando chá quente da garrafa térmica, enquanto eu cuidava da navegação. Parávamos nos locais de comércio e comprávamos bugigangas que as pessoas não queriam mais. Regateávamos por antigas máquinas de costura, bonecas Barbie caolhas, raquetes de tênis de madeira, violões com cordas faltando e velhos aspiradores de pó Electrolux. No meio da tarde, tínhamos lotado a carroceria da Kombi com itens usados. Depois, no domingo de manhã, íamos para o mercado das pulgas de San Jose, perto da Berryessa, alugávamos um ponto e vendíamos a sucata com um pequeno lucro: um disco do Chicago que tínhamos comprado por vinte e cinco *cents* um dia antes saía por um dólar, ou quatro dólares por uma coleção de cinco; uma velha máquina de costura Singer comprada por dez dólares podia sair, depois de muito regateio, por uns vinte e cinco dólares.

Naquele verão, famílias afegãs ocupavam toda uma seção do mercado das pulgas de San Jose. Música afegã soava pelos corredores da seção de artigos usados. Havia um código de comportamento implícito entre afegãos no mercado das pulgas: você cumprimentava o sujeito que passasse pelo corredor, convidava-o para uma porção de batata *bolani* ou um pouco de *qabuli* e conversava. Oferecia *tassali*, condolências pela morte de pai ou mãe, congratulava pelo nascimento de um filho, meneava a cabeça com pesar quando a conversa enveredava para o Afeganistão e os *roussi* — o que inevitavelmente acontecia. Mas evitava-se falar sobre o sábado. Pois de repente o sujeito do corredor ao lado era aquele motorista que você quase fechou na saída da estrada ontem para chegar primeiro a uma oferta mais promissora de artigos usados.

A única coisa que fluía mais do que chá naqueles corredores eram fofocas sobre o Afeganistão. O mercado das pulgas era o local onde você tomava chá-verde com *kolchas* de amêndoas, ficava sabendo de quem era a filha que tinha rompido um noivado para fugir com um namorado americano, quem era *parchami* — comunista — em Cabul e quem tinha comprado uma casa com dinheiro por baixo do pano enquanto continuava a viver de seguro-desemprego. Chá, política e escândalos eram os ingredientes de um domingo afegão no mercado das pulgas.

De vez em quando eu ficava cuidando do estande enquanto *baba* andava pelos corredores, as mãos no peito numa atitude respeitosa, cumprimentando gente que ele conhecia de Cabul: mecânicos e alfaiates vendendo casacos de lã doados e capacetes de bicicleta arranhados, ao lado de embaixadores, cirurgiões e professores universitários desempregados.

Numa manhã de domingo, em julho de 1984, enquanto *baba* se instalava, fui buscar dois cafés numa barraca de alimentação e, quando voltei, encontrei *baba* conversando com um homem distinto e mais velho. Coloquei os cafés no para-choque traseiro da Kombi, perto do adesivo REAGAN/BUSH 84.

— Amir! — chamou *baba*, fazendo sinal para eu me aproximar. — Este é o general *sahib*, o sr. Iqbal Taheri. Foi um general condecorado em Cabul. Trabalhou no Ministério da Defesa.

Taheri. Por que o nome me pareceu familiar?

O general riu como um homem acostumado a frequentar comemorações formais, onde devia rir de pronto de qualquer piadinha de pessoas importantes. Tinha o cabelo ralo prateado penteado para trás a partir da testa lisa e bronzeada, com tufos de pelos brancos nas sobrancelhas espessas. Cheirava a água-de-colônia e usava um terno cinza-chumbo com colete, brilhante de tanto ser passado a ferro; uma corrente de ouro do relógio de bolso pendia do colete.

— Que apresentação mais pomposa — comentou, a voz grave e bem-educada. — *Salaam, bachem.* — Alô, minha criança.

— *Salaam*, general *sahib* — respondi, apertando a mão dele. As mãos eram delicadas, mas transmitiam um aperto firme, como se a pele umedecida recobrisse tendões de aço.

— Amir vai ser um grande escritor — disse *baba*. Percebi um duplo sentido naquelas palavras. — Já terminou o primeiro ano na faculdade e tirou A em todas as matérias.

— Do curso básico — corrigi.

— *Mashallah* — disse o general Taheri. — Vai escrever sobre o nosso país, sobre história talvez? Economia?

— Eu escrevo ficção — disse, pensando nos cerca de doze contos que tinha escrito no caderno de capa de couro que ganhara de presente de Rahim

Khan, imaginando por que de repente me sentia envergonhado deles na presença daquele homem.

— Ah, um contador de histórias — disse o general. — Bem, as pessoas precisam de histórias para se distrair em tempos difíceis como os que vivemos. — Pousou a mão no ombro de *baba* e virou-se para mim. — Falando de histórias, seu pai e eu caçamos faisões juntos num dia de verão em Jalalabad — disse. — Foi uma ocasião maravilhosa. Se me lembro corretamente, o seu pai se mostrou tão afiado na pontaria quanto era nos negócios.

Baba cutucou com a ponta do sapato uma raquete de tênis de madeira pousada na nossa lona estendida no chão.

— Alguns negócios.

O general Taheri conseguiu abrir um sorriso ao mesmo tempo triste e cortês, deu um suspiro e bateu no ombro de *baba* com delicadeza.

— *Zendagi migzara* — disse. A vida continua. Voltou o olhar para mim. — Nós, afegãos, temos uma considerável tendência ao exagero, *bachem*, e já vi muitos homens medíocres com rótulos grandiosos. Mas seu pai é diferente, pois pertence à minoria que realmente merece esse rótulo. — Esse pequeno discurso me soou como a aparência do terno dele: muito usado e com um brilho nada natural.

— Você está me lisonjeando — disse *baba*.

— Não estou, não — replicou o general, inclinando a cabeça e levando a mão ao peito para mostrar humildade. — Garotos e garotas precisam saber do legado dos pais. — Então, virou-se para mim. — Você admira o seu pai, *bachem*? Você o admira de verdade?

— *Balay*, general *sahib*, admiro — respondi, desejando que ele não me chamasse de "minha criança".

— Meus parabéns, pois você já percorreu metade do caminho para ser um homem — disse sem nenhum traço de humor, sem ironia, um cumprimento de arrogância casual.

— *Padar jan*, você esqueceu o seu chá. — Era a voz de uma jovem. Atrás de nós, uma beldade esguia com cabelos pretos aveludados, uma garrafa térmica e um copo de isopor nas mãos. Pisquei os olhos, o coração acelerando. As sobrancelhas dela eram pretas e grossas e se tocavam no meio como as asas arqueadas de um pássaro em pleno voo, com o nariz suavemente adunco e gracioso de uma princesa da antiga Pérsia, talvez de Tahmineh, esposa de Rostam e mãe de Sohrab no *Shahnamah*. Seus olhos castanhos, sombreados por longos cílios, encontraram os meus. Mantiveram-se por um instante. Afastaram-se.

— Você é muito gentil, minha querida — disse o general Taheri, pegando o copo da mão dela. Antes de ela se virar para ir embora, vi que tinha uma marca de nascença marrom em forma de foice na pele macia acima da mandíbula. Andou até uma caminhonete cinza opaca a duas barraquinhas de distância e guardou a garrafa térmica. O cabelo pendeu para um lado quando ela ajoelhou entre caixas de discos e livros de bolso.

— Minha filha, Soraya *jan* — disse o general Taheri. Suspirou fundo, como um homem ansioso para mudar de assunto, e consultou seu relógio de bolso de ouro. — Bem, está na hora de arrumar as coisas. — O general e *baba* se beijaram no rosto, e ele pegou minha mão entre as dele. — Boa sorte com seus escritos — disse, olhando para os meus olhos. Seus olhos azul-claros não revelaram nada dos pensamentos ocultos.

Durante o resto daquele dia, lutei contra meus impulsos de olhar na direção da caminhonete cinza.

Quando voltava para casa, me ocorreu: Taheri. Eu sabia que já tinha ouvido aquele nome.

— Não houve alguns rumores sobre a filha do sr. Taheri? — perguntei a *baba*, tentando soar casual.

— Você me conhece — disse *baba*, dirigindo devagar na fila de veículos que saía do mercado das pulgas. — Quando a conversa vira fofoca, eu saio de perto.

— Mas houve rumores, não houve? — insisti.

— Por que a pergunta? — inquiriu com um olhar irônico.

Dei de ombros e forcei um sorriso.

— Só por curiosidade, *baba*.

— É mesmo? Só isso? — perguntou, os olhos zombeteiros, fixos nos meus. — Ela chamou a sua atenção?

Revirei os olhos.

— *Baba*, por favor.

Ele sorriu e saiu com a Kombi do mercado das pulgas. Tomamos a direção da Highway 680. Seguimos em silêncio por um tempo.

— Só o que ouvi falar foi que houve um homem e as coisas... não foram bem — disse isso com gravidade, como se estivesse me contando que ela tinha um câncer no seio.

— Ah.

— Ouvi dizer que é uma moça decente, trabalhadora e gentil. Mas nenhum *khastegar*, nenhum pretendente, bateu na porta do general depois disso. *Baba* deu um suspiro. — Pode ser injusto, Amir, mas o que acontece em poucos dias, às vezes num único dia, pode mudar o curso de toda uma vida — disse.

NAQUELA NOITE, deitado na cama ainda acordado, pensei na marca em forma de foice de Soraya Taheri, em seu nariz levemente adunco, na maneira como seus olhos brilhantes encontraram os meus por um instante. Meu coração rateava ao pensar nela. Soraya Taheri. Minha princesa do mercado das pulgas.

Doze

No Afeganistão, *yelda* é a primeira noite do mês de *Jadi*, a primeira noite do inverno, e a noite mais longa do ano. Como rezava a tradição, Hassan e eu costumávamos ficar acordados até tarde, os pés enfiados debaixo do *kursi*, enquanto Ali jogava cascas de maçã no aquecedor e nos contava histórias de antigos sultões e ladrões para passar aquela noite mais longa de todas. Foi com Ali que aprendi os mitos de *yelda*, que mariposas endemoniadas se atiravam nas chamas das velas e os lobos subiam as montanhas à procura do sol. Ali jurava que, se você comesse melancia na noite de *yelda*, não passaria sede no verão seguinte.

Quando fiquei mais velho, aprendi nos meus livros de poesia que *yelda* era a noite sem estrelas em que amantes atormentados mantinham vigília, resistindo à interminável escuridão, esperando que o sol nascesse e trouxesse consigo seu amado. Depois que conheci Soraya Taheri, todas as noites da semana se tornaram uma *yelda* para mim. E, quando chegavam as manhãs de domingo, eu levantava da cama com a imagem dos olhos castanhos de Soraya Taheri na minha cabeça. Na Kombi de *baba*, eu contava os quilômetros até encontrá-la com os pés descalços, arrumando caixas de papelão com enciclopédias amareladas, os calcanhares brancos no asfalto, pulseiras de prata tilintando em seus pulsos finos. Pensava na sombra que o cabelo dela projetava no chão quando escorregava das costas e caía como uma cortina de veludo. Soraya. A princesa do mercado das pulgas. O sol da manhã da minha *yelda*.

Eu inventava desculpas para andar pelos corredores — e *baba* reconhecia isso com um sorriso irônico — e passar pelo estande dos Taheri. Acenava para o general, sempre trajando seu terno brilhante passado a ferro além da conta, e ele me retribuía o sinal. Às vezes ele se levantava de sua cadeira de armar e conversávamos um pouco sobre os meus escritos, sobre a guerra, as vendas do dia. E eu tinha de lutar para que meus olhos não se desviassem para sair em busca de Soraya, lendo um livro de bolso. O general e eu nos despedíamos, e eu tentava não cambalear quando me afastava.

Às vezes ela estava sozinha, quando o general saía para socializar com outros comerciantes, e eu passava fingindo que não a conhecia, mas morrendo de vontade de chegar perto. Às vezes ela estava acompanhada por uma corpulenta mulher de meia-idade, de pele clara e cabelo tingido de vermelho. Prometi a mim mesmo que falaria com ela antes do fim do verão, mas as aulas recomeçaram, as folhas avermelharam, amarelaram e caíram, as chuvas de inverno chegaram, despertando as articulações de *baba*, novas folhas brotaram mais uma vez, e eu ainda não tinha criado coragem, a *dil*, para ao menos olhá-la nos olhos.

O trimestre da primavera terminou no final de maio de 1985. Tirei A em todos os meus cursos de matérias gerais, o que era um pequeno milagre em vista do quanto me distraía das leituras para pensar na curva suave do nariz de Soraya.

Então, num escaldante domingo daquele verão, *baba* e eu estávamos no nosso estande no mercado das pulgas, abanando o rosto com jornais dobrados. Embora o sol fosse inclemente como um ferro em brasa, naquele dia o mercado estava lotado, e as vendas iam bem — era só meio-dia e meia, mas já tínhamos faturado cento e sessenta dólares. Levantei, espreguicei e perguntei se *baba* queria uma Coca-Cola. Ele disse que adoraria.

— Tome cuidado, Amir — disse, quando comecei a andar.

— Com o quê, *baba*?

— Eu não sou *ahmaq*, não se faça de besta comigo.

— Não sei do que você está falando.

— Lembre-se do seguinte — disse *baba*, apontando para mim. — O homem é pashtun até a raiz dos cabelos. Vive com *nang* e *namoos*. — *Nang*.

Namoos. Honra e orgulho. Os princípios dos homens pashtuns. Em especial no que dizia respeito à castidade de uma esposa. Ou de uma filha.

— Eu só estou indo buscar uns refrigerantes.

— Não me envergonhe, é só isso que estou pedindo.

— Não vou fazer isso. Meu Deus, *baba*.

Baba acendeu um cigarro e começou a se abanar.

Saí na direção da banca de alimentação, mas depois virei à esquerda no estande das camisetas — onde, por cinco dólares, você podia comprar uma camiseta com o rosto de Jesus, Elvis, Jim Morrison ou os três juntos, gravados no tecido de nylon branco. Música de *mariachi* soava mais acima, e senti cheiro de picles e carne grelhada.

Localizei a caminhonete cinza dos Taheri duas fileiras depois da nossa, perto de um quiosque vendendo manga-no-palito. Ela estava sozinha, lendo. Usava um vestido de verão até o tornozelo. Sandálias de dedo. Cabelo penteado para trás, coroado por um coque em forma de tulipa. Eu só queria continuar andando e até achei que tinha feito isso, só que de repente eu me encontrava ao lado da toalha de mesa branca dos Taheri, olhando para Soraya através de ferros retorcidos e velhas gravatas. Ela olhou para cima.

— *Salaam* — falei. — Desculpe se estou sendo *mozahem*, eu não queria incomodar.

— *Salaam*.

— O general *sahib* está por aqui hoje? — perguntei. Minhas orelhas queimavam. Eu não conseguia olhar para os olhos dela.

— Ele foi por ali — respondeu ela, apontando para a direita. A pulseira escorregou para o cotovelo, prata no fundo oliva.

— Pode dizer a ele que passei para cumprimentá-lo? — disse.

— Digo, sim.

— Obrigado — continuei. — Ah, e meu nome é Amir. Caso você queira saber. Para dizer ao general. Que eu passei por aqui. Para... cumprimentá-lo.

— Sim.

Fiquei um pouco apreensivo, limpei a garganta e falei:

— Então, já vou indo. Desculpe ter incomodado.

— Não, não incomodou — disse ela.

— Ah. Que bom. — Inclinei a cabeça e abri um meio sorriso. — Já vou indo. — Eu já não tinha dito isso? — *Khoda hafez*.

— *Khoda hafez*.

Comecei a andar. Parei e virei a cabeça. Antes de ter tempo de perder a coragem, falei:

— Posso perguntar o que está lendo?

Ela piscou.

Prendi a respiração. De repente, senti que todos os afegãos no mercado das pulgas olhavam para nós. Imaginei um súbito silêncio. Lábios se imobilizando em meio às sentenças. Cabeças se virando. Olhos se estreitando com grande interesse.

O que estava acontecendo?

Até aquela altura, nosso encontro podia ser interpretado como um diálogo respeitoso, um homem perguntando sobre o paradeiro de outro homem. Mas eu tinha feito uma pergunta que, se ela respondesse, bem, nós estaríamos... batendo papo. Eu, um *mojarad*, um jovem solteiro, e ela, uma jovem sem véu. E alguém com uma história, ainda por cima. Aquilo estava perigosamente perto de se transformar em tema para fofocas, e da melhor espécie. Línguas venenosas ondulariam. E ela teria de lidar com esse veneno, não eu — eu estava bem ciente dos dois pesos e das duas medidas que favoreciam o meu gênero para os afegãos. Não seria *Você viu o rapaz conversando com ela?*, mas sim *Uuuui! Você viu como ela não deixou ele ir embora? Que* lochak!

Pelos padrões afegãos, minha pergunta fora ousada. Aquela pergunta tinha me desnudado e deixava pouca dúvida sobre o meu interesse por ela. Mas eu era um homem e só estava arriscando um ego arranhado. Arranhões se curam. Reputações, não. Será que ela aceitaria minha ousadia?

Soraya virou o livro e me mostrou a capa. *O morro dos ventos uivantes*.

— Você já leu? — perguntou.

Fiz que sim com a cabeça. Podia sentir a pulsação do meu coração atrás dos olhos.

— É uma história triste — respondi.

— Histórias tristes dão bons livros — comentou ela.

— É verdade.

— Ouvi dizer que você escreve.

Como ela sabia? Considerei se o general havia contado, ou talvez ela tivesse perguntado a ele. Imediatamente descartei os dois cenários como absurdos. Pais e filhos podiam falar livremente sobre mulheres. Mas nenhuma garota afegã — ao menos nenhuma garota afegã decente e *mohtaram* — questionava o pai sobre algum rapaz. E nenhum pai, principalmente um pashtun com *nang* e *namoos*, discutiria sobre um *mojarad* com a filha, a não ser que o camarada em questão fosse um *khastegar*, um pretendente, que tivesse feito a coisa honrosa e mandado o pai bater à porta.

Incrivelmente, ouvi a mim mesmo dizer:

— Você gostaria de ler um dos meus contos?

— Gostaria — respondeu ela. Senti um certo desconforto nela; percebi pela maneira como seus olhos começaram a saltar de um lado para o outro. Talvez preocupada com o general. Imaginei o que ele diria se me encontrasse falando com a filha por um período de tempo tão inapropriado.

— Talvez eu traga um deles um dia — falei. Estava prestes a falar mais, quando a mulher que eu tinha visto em algumas ocasiões com Soraya apareceu no corredor. Vinha trazendo uma sacola de plástico cheia de frutas. Quando nos viu, seus olhos saltaram de Soraya para mim e de volta para Soraya. Sorriu.

— Amir *jan*, que prazer em vê-lo — disse, depositando a sacola na toalha de mesa. A testa dela brilhava com um lustro de suor. O cabelo vermelho, com um penteado que parecia um capacete, cintilava à luz do sol — eu conseguia ver partes do couro cabeludo onde os fios rareavam. Os olhos eram pequenos e verdes, enterrados num rosto redondo como um repolho, jaqueta nos dentes e dedos como pequenas salsichas. Um Alá dourado repousava em seu peito, a corrente soterrada sob pelancas e dobras do pescoço. — Eu sou Jamila, mãe de Soraya *jan*.

— *Salaam, khala jan* — disse, envergonhado, como geralmente me sentia com afegãos, por ela saber de mim e eu não fazer ideia de quem era.

— Como está o seu pai? — perguntou.

— Está bem, obrigado.

— Sabe o seu avô, Ghazi *sahib*, o juiz? O tio dele e o meu avô eram primos — disse ela. — Então, veja só, nós somos aparentados. — Abriu um sorriso de dentes com jaqueta, e percebi que o lado direito da boca era um pouco caído. Os olhos saltaram de Soraya para mim outra vez.

Eu já havia perguntado a *baba* por que a filha do general Taheri ainda não se casara. "Não houve pretendentes", respondeu *baba*. "Nenhum pretendente adequado", acrescentou. Mas não disse mais nada — *baba* sabia o quanto uma conversa fiada poderia se mostrar letal para as perspectivas de uma moça a um bom casamento. Os homens afegãos, em especial os de famílias renomadas, eram criaturas volúveis. Um cochicho aqui, uma insinuação ali, e eles saíam voando como pássaros assustados. Enfim, casamentos tinham acontecido e ficado para trás, e ninguém havia cantado *ahesta boro* para Soraya, ninguém tinha pintado as palmas das mãos dela com hena, ninguém havia encostado um Corão em seu véu, e apenas o general Taheri dançava com ela em todos os casamentos.

E agora lá estava essa mulher, essa mãe, com sua comovente ansiedade, sorriso assimétrico e uma esperança mal velada nos olhos. Não gostei muito da posição de poder que me fora outorgada, e tudo porque eu havia ganhado na loteria genética que determinava o meu sexo.

Nunca consegui ler os pensamentos nos olhos do general, mas já sabia sobre sua esposa: se eu tivesse algum adversário nisso tudo, não seria ela.

— Sente-se, Amir *jan* — pediu ela. — Soraya, pegue uma cadeira pra ele, *bachem*. E lave um desses pêssegos. Estão doces e maduros.

— Não, obrigado — disse. — Eu preciso ir embora. Meu pai está me esperando.

— Ah! — exclamou *khanum* Taheri, nitidamente impressionada por eu ter feito a coisa certa e declinado o convite. — Então tome, ao menos leve isso. — Guardou alguns kiwis e pêssegos num saco de papel e insistiu que eu levasse. — Mande meu *salaam* ao seu pai. E venha nos visitar outras vezes.

— Vou fazer isso. Obrigado, *khala jan* — respondi. Pelo canto dos olhos, vi Soraya olhando para o outro lado.

* * *

— ACHEI QUE TIVESSE ido comprar uma Coca-Cola — disse *baba*, pegando o saco de frutas da minha mão. Olhou para mim com um ar ao mesmo tempo sério e divertido. Comecei a inventar uma desculpa, mas ele deu uma mordida num pêssego e fez um gesto com a mão. — Não se preocupe, Amir. Só não esqueça o que eu disse.

NAQUELA NOITE, na cama, pensei na maneira como a luz do sol salpicada dançava nos olhos de Soraya, nas reentrâncias acima da sua clavícula. Repassei nossa conversa muitas e muitas vezes na cabeça. Será que ela tinha dito *Ouvi dizer que você escreve* ou *Ouvi dizer que você é escritor*? Como tinha sido? Empurrei os lençóis e olhei para o teto, desanimado de pensar nas seis laboriosas e intermináveis noites de *yelda* até rever Soraya.

FOI ASSIM DURANTE as semanas seguintes. Eu esperava o general sair, então dava uma volta para passar pelo estande dos Taheri. Se *khanum* Taheri estivesse lá, ela me oferecia chá e uma *kolcha*, e ficávamos conversando sobre a Cabul dos velhos tempos, as pessoas que conhecíamos, as suas artrites. Sem dúvida ela tinha percebido que minhas aparições sempre coincidiam com as ausências do marido, mas nunca comentou nada.

— Ah, o seu *kaka* acabou de sair — dizia.

Na verdade eu gostava quando *khanum* Taheri estava lá, e não só por sua atitude simpática; Soraya ficava mais relaxada, falava mais quando a mãe estava por perto. Como se a presença da mãe legitimasse fosse lá o que estivesse acontecendo entre nós — ainda que não no mesmo grau que o general teria legitimado. A companhia de *khanum* Taheri tornava nossos encontros menos sujeitos a fofocas, mesmo que as gentilezas da mãe comigo claramente deixassem Soraya constrangida.

Um dia, Soraya e eu estávamos sozinhos no estande, conversando. Ela me contava sobre a escola e que também cursava as matérias mais gerais na faculdade Ohlone de Fremont.

— Em que você quer se formar?

— Eu quero ser professora — respondeu ela.

— É mesmo? Por quê?

— Eu sempre quis ser professora. Quando morávamos na Virgínia, tirei um certificado ESL e agora leciono na biblioteca pública uma noite por semana. Minha mãe também era professora, ensinava persa e história no colégio feminino Zarghoona, em Cabul.

Um homem barrigudinho com um chapéu de feltro ofereceu três dólares por um jogo de castiçais que valia cinco, e Soraya aceitou. Guardou o dinheiro numa pequena caixa de bombons perto dos pés. Olhou para mim com timidez.

— Eu queria te contar uma história — começou —, mas estou com um pouco de vergonha.

— Pode contar.

— É uma coisa meio boba.

— Por favor, me conte.

Ela deu risada.

— Bem, quando eu estava na quarta série em Cabul, meu pai contratou uma mulher chamada Ziba para ajudar na casa. Ela tinha uma irmã no Irã, em Mashad. Como era analfabeta, às vezes Ziba me pedia para escrever cartas para a irmã. E, quando a irmã respondia, eu lia as cartas para Ziba. Um dia, perguntei se ela queria aprender a ler e escrever. Ela abriu um grande sorriso, enrugando os olhos, e disse que gostaria muito. Então a gente sentava na mesa da cozinha depois de terminar meus deveres de casa, e eu lhe ensinava o *Alef-beh*. Lembro de às vezes estar no meio da minha lição e ver Ziba na cozinha, mexendo a carne na panela de pressão, depois sentar com um lápis na mão para fazer a lição que eu tinha passado na noite anterior.

"Enfim, um ano depois, Ziba já conseguia ler livros infantis. Sentávamos no quintal, e ela lia as histórias de Dara e Sara pra mim... devagar, mas de maneira correta. Ela começou a me chamar de *moalem* Soraya, professora Soraya. — Deu mais uma risada. — Eu sei que parece infantil, mas da primeira vez que Ziba escreveu uma carta sozinha eu soube que não havia nada que eu gostaria mais de fazer do que ser professora. Fiquei tão orgulhosa por ela... senti que tinha feito alguma coisa realmente valiosa, sabe?"

— Sei — menti. Pensei em como usava meus conhecimentos para ridicularizar Hassan. Como eu o provocava com palavras grandes que ele não conhecia.

— Meu pai quer que eu faça faculdade de direito, minha mãe vive fazendo insinuações sobre cursar medicina, mas eu vou ser professora. Não paga muito bem, mas é o que eu quero fazer.

— Minha mãe também era professora — falei.

— Eu sei — disse ela. — Minha mãe me contou. — Logo em seguida, seu rosto corou pelo que dissera, pela implicação de sua resposta, de que aconteciam "conversas sobre Amir" entre as duas quando eu não estava presente. Precisei fazer um esforço enorme para não sorrir.

— Eu trouxe uma coisa pra você. — Peguei um rolo de páginas grampeadas no bolso de trás. — Como prometido. — Dei um dos meus contos a ela.

— Ah, você lembrou! — disse Soraya, abrindo um sorriso. — Obrigada!

Mal tive tempo de registrar que ela havia se dirigido a mim pela primeira vez por *"você"* e não com o formal *"shoma"*, pois de repente o sorriso dela desapareceu. O rosto empalideceu, e os olhos se fixaram em algo atrás de mim. Virei a cabeça. Dei de cara com o general Taheri.

— Amir *jan*. Nosso aspirante a contador de histórias. Quanto prazer! — disse, com um sorriso apertado.

— *Salaam*, general *sahib* — respondi com lábios tensos.

Ele passou por mim, entrando no estande.

— Que lindo dia, não? — comentou, o polegar enganchado no bolso do colete, a outra mão estendida para Soraya. Ela entregou as páginas ao pai. — Estão dizendo que esta semana vai chover. Difícil acreditar, não é?

Largou as páginas na lata de lixo. Virou-se para mim e apoiou delicadamente uma das mãos no meu ombro. Demos alguns passos juntos.

— Sabe, *bachem*, eu gosto muito de você. Você é um rapaz decente, eu realmente acredito que seja, mas... — deu um suspiro e fez um gesto com a mão — ... mesmo rapazes decentes precisam ser lembrados às vezes. Por isso é meu dever lembrar que você está entre pares neste mercado das pulgas. — Fez uma pausa. Seus olhos inexpressivos se fixaram nos meus. —

Todo mundo aqui é um contador de histórias, percebe? — Sorriu, mostrando dentes perfeitamente simétricos. — Por favor, mande recomendações ao seu pai, Amir *jan*.

Tirou a mão do meu ombro. Sorriu outra vez.

— Qual é o problema? — perguntou *baba*. Estava recebendo um dinheiro de uma mulher idosa que havia comprado um cavalo de balanço.

— Não foi nada — respondi. Sentei num velho receptor de TV. Depois acabei contando assim mesmo.

— Ah, Amir. — Ele suspirou.

Na realidade, não tive muito tempo para conjecturar sobre o que havia acontecido.

Porque naquela mesma semana *baba* pegou um resfriado.

Começou com uma tosse forte e o nariz escorrendo. O nariz parou de escorrer, mas a tosse persistiu. Ele tossia no lenço, guardava no bolso. Eu ficava atrás dele para verificar, mas ele me afastava. Detestava médicos e hospitais. Até onde eu sabia, a única vez que *baba* precisou ir a um médico foi quando contraiu malária na Índia.

Duas semanas depois, surpreendi *baba* tossindo e cuspindo um catarro manchado de sangue na privada.

— Há quanto tempo isso está acontecendo? — perguntei.

— O que nós vamos jantar?

— Eu vou levar você ao médico.

Embora *baba* fosse o gerente do posto de gasolina, o proprietário não havia providenciado um seguro-saúde, e *baba*, com sua negligência, nunca insistira. Por isso, levei-o ao hospital municipal de San Jose. O médico de aspecto doentio e olhos inchados que nos recebeu se apresentou como um residente no segundo ano.

— Ele parece mais novo que você e mais doente que eu — resmungou *baba*.

O residente nos encaminhou para um raio x de tórax. Quando a enfermeira nos chamou, o residente estava preenchendo um formulário.

— Entregue isso na recepção — pediu, escrevendo depressa.
— O que é isso? — perguntei.
— Um pedido de exame. — *Escreve, escreve.*
— Para quê?
— Para uma clínica pulmonar.
— O que é isso?

Ele me deu uma rápida olhadela. Ajeitou os óculos. Começou a rabiscar outra vez.

— Seu pai está com uma mancha no pulmão direito. Gostaria que eles verificassem.

— Uma mancha? — repeti, sentindo que o recinto de repente tinha ficado pequeno demais.

— Câncer? — perguntou *baba* casualmente.

— É possível. De qualquer forma, é uma suspeita — resmungou o médico.

— Não pode nos dar mais informações? — indaguei.

— No momento, não. Primeiro é preciso fazer uma tomografia, depois, consultar um pneumologista. — Entregou-me o pedido de exame. — Você disse que o seu pai fuma, certo?

— Sim.

Aquiesceu. Olhou então para *baba* e de volta para mim.

— Eles vão ligar dentro de duas semanas.

Eu queria perguntar como ia conseguir viver duas semanas com aquela palavra, "suspeita". Como eu ia conseguir comer, trabalhar, estudar? Como ele podia me mandar para casa com aquela palavra?

Peguei o pedido e entreguei na recepção. Naquela noite, esperei até *baba* adormecer, depois dobrei um cobertor. Usei-o como um tapete de orações. Encostando a cabeça no chão, recitei versos quase esquecidos do Corão — versos que o mulá nos fizera decorar em Cabul — e pedi pela generosidade de um Deus que não sabia se existia. Invejei o mulá naquele momento, invejei sua fé e sua certeza.

Duas semanas se passaram sem que ninguém telefonasse. Quando liguei para eles, disseram que haviam perdido o pedido. Será que eu o entregara mesmo? Disseram que ligariam em até três semanas. Botei a boca no mundo e reduzi as três semanas para apenas uma até a tomografia e duas até a consulta com o médico.

A consulta com o pneumologista, o dr. Schneider, estava indo bem até *baba* perguntar de onde ele era. O dr. Schneider disse que era russo. *Baba* perdeu o controle.

— Desculpe, doutor — falei, puxando *baba* de lado. O dr. Schneider sorriu e manteve distância, o estetoscópio ainda na mão.

— *Baba*, eu li o currículo do dr. Schneider na sala de espera. Ele nasceu em Michigan. *Michigan!* Ele é americano, bem mais americano do que você e eu jamais seremos.

— Não interessa onde ele nasceu, ele é *roussi*! — retorquiu *baba*, fazendo careta como se fosse um palavrão. — Juro pela sua mãe que quebro o braço dele se encostar em mim.

— Os pais do dr. Schneider fugiram dos *shorawi*, você não entende? Eles fugiram!

Baba não queria ouvir a respeito. Às vezes acho que a única coisa que ele amava mais do que a falecida esposa era o Afeganistão, seu falecido país. Quase gritei de tanta frustração. Acabei soltando um suspiro e virei para o dr. Schneider.

— Desculpe, doutor. Isso não vai dar certo.

O pneumologista seguinte, o dr. Amani, era iraniano, e *baba* o aprovou. O dr. Amani, um homem de fala mansa, bigode torto e uma juba de cabelos grisalhos, disse que tinha examinado o resultado da tomografia e faria um procedimento chamado broncoscopia, para tirar um pedaço da massa pulmonar para um exame patológico. Marcou o exame para a semana seguinte. Agradeci e ajudei *baba* a sair do consultório, pensando que agora teria de viver uma semana inteira com essa nova palavra, "massa", ainda mais agourenta do que "suspeita". Gostaria que Soraya estivesse lá comigo.

Acontece que, assim como Satã, o câncer tem muitos nomes. O de *baba* se chamava "carcinoma avenocelular". Avançado. Inoperável. *Baba* pediu um prognóstico ao dr. Amani. O médico mordeu o lábio, usou a palavra "grave".

— Existe sempre o recurso da quimioterapia, é claro — garantiu. — Mas seria apenas um paliativo.

— E isso significa o quê? — perguntou *baba*.

O dr. Amani suspirou.

— Significa que não alteraria o resultado; só prolongaria a doença.

— Uma resposta inteligente, dr. Amani. Obrigado por isso — disse *baba*. — Mas sem essa de quimioterapia comigo. — Tinha o mesmo olhar resoluto do dia em que deixara os vales-alimentação na mesa da sra. Dobbins.

— Mas, *baba*...

— Não me questione em público, Amir. Nunca. Quem você pensa que é?

A CHUVA A QUE o general Taheri tinha se referido no mercado das pulgas chegou algumas semanas atrasada, mas quando saímos do consultório do dr. Amani os carros que passavam na rua espirravam água suja nas calçadas. *Baba* acendeu um cigarro. Fumou o caminho todo até o carro e durante todo o trajeto para casa.

Quando ele enfiou a chave na porta de entrada, eu disse:

— Eu gostaria que você desse uma chance à quimioterapia, *baba*.

Baba guardou a chave no bolso, me puxou para o toldo de lona do prédio para me tirar de debaixo da chuva. Deu soquinhos no meu peito com a mão que segurava o cigarro.

— *Bas!* Já tomei minha decisão.

— Mas e quanto a mim, *baba*? O que eu vou fazer? — perguntei, os olhos marejando.

Uma expressão de censura passou pelo rosto dele molhado de chuva. A mesma expressão com que olhava para mim quando, ainda garoto, eu caía, arranhava os joelhos e chorava. Era o choro que provocava aquela expressão na época, o choro que provocava a mesma expressão agora.

— Você está com vinte e dois anos, Amir! É um homem-feito! Você... — abriu a boca, fechou, abriu outra vez, reconsiderando. Acima de nós, a chuva tamborilava no toldo de lona. — Está perguntando o que vai acontecer com você? Durante todos esses anos, era isso que eu vinha tentando te ensinar, a nunca fazer essa pergunta. Abriu a porta. Voltou a olhar para mim. E disse: — E tem mais uma coisa. Ninguém vai ficar sabendo sobre isso, está entendendo? Ninguém. Não quero a solidariedade de ninguém. — Em seguida, desapareceu no corredor mal iluminado. Fumou um cigarro atrás do outro o resto do dia em frente à TV. Eu não sabia quem ou o que ele estava contestando. A mim? Ao dr. Amani? Ou talvez ao Deus em que ele nunca havia acreditado.

POR ALGUM TEMPO, nem mesmo o câncer fez com que *baba* deixasse de ir ao mercado das pulgas. Fazíamos nossas viagens e compras de sábado, *baba* dirigindo e eu cuidando da navegação, e expúnhamos a mercadoria aos domingos. Lampiões de latão. Luvas de beisebol. Jaquetas de esqui com o zíper quebrado. *Baba* cumprimentava os conhecidos do Afeganistão, e eu pressionava os compradores para gastar um ou dois dólares a mais. Como se nada mais importasse. Como se o dia em que eu me tornaria órfão não estivesse se aproximando cada vez que desmontávamos o estande.

Às vezes, o general Taheri passava por lá com a esposa. Sempre diplomático, ele me cumprimentava com um sorriso e seu aperto de mão com as duas mãos. Mas a atitude de *khanum* Taheri ficou mais reticente. Uma reticência rompida somente pelos sorrisos lânguidos e furtivos e pelos olhares apologéticos lançados em minha direção quando o general estava prestando atenção em outra coisa.

Relembro aquele período como uma fase de muitas "primeiras vezes": a primeira vez que ouvi *baba* gemendo no banheiro. A primeira vez que encontrei sangue no travesseiro dele. Em mais de três anos de trabalho no posto de gasolina, *baba* nunca tinha faltado por motivo de doença. Mais uma primeira vez.

Na época do Dia das Bruxas daquele ano, *baba* ficava tão cansado nas tardes de sábado que esperava ao volante enquanto eu saía para regatear nas compras. No Dia de Ação de Graças, ele começou a ficar cansado antes do meio-dia. Quando surgiram trenós na frente das casas e falsa neve nos ramos dos ciprestes, *baba* passou a ficar em casa enquanto eu dirigia a Kombi sozinho para cima e para baixo na península.

Às vezes, no mercado das pulgas, conhecidos do Afeganistão comentavam sobre a perda de peso de *baba*. No início, elogiaram. Chegaram mesmo a perguntar o segredo de sua dieta. Mas os elogios e os cumprimentos cessaram quando a perda de peso não parou. Quando os quilos continuaram desaparecendo. E desaparecendo. Quando as faces ficaram encovadas. Quando as têmporas caíram. E os olhos afundaram nas órbitas.

Então, em um domingo frio, pouco depois do dia de Ano-Novo, *baba* estava vendendo um abajur para um filipino atarracado enquanto eu revirava a Kombi em busca de uma manta para cobrir as pernas dele.

— Ei, cara, esse homem precisa de ajuda! — disse o filipino, alarmado. Virei e vi *baba* caído no chão, braços e pernas em espasmo.

— *Komak!* — gritei. — Alguém me ajude! — Corri até *baba*. Estava espumando pela boca, a saliva borbulhante molhando a barba. Os olhos revirados só mostravam o branco dos globos oculares.

As pessoas correram em nossa direção. Ouvi alguém falar em convulsão. Outra pessoa gritou: "Liguem pra emergência!". Ouvi passos apressados. O céu foi encoberto pela multidão reunida ao nosso redor.

A saliva de *baba* avermelhou-se. Ele estava mordendo a língua.

Ajoelhei ao seu lado, agarrei o braço dele e disse:

— Estou aqui, *baba*, estou aqui, vai ficar tudo bem, eu estou bem aqui. — Como se pudesse acalmar as convulsões dele. Convencê-las a deixar *baba* em paz. Senti meus joelhos umedecendo. Vi *baba* urinar-se. — Calma, *baba jan*, eu estou aqui. Seu filho está bem aqui.

O MÉDICO, de barba branca e totalmente careca, me puxou para fora do quarto.

— Quero examinar a tomografia do seu pai com você — disse.

Fixou os filmes numa caixa de luz no corredor e indicou com o lápis as imagens do câncer de *baba*, como um policial mostrando retratos do assassino para a família da vítima. O cérebro de *baba* naquelas imagens parecia uma coleção de cortes de uma grande noz, cheia de coisas cinzentas em forma de bolas de tênis.

— Como você pode ver, são as metástases do câncer — explicou. — Ele vai precisar tomar esteroides para diminuir o inchaço do cérebro e remédios contra esses ataques. E recomendo também radiação paliativa. Sabe o que isso significa?

Respondi que sabia. Eu já estava perito em assuntos de câncer.

— Então, tudo bem — disse. Consultou seu pager. — Eu preciso ir andando, mas pode me bipar se tiver mais alguma dúvida.

— Obrigado.

Passei a noite sentado numa cadeira ao lado da cama de *baba*.

NA MANHÃ SEGUINTE, a sala de espera do corredor estava repleta de afegãos. O açougueiro de Newark. Um engenheiro que tinha trabalhado com *baba* no orfanato. Vieram prestar sua solidariedade a *baba* em tom de voz sussurrada. Desejar uma recuperação rápida. *Baba* estava acordado, grogue e cansado, porém acordado.

No meio da manhã, o general Taheri chegou com a esposa. Soraya também veio. Olhamos um para o outro, desviando o olhar ao mesmo tempo.

— Como está você, meu amigo? — perguntou o general Taheri, pegando a mão de *baba*.

Baba apontou para a cânula pendurada no braço. Sorriu de leve. O general retornou o sorriso.

— Você não devia ter se incomodado. Vocês todos — disse *baba* com a voz fraca.

— Não é incômodo nenhum — disse *khanum* Taheri.

— De forma alguma. O mais importante é: você está precisando de alguma coisa? — perguntou o general. — Qualquer coisa. Pode pedir, como pediria a um irmão.

Lembrei de uma coisa que *baba* dissera uma vez sobre os pashtuns. *Talvez sejamos teimosos, e sei que somos orgulhosos demais, mas num momento de necessidade acho que não existe ninguém melhor para ter ao lado do que um pashtun.*

Baba meneou a cabeça no travesseiro.

— A sua presença já alegrou os meus olhos.

O general sorriu e apertou a mão de *baba*.

— E como está você, Amir *jan*? Precisa de alguma coisa?

A maneira como ele olhou para mim, a bondade em seus olhos...

— Não, obrigado, general *sahib*. Eu... — Senti um nó na garganta, e meus olhos marejaram. Saí correndo do quarto.

Fiquei chorando no corredor, perto da caixa de luz onde, na noite anterior, tinha visto o rosto do assassino.

A porta de *baba* se abriu, e Soraya saiu do quarto. Ficou ao meu lado. Usava camiseta cinza e calça jeans. O cabelo estava solto. Eu queria me consolar nos braços dela.

— Sinto muito, Amir — disse. — Todos sabíamos que havia algo errado, mas não tínhamos ideia do que era.

Enxuguei os olhos com a manga.

— Ele não queria que ninguém soubesse.

— Você precisa de alguma coisa?

— Não. — Tentei sorrir. Ela pôs a mão sobre a minha. Nosso primeiro toque. Peguei a mão dela. Levei-a até o meu rosto. Até meus olhos. Não me contive. — É melhor você voltar. Senão seu pai vai vir atrás de mim.

Ela sorriu e aquiesceu.

— É melhor mesmo. — Deu meia-volta.

— Soraya?

— Sim?

— Estou muito feliz por você ter vindo. Significa... muito pra mim.

BABA TEVE ALTA dois dias depois. Trouxeram um especialista, um oncologista radiológico, para conversar com *baba* sobre o tratamento por radiação. *Baba* recusou. Tentaram me convencer a falar com ele. Mas eu tinha visto a expressão no rosto de *baba*. Agradeci, assinei os formulários e levei *baba* para casa no meu Ford Torino.

Naquela noite, *baba* estava deitado no sofá, uma manta de lã cobrindo o corpo. Servi um chá quente com amêndoas torradas. Peguei *baba* pelos ombros e puxei-o para trás com muita facilidade. As escápulas pareciam asas de um pássaro nos meus dedos. Puxei a coberta para o seu peito, onde as costelas esticavam sua pele frágil e pálida.

— Posso fazer mais alguma coisa, *baba*?

— Não, *bachem*. Obrigado.

Sentei ao lado dele.

— Então vou perguntar se você pode fazer uma coisa por mim. Se não estiver cansado demais.

— O quê?

— Quero que você assuma o *khastegari*. Quero pedir a mão da filha do general Taheri.

Os lábios ressecados de *baba* se esticaram num sorriso. Uma manchinha verde numa folha seca.

— Tem certeza?

— Mais certeza do que já tive sobre qualquer coisa.

— Já pensou bem a respeito?

— *Balay, baba*.

— Então me passe o telefone. E meu caderninho de endereços.

Pisquei os olhos.

— Agora?

— Por que não?

Sorri.

— Tudo bem. — Passei o telefone e o caderninho preto de endereços onde *baba* anotava os números dos amigos afegãos. Abriu na página dos Taheri. Discou. Levou o fone ao ouvido. Meu coração dava piruetas no peito.

— Jamila *jan*? *Salaam alaykum* — cumprimentou. Identificou-se. Fez uma pausa. — Muito melhor, obrigado. Foi muito simpático vocês terem ido até lá. O general *sahib* está? — Pausa. — Obrigado.

Os olhos dele faiscaram para mim. Por alguma razão tive vontade de rir. Ou gritar. Levei a palma da mão à boca e mordi. *Baba* deu uma risadinha pelo nariz.

— General *sahib*, *salaam alaykum*... Sim, muito melhor... *Balay*... Muito gentil da sua parte. General *sahib*, estou ligando para perguntar se posso fazer uma visita a você e a *khanum* Taheri amanhã de manhã. É um assunto importante... Sim... Onze horas está ótimo. Até lá. *Khoda hafez*.

Desligou o telefone. Olhamos um para o outro. Comecei a dar risadinhas. *Baba* também.

* * *

BABA MOLHOU O CABELO e o penteou para trás. Ajudei-o a vestir uma camisa branca limpa e fiz o nó da gravata para ele, notando os cinco centímetros de folga no colarinho. Pensei em todos os espaços vazios que *baba* deixaria para trás quando se fosse e me forcei a pensar em outra coisa. Ele não tinha ido. Ainda não. E hoje era um dia para bons pensamentos. O paletó do terno marrom, o mesmo que usara na minha formatura, sobrava no corpo dele — boa parte de *baba* tinha derretido. Tive de enrolar as mangas. Abaixei e amarrei os sapatos para ele.

Os Taheri moravam numa casa térrea em local plano, numa área residencial de Fremont conhecida por abrigar um grande número de afegãos. Tinha janelas com sacada, telhado em ponta e uma varanda com um canteiro, no qual avistei gerânios. A caminhonete cinza do general estava estacionada na entrada.

Ajudei *baba* a descer do Ford e voltei para o volante. *Baba* se abaixou até a janela do passageiro.

— Fique em casa. Eu ligo daqui uma hora.

— Tudo bem, *baba* — respondi. — Boa sorte.

Ele sorriu.

Saí com o carro. Pelo retrovisor, vi *baba* entrando com dificuldade na casa dos Taheri para realizar um último dever paterno.

FIQUEI ANDANDO pela sala de visitas do nosso apartamento, esperando *baba* ligar. Quinze passos de comprimento. Dez passos e meio de largura. E se o general negasse? Será que ele me odiava? Ia toda hora à cozinha olhar o relógio do forno.

O telefone tocou pouco antes do meio-dia.

— E aí?

— O general aceitou.

Soltei uma grande golfada de ar. Sentei. Minhas mãos tremiam.

— Aceitou?

— Sim, mas Soraya *jan* está lá em cima no quarto dela. Ela quer falar com você antes.

— Tudo bem.

Baba disse algo a alguém, e ouvi um duplo clique quando ele desligou.

— Amir? — Era a voz de Soraya.

— *Salaam.*

— Meu pai concordou.

— Eu sei — respondi. Passei o fone para a outra mão. Eu estava sorrindo. — Estou tão contente que nem sei o que dizer.

— Eu também estou contente, Amir. Eu... nem acredito que isso está acontecendo.

Dei risada.

— Eu sei.

— Escuta — começou ela —, eu quero contar uma coisa. Uma coisa que você precisa saber antes de...

— Não me importa o que seja.

— Você precisa saber. Não quero que a gente comece com segredos. E prefiro que saiba por mim.

— Se isso vai fazer você se sentir melhor, pode falar. Mas não vai mudar nada.

Houve uma longa pausa do outro lado.

— Quando morávamos na Virgínia, eu fugi de casa com um homem. Eu tinha dezoito anos... era rebelde... boba... e... ele estava envolvido com drogas... A gente morou junto quase um mês. Todos os afegãos da Virgínia falavam sobre isso.

"*Padar* acabou encontrando a gente. Apareceu na porta e... me fez voltar. Eu fiquei histérica. Gritei. Chorei. Disse que o odiava...

"Enfim, acabei voltando pra casa e... — Começou a chorar. — Desculpe. — Ouvi quando pôs o fone na mesa. Assou o nariz. — Desculpe — disse outra vez, a voz embargada. — Quando voltei para casa, soube que minha mãe tivera um derrame, que o lado direito do rosto estava paralisado e... eu me senti tão culpada. Ela não merecia isso. Logo depois, *padar* nos trouxe para a Califórnia."

Seguiu-se um silêncio.

— Como está a relação com o seu pai agora? — perguntei.

— Nós sempre tivemos as nossas diferenças, e ainda temos, mas sou grata por ele ter ido me buscar naquele dia. Acho que ele me salvou. — Fez uma pausa. — Então, o que eu contei te incomoda?

— Um pouco — respondi.

Ela merecia saber a verdade. Eu não podia mentir, dizer que meu orgulho, meu *iftikhar*, não estava magoado por ela já ter estado com um homem, enquanto eu nunca estivera na cama com uma mulher. Incomodava um pouco, mas eu havia pensado muito nisso nas semanas anteriores, antes de pedir a *baba* para ser o meu *khastegari*. No fim, a conclusão a que sempre chegava era: como poderia, logo eu, julgar alguém por seu passado?

— Incomoda o suficiente para fazer você mudar de ideia?

— Não, Soraya. Nem chega perto — respondi. — Nada do que você disse muda alguma coisa. Eu quero me casar com você.

Ela começou a chorar outra vez.

Eu a invejei. Ela estava livre de seu segredo. Revelado. Resolvido. Abri a boca e quase contei sobre minha traição a Hassan, a mentira, a expulsão, a destruição de uma relação de quarenta anos entre *baba* e Ali. Mas não disse nada. Percebi que Soraya Taheri era uma pessoa melhor do que eu em diversos aspectos. A coragem era um deles.

Treze

Quando chegamos à casa dos Taheri na noite seguinte — para a *lafz*, a cerimônia de "empenhar a palavra" —, tive de estacionar o Ford do outro lado da rua. A entrada da casa já estava congestionada de carros. Eu estava com um terno azul-marinho que havia comprado no dia anterior, depois de ter levado *baba* para casa depois do *khastegari*. Verifiquei a gravata no retrovisor.

— Você está *khoshteep* — disse *baba*. Bonitão.

— Obrigado, *baba*. Tudo bem com você? Está preparado para isso?

— Preparado? É o dia mais feliz da minha vida, Amir! — respondeu, com um sorriso cansado.

Comecei a ouvir o falatório do outro lado da porta, risadas e música afegã tocando baixinho — parecia um *ghazal* clássico de Ustad Sarahang. Toquei a campainha. Um rosto apareceu na janela do vestíbulo e desapareceu.

— Eles chegaram! — ouvi uma voz de mulher dizer. A conversa silenciou. Alguém desligou o som.

Khanum Taheri abriu a porta.

— *Salaam alaykum* — disse ela, sorrindo. Notei que havia feito permanente no cabelo e usava um elegante vestido preto até o tornozelo. Quando entrei no vestíbulo, seus olhos umedeceram. — Você mal entrou na casa, e já estou chorando, Amir *jan* — disse. Beijei a mão dela, como *baba* me instruíra na noite anterior.

Ela nos conduziu por um corredor iluminado até a sala de visitas. No revestimento de madeira das paredes, vi fotos das pessoas que se tornariam a minha nova família. Uma jovem *khanum* Taheri de cabelo armado e o general — as cataratas do Niágara ao fundo; *khanum* Taheri usando um vestido impecável, o general num paletó de lapela estreita e gravata fina, o cabelo preto abundante; Soraya, prestes a embarcar numa montanha-russa de madeira, acenando e sorrindo, o sol refletindo no metal prateado do aparelho nos dentes. Uma foto do general, imponente num uniforme militar completo, apertando a mão do rei Hussein da Jordânia. Um retrato de Zahir Shah.

A sala estava lotada, com mais de uma dúzia de convidados sentados em cadeiras encostadas na parede. Quando *baba* entrou, todos se levantaram. Andamos pelo recinto, *baba* na frente, devagar, eu atrás dele, apertando a mão dos convidados. O general — com o mesmo terno cinza — e *baba* se abraçaram, dando tapinhas delicados nas costas um do outro. Disseram seus *saalams* em um tom baixo e respeitoso.

O general me segurou pelo braço e sorriu astutamente, como quem diz: "Essa, sim, é a maneira certa — o jeito afegão — de fazer isso, *bachem*". Nos beijamos três vezes no rosto.

Sentamos na sala lotada, *baba* ao meu lado, em frente ao general e à esposa. A respiração de *baba* tinha ficado meio agitada, e toda hora ele enxugava o suor da testa e da cabeça com o lenço. Percebeu que eu olhava para ele e conseguiu esboçar um sorriso apertado.

— Estou bem — disse entre os dentes.

Mantendo a tradição, Soraya não estava presente.

Seguiram-se alguns momentos de conversa fiada, até que o general limpou a garganta. A sala ficou em silêncio, e todos fitaram as próprias mãos em sinal de respeito. O general fez um gesto de cabeça para *baba*.

Baba também limpou a garganta. Quando começou, não conseguia falar uma frase inteira sem precisar parar para respirar.

— General *sahib*, *khanum* Jamila *jan*... é com grande humildade que meu filho e eu... estamos na sua casa hoje. Vocês são... pessoas honradas...

de famílias distintas e renomadas e... de uma linhagem orgulhosa. Vim com nada mais que o maior *ihtiram*... e o mais alto apreço por vocês, seus nomes de família e a memória... de seus antepassados. — Parou de falar. Recuperou o fôlego. Enxugou a testa. — Amir *jan* é meu único filho... e tem sido um bom filho para mim. Espero que se prove... digno de sua generosidade. Peço que deem a honra a Amir e a mim... e aceitem meu filho em sua família.

O general aquiesceu educadamente.

— Nós nos sentimos honrados em receber o filho de um homem como você em nossa família — respondeu. — Sua reputação o precede. Eu já era um humilde admirador seu em Cabul e continuo a ser até hoje. Estamos honrados que sua família e a minha possam se unir.

"Quanto a você, Amir *jan*, seja bem-vindo à minha casa como um filho, como o marido de minha filha, que é a *noor* dos meus olhos. Sua dor será a minha dor, sua alegria, a minha alegria. Espero que nos considere a mim e a *khala* Jamila como seus segundos pais, e rezo pela sua felicidade e pela de nossa querida Soraya *jan*. Os dois têm a nossa bênção."

Todos aplaudiram, e, com aquela deixa, todos se viraram para o corredor. Era o momento que eu esperava.

Soraya apareceu na outra extremidade. Trajava um estonteante vestido cor de vinho tradicional do Afeganistão, de mangas compridas e brocados dourados. *Baba* apertou minha mão. *Khanum* Taheri começou a chorar outra vez. Devagar, Soraya veio até nós, seguida por uma procissão de garotas aparentadas.

Beijou as mãos de meu pai. Finalmente, sentou-se ao meu lado, os olhos baixos.

Os aplausos explodiram.

DE ACORDO COM A TRADIÇÃO, a família de Soraya deveria organizar a festa de noivado, a *shirini-khori* — ou cerimônia de "comer os doces". Depois haveria um período de noivado que duraria alguns meses. Em seguida o casamento, que seria pago por *baba*.

Todos concordamos em pular a *shirini-khori*. Todo mundo sabia a razão, por isso ninguém precisou dizer nada: *baba* não tinha meses de vida.

Soraya e eu nunca saímos juntos enquanto aconteciam as preparações para o casamento — como ainda não éramos casados nem tínhamos passado pela *shirini-khori*, isso seria impróprio. Então tive de ir jantar com os Taheri acompanhado por *baba*. Sentei em frente a Soraya do outro lado da mesa. Imaginava como seria sentir a cabeça dela no meu peito, aspirar o perfume do seu cabelo. Beijá-la. Fazer amor com ela.

Baba gastou trinta e cinco mil dólares, quase todas as economias de sua vida, na *awroussi*, a cerimônia de casamento. Alugou um grande salão de banquetes afegão em Fremont — o proprietário o conhecia de Cabul e lhe deu um bom desconto. *Baba* pagou pelas *chilas*, nossas alianças, e pelo anel de diamante que escolhi. Comprou para mim um smoking e um traje verde tradicional para a *nika* — a cerimônia do juramento.

De todos os frenéticos preparativos envolvidos na cerimônia do casamento — a maior parte, felizmente, conduzida por *khanum* Taheri e suas amigas —, só me lembro de uns poucos momentos.

Lembro da nossa *nika*. Estávamos sentados a uma mesa, Soraya e eu vestidos de verde — a cor do islã, mas também a cor da primavera e dos novos começos. Eu estava de terno, e Soraya (a única mulher na mesa) usava um vestido diáfano de manga comprida. *Baba*, o general Taheri (dessa vez de smoking) e vários tios de Soraya também estavam à mesa. Soraya e eu olhávamos para baixo, solenes e respeitosos, lançando olhares furtivos um para o outro. O mulá interrogou as testemunhas e leu o Corão. Fizemos os nossos votos. Assinamos os certificados. Sharif *jan*, um tio de Soraya que morava na Virginia, irmão de *khanum* Taheri, levantou e limpou a garganta. Soraya tinha me dito que ele vivia nos Estados Unidos havia mais de vinte anos. Trabalhava no Departamento de Imigração e era casado com uma americana. Era também poeta. O homem, pequeno e com um rosto de passarinho e cabelo armado, leu um longo poema dedicado a Soraya, escrito num papel de carta de hotel.

— *Wah wah*, Sharif *jan*! — exclamaram todos quando ele terminou.

Lembro de andar até o altar, agora no meu smoking, com Soraya usando um *pari*, um véu branco, nossas mãos enlaçadas. *Baba* andava com dificuldade ao meu lado, o general e a mulher junto da filha. Uma procissão de tios, tias e primos nos seguiu enquanto entrávamos no corredor, abrindo caminho num mar de convidados aplaudindo, piscando sob os flashes das câmeras. Um dos primos de Soraya, filho de Sharif *jan*, segurou um Corão acima de nossa cabeça enquanto marchávamos lentamente. A música de casamento, *ahesta boro*, berrava dos alto-falantes, a mesma que o soldado russo havia cantado no posto de controle de Mahipar na noite em que *baba* e eu saímos de Cabul:

> Transforme a manhã numa chave e jogue-a no poço,
> Vá devagar, minha querida lua, vá devagar.
> Deixe que o sol da manhã se esqueça de subir no leste,
> Vá devagar, minha querida lua, vá devagar.

Recordo de estar sentado no sofá, arrumado no altar como um trono, a mão de Soraya na minha, com uns trezentos rostos olhando. Fizemos a *Ayena Masshaf*, quando nos deram um espelho e jogaram um véu sobre nossa cabeça, deixando-nos sozinhos para olhar um ao outro no reflexo. Diante do rosto sorridente de Soraya naquele espelho, na momentânea privacidade do véu, sussurrei pela primeira vez que a amava. Uma sombra vermelha como hena brotou em suas faces.

Lembro de pratos coloridos de *kabob* de *chopan*, *sholeh-goshti* e arroz-selvagem alaranjado. Vejo *baba* entre nós no sofá, sorrindo. Rememoro homens molhados de suor dançando a tradicional *attan* num círculo, pulando, girando cada vez mais rápido no ritmo frenético da tabla, até quase todos caírem exaustos na pista. Lembro de ter desejado que Rahim Khan estivesse lá.

E me recordo de querer saber se Hassan também teria se casado. Se fosse o caso, que rosto ele teria visto no espelho? De quem eram as mãos pintadas de hena que segurou?

Por volta das duas da manhã, a festa transferiu-se do salão de banquetes para o apartamento de *baba*. O chá voltou a ser servido, e a música soou até os vizinhos chamarem a polícia. Mais tarde naquela noite, a menos de uma hora do nascer do sol e com os convidados afinal tendo partido, Soraya e eu deitamos juntos pela primeira vez. Durante toda a minha vida eu só estivera entre homens. Naquela noite, descobri a ternura de uma mulher.

FOI SORAYA quem sugeriu vir morar comigo e *baba*.
— Achei que você gostaria que morássemos num lugar só nosso — disse.
— Com *kaka jan* doente desse jeito? — replicou ela.
Seus olhos me disseram que aquela não era uma boa maneira de começar um casamento. Dei um beijo nela.
— Obrigado.
Soraya dedicou-se a cuidar do meu pai. Fazia seu chá com torradas pela manhã e o ajudava a levantar-se da cama. Ministrava seus analgésicos, lavava suas roupas, lia a seção internacional do jornal todas as tardes. Preparava seu prato favorito, *shorwa* de batata, ainda que ele conseguisse comer somente algumas colheradas, e todos os dias o levava para uma pequena caminhada ao redor do quarteirão. Quando ele ficou acamado, ela o mudava de lado a cada hora, para prevenir escaras.

Um dia, cheguei em casa da farmácia com as pílulas de morfina de *baba*. Assim que fechei a porta, vislumbrei Soraya escondendo alguma coisa sob o cobertor de *baba*.
— Ei, eu vi isso! O que vocês dois estão fazendo? — disse.
— Nada — respondeu Soraya, sorrindo.
— Mentirosa! — Levantei o cobertor de *baba*. — O que é isso? — perguntei, embora já soubesse, no momento em que peguei o caderno de capa de couro. Passei os dedos pela beirada com enfeites dourados. Lembrei da noite dos fogos de artifício em que Rahim Khan me dera o caderno, a noite do meu aniversário de treze anos, clarões chiando e explodindo em buquês de vermelho, verde e amarelo.
— Nem acredito que você escreve tão bem — disse Soraya.
Baba tirou a cabeça do travesseiro.
— Fui eu que mostrei a ela. Espero que não se incomode.
Devolvi o caderno a Soraya e saí do quarto. *Baba* detestava me ver chorar.

* * *

Um mês depois do casamento, os Taheri, Sharif e sua esposa Suzy e várias tias de Soraya vieram a um jantar no apartamento de *baba*. Soraya preparou *sabzi challow* — arroz branco com carneiro e espinafre. Depois do jantar, tomamos chá e jogamos baralho em grupos de quatro. Soraya e eu jogamos com Sharif e Suzy na mesa de café, perto do sofá em que estava *baba*, coberto por uma manta de lã. Ele ficou observando minhas brincadeiras com Soraya, viu quando enlaçávamos as mãos, quando afastei um cacho de seu cabelo. Eu podia ver seu sorriso interior, tão amplo quanto os céus de Cabul nas noites em que os álamos balançavam ao som dos grilos que enchiam o jardim.

Pouco antes da meia-noite, *baba* pediu que o ajudássemos a ir até a cama. Soraya e eu apoiamos os braços dele em nossos ombros e o abraçamos pelas costas. Quando o pusemos na cama, ele pediu que Soraya apagasse a luz de cabeceira. Pediu que nos abaixássemos e deu um beijo em cada um.

— Já volto com sua morfina e um copo de água, *kaka jan* — disse Soraya.

— Hoje, não — replicou *baba*. — Esta noite não estou sentindo dor.

— Tudo bem — concordou ela. Ajeitou o cobertor, e fechamos a porta.

Baba nunca mais acordou.

O estacionamento da mesquita de Hayward ficou lotado. No terreno gramado atrás do edifício, carros e caminhonetes paravam em muitas fileiras improvisadas. As pessoas precisavam avançar três ou quatro quarteirões da mesquita para encontrar uma vaga.

A seção reservada aos homens na mesquita era um grande salão quadrado, forrado de tapetes afegãos e colchonetes dispostos em linhas paralelas. Os homens encheram o salão, deixando os sapatos na entrada e sentando-se de pernas cruzadas nos colchonetes. Um mulá entoava *surrahs* do Corão num microfone. Fiquei perto da porta, a posição costumeira para a família do falecido. O general Taheri ficou ao meu lado.

Pela porta aberta, pude ver fileiras de carros chegando, o sol refletindo nos para-brisas. Depois saíam os passageiros, homens vestidos em terno escuro, mulheres de preto, a cabeça delas coberta com o tradicional *hijab* branco.

Enquanto as palavras do Corão reverberavam no ambiente, pensei na antiga história de *baba* lutando contra um urso-negro no Baluquistão. *Baba* tinha lutado contra ursos a vida inteira. Quando perdeu a esposa. Ao criar um filho sozinho. Quando deixou sua amada terra natal, sua *watan*. Pobreza. Indignidade. No final, surgiu um urso que ele não pôde vencer. Mesmo assim, ele havia ditado os termos de sua derrota.

Depois de cada rodada de orações, as pessoas se enfileiraram em grupos para me cumprimentar na saída. Diligentemente, apertei a mão de todos. Muitos, eu mal conhecia. Sorri educadamente, agradeci pelas manifestações, ouvi o que tinham a dizer sobre *baba*.

— ... me ajudou a construir a casa em Taimani...
— ... que Deus o abençoe...
— ... não contava com mais ninguém, e ele me emprestou...
— ... como um irmão para mim...

Ao ouvir aquilo, percebi quanto do que eu era, de quem eu era, havia sido definido por *baba* e pelas marcas que deixara na vida das pessoas. Durante toda a minha vida, eu tinha sido o "filho de *baba*". Agora ele se fora. *Baba* não podia mais me apontar o caminho; eu precisava encontrar o meu próprio caminho.

Aquele pensamento me aterrorizou.

Mais cedo, na sepultura, na seção da pequena mesquita onde ficava o cemitério, vi quando desceram *baba* para a cova. O mulá e outro homem envolveram-se numa discussão quanto ao *ayat* correto do Corão a recitar no sepultamento. Poderia ter ficado feio se o general Taheri não tivesse intervindo. O mulá escolheu um *ayat* e o recitou, lançando olhares furiosos ao outro sujeito. Observei quando jogaram a primeira pá de terra na cova. Depois fui embora. Andei até o outro lado do cemitério. Fiquei à sombra de um bordo vermelho.

Os últimos convidados prestaram suas condolências e a mesquita ficou vazia, exceto pelo mulá, que desligava o microfone e embrulhava o Corão num tecido verde. O general e eu saímos no sol do final da tarde. Descemos a escada, passamos por homens reunidos em grupos, fumando. Ouvi trechos das conversas, um jogo de futebol em Union City no fim de semana seguinte, um novo restaurante afegão em Santa Clara. A vida prosseguia, deixando *baba* para trás.

— Como está você, *bachem*? — perguntou o general Taheri.

Cerrei os dentes. Suprimi as lágrimas que haviam me ameaçado o dia todo.

— Vou procurar Soraya.

— Tudo bem.

Fui até a parte feminina da mesquita. Soraya estava na escada com a mãe e duas senhoras que reconheci vagamente do casamento. Fiz sinal para Soraya. Ela disse alguma coisa para a mãe e veio em minha direção.

— Podemos andar um pouco? — perguntei.

— Claro. — Pegou minha mão.

Caminhamos em silêncio por uma trilha de cascalho sinuosa ladeada por fileiras de arbustos baixos. Sentamos num banco e vimos um casal idoso ajoelhado ao lado de um túmulo um pouco adiante, depositando um buquê de margaridas perto da laje.

— Soraya?

— Sim?

— Eu vou sentir saudade dele.

Ela pôs a mão no meu colo. A *chila* de *baba* brilhava em seu anular. Atrás dela, pude ver os pranteadores de *baba* afastando-se pelo Mission Boulevard. Logo nós também iríamos embora, e pela primeira vez *baba* ficaria sozinho.

Soraya me abraçou, e finalmente minhas lágrimas verteram.

Como Soraya e eu não tivemos um período de noivado, quase tudo o que aprendi sobre a família Taheri foi depois do casamento. Aprendi, por exemplo, que uma vez por mês o general sofria de fortes enxaquecas, com efeitos cegantes, que duravam quase uma semana. Quando começavam as dores de cabeça, o general ia para o quarto, despia-se, apagava a luz, trancava a porta e não saía até a dor passar. Ninguém podia entrar, ninguém podia bater na porta. Um dia ele saía, mais uma vez trajando seu terno cinza, cheirando a sono e a roupas de cama, os olhos vermelhos e empapuçados. Fiquei sabendo por Soraya que ele e *khanum* Taheri dormiam em quartos separados desde que ela conseguia lembrar. Aprendi que ele podia ser mesquinho, como quando dava uma mordida na *qurma* que a esposa pusera à sua frente, suspirava e empurrava o prato.

— Vou preparar alguma outra coisa — dizia *khanum* Taheri, mas ele a ignorava, emburrado, e comia pão com cebola. Isso fazia Soraya ficar zangada e a mãe chorar.

Soraya me contou que ele tomava antidepressivos. Soube que mantinha a família com seguro-desemprego e que nunca tinha trabalhado nos Estados Unidos, preferindo viver dos cheques do governo a se degradar com um emprego impróprio para um homem de sua estatura — considerava o mercado das pulgas um passatempo, um modo de socializar com seus companheiros afegãos. O general acreditava que, cedo ou tarde, o Afeganistão se libertaria, restaurando a monarquia, e seus serviços seriam novamente requeridos. Por isso, todos os dias ele envergava seu terno cinza, dava corda no relógio de bolso e continuava esperando.

Fiquei sabendo que *khanum* Taheri — que eu chamava de *khala* Jamila agora — tinha sido famosa em Cabul, por sua encantadora voz. Apesar de nunca ter cantado profissionalmente, tinha talento para isso — Soraya contou que ela sabia cantar músicas folclóricas, *ghazals* e até *raga*, que era um domínio geralmente masculino. No entanto, por mais que o general gostasse de música — de fato, ele possuía uma considerável coleção de fitas de *ghazal* clássico com cantores afegãos e hindus —, ele acreditava que a execução deveria ser deixada para aqueles com pouca reputação. Uma das condições do general para se casar foi que a esposa jamais cantasse em público. Soraya contou que a mãe quisera cantar no nosso casamento, só uma canção, porém o general lhe lançara um daqueles seus olhares, e a questão foi encerrada. *Khala* Jamila jogava na loto uma vez por semana e assistia ao programa de Johnny Carson todas as noites. Passava os dias no jardim, cuidando de suas rosas, trepadeiras de batata e orquídeas.

Quando me casei com Soraya, as flores e Johnny Carson ficaram em segundo plano. Eu era o novo deleite na vida de *khala* Jamila. Ao contrário dos modos contidos e diplomáticos do general — ele nunca me corrigiu quando continuei a tratá-lo como "general *sahib*" —, *khala* Jamila não fazia segredo de quanto me adorava. Uma das razões era que eu ouvia sua impressionante lista de doenças, algo que o general ignorava. Soraya explicou que, desde o derrame da mãe, qualquer palpitação no peito era um ataque cardíaco, qualquer junta que doesse era o início de uma artrite reumática, e cada repuxada nos olhos era outro derrame. Lembro da primeira vez que *khala* Jamila mencionou um caroço no pescoço.

— Amanhã eu falto à aula e levo você a um médico — falei.

O general sorriu e disse:

— Então você vai ter que desistir dos seus livros para sempre, *bachem*. O quadro clínico da sua *khala* é como os versos de Rumi: vem em volumes.

Mas não era só por eu ser um ouvinte atento aos seus monólogos de doenças. Eu acreditava piamente que, mesmo que pegasse uma espingarda e saísse matando a esmo, ainda assim continuaria recebendo o beneplácito de seu amor incondicional. Porque eu tinha livrado seu coração de sua doença mais grave. Aliviara o maior temor de qualquer mãe afegã: o de que nenhum *khastegar* honrado pedisse a mão de sua filha. Que a filha envelhecesse sozinha, sem marido, sem filhos. Toda mulher precisava de um marido. Mesmo que ele silenciasse sua canção interior.

E foi de Soraya que ouvi os detalhes do que havia acontecido na Virgínia.

Estávamos num casamento. O tio de Soraya, Sharif, o que trabalhava na imigração, estava casando o filho com uma garota afegã de Newark. O casamento ocorria no mesmo salão onde, seis meses antes, Soraya e eu tivemos nossa *awroussi*. Estávamos no meio de um monte de convidados, vendo a noiva aceitar os anéis da família do noivo, quando entreouvimos duas mulheres de meia-idade conversando, de costas para nós.

— Que noiva adorável! — disse uma delas. — Olha só para ela. Tão *maghbool*, como a lua.

— Sim — comentou a outra. — E pura também. Virtuosa. Nenhum namorado.

— Eu sei. Acho que o garoto fez bem em se casar com a prima.

Soraya desabou no caminho para casa. Estacionei o Ford no acostamento, junto a um poste de iluminação no Fremont Boulevard.

— Está tudo bem — disse, puxando seu cabelo para trás. — Quem liga pra isso?

— É uma puta injustiça! — reclamou ela.

— Esquece.

— Os filhos delas vão a boates procurando carne fresca e engravidam as namoradas, têm filhos fora do casamento, e ninguém diz absolutamente nada. Ah, são apenas homens se divertindo! Eu cometo um erro, e de repente todo mundo começa a falar de *nang* e *namoos* e esfrega isso na minha cara o resto da vida!

Com a ponta do polegar, enxuguei uma lágrima em sua face, logo abaixo da marca de nascença.

— Eu não te contei — disse Soraya, enxugando os olhos —, mas meu pai apareceu armado naquela noite. Ele disse... ao rapaz... que tinha duas balas na câmara, uma para ele e outra pra si mesmo se eu não voltasse para casa. Eu gritava, xingava meu pai de todos os palavrões, dizendo que ele não podia me manter trancada pra sempre, que queria que ele morresse. — Novas lágrimas verteram de seus olhos. — Eu disse isso mesmo pra ele, que preferia que estivesse morto.

"Quando ele me levou pra casa, minha mãe me abraçou, também chorando. Dizia coisas que eu não conseguia entender, porque estava enrolando as palavras. Então meu pai me levou até meu quarto e me pôs em frente ao espelho. Entregou-me uma tesoura e calmamente pediu que eu cortasse todo o meu cabelo. Ficou olhando enquanto eu fazia isso.

"Não pus o pé fora de casa durante semanas. E, quando saía, ouvia cochichos, ou imaginava cochichos por onde passava. Isso aconteceu quatro anos atrás, a quatro mil e quinhentos quilômetros daqui, e ainda continuo ouvindo essas coisas."

— Eles que se fodam! — eu disse.

Ela emitiu um som que misturava soluço e risada.

— Quando te contei essa história na noite do *khastegari*, eu tinha certeza de que ia mudar de ideia.

— Nem em sonho, Soraya.

Ela sorriu e pegou minha mão.

— Tenho tanta sorte de ter te conhecido! Você é diferente de todos os afegãos que encontrei.

— Não vamos nunca mais falar sobre isso, tá?
— O.k.

Beijei o rosto dela e arranquei com o carro. Enquanto dirigia, fiquei pensando por que eu era diferente. Talvez por ter sido criado por homens, não ter convivido com mulheres e nunca ter sido exposto diretamente ao modo "dois pesos e duas medidas" com que às vezes a sociedade afegã as tratava. Talvez por *baba* ter sido um pai afegão tão incomum, um liberal que vivia de acordo com suas próprias regras, um dissidente que desconsiderava ou adotava costumes sociais de acordo com o que achasse correto.

Mas acho que a principal razão de não me incomodar com o passado de Soraya era o fato de eu também ter uma história. Eu sabia tudo sobre arrependimento.

Pouco depois da morte de *baba*, Soraya e eu nos mudamos para um apartamento de um quarto em Fremont, a poucos quarteirões da casa do general e de *khala* Jamila. Os pais de Soraya nos deram de presente um sofá de couro e um jogo de porcelana da Mikasa como enxoval. O general ainda me deu outro presente, uma máquina de escrever IBM novinha. Ele deixou um bilhete na caixa, escrito em persa:

Amir *jan*,
Espero que descubra muitas novas histórias nessas teclas.
General Iqbal Taheri

Vendi a Kombi de *baba* e, até hoje, nunca mais voltei ao mercado das pulgas. Ia de carro até o túmulo dele todas as sextas-feiras, e às vezes encontrava um buquê de frésias ainda frescas na laje e sabia que Soraya também estivera lá.

Soraya e eu nos ajustamos às rotinas — e às pequenas maravilhas — da vida de casados. Dividíamos meias e escovas de dente, líamos juntos o jornal de manhã. Ela dormia no lado direito da cama, e eu preferia o esquerdo. Ela gostava de travesseiros macios, eu gostava dos mais firmes. Ela comia os cereais secos, como se fossem salgadinhos, e eu os preferia mergulhados no leite.

Fui aceito na San Jose State naquele verão, para estudar literatura inglesa avançada. Arrumei um emprego de segurança num depósito de mobílias em Sunnyvale. O emprego era extremamente chato, mas tinha uma vantagem considerável: às seis da tarde, quando todo mundo ia embora e a noite começava a cair nos corredores de sofás forrados de plástico empilhados até o teto, eu pegava meus livros e estudava. Foi no escritório cheirando a desinfetante, naquele depósito de mobílias, que comecei a escrever meu primeiro romance.

Soraya também entrou para a San Jose State no ano seguinte, matriculada, para desgosto do pai, na carreira de ensino.

— Não sei por que você está desperdiçando seus talentos desse jeito — disse o general uma noite durante um jantar. — Você sabia, Amir *jan*, que ela só tirou A no curso médio? — Virou-se para ela. — Uma garota inteligente como você devia estudar direito, ciências sociais. E, *Inshallah*, quando o Afeganistão for libertado, você poderia ajudar a escrever a nova Constituição. O Afeganistão vai precisar de novos talentos como o seu. Podem até oferecer um cargo ministerial, em vista do nome da sua família.

Percebi que Soraya se refreava, o rosto crispado.

— Eu não sou mais uma garota, *padar*. Sou uma mulher casada. Além do mais, eles também vão precisar de professores.

— Mas qualquer um pode lecionar.

— Tem mais arroz, *madar*? — perguntou Soraya.

Quando o general pediu licença e saiu para encontrar alguns amigos em Hayward, *khala* Jamila tentou consolar Soraya.

— Ele quer o seu bem — disse. — Só quer que você se dê bem na vida.

— Para poder se vangloriar com os amigos da filha advogada. Mais uma medalha para o general! — bradou Soraya.

— Você está falando bobagem!

— "Me dar bem na vida..." — ironizou Soraya. — Pelo menos eu não sou como ele, que fica parado enquanto os outros lutam contra os *shorawi*, esperando a poeira baixar para voltar e reivindicar seu elegante cargo no governo. Lecionar pode não pagar muito, mas é o que eu quero fazer! É o que eu gosto e, aliás, é muito melhor do que viver da assistência social.

Khala Jamila engoliu em seco.

— Se ele ouvir você dizendo uma coisa dessas, nunca mais vai falar com você.

— Não se preocupe — advertiu Soraya, jogando o guardanapo no prato. — Eu não vou magoar o precioso ego dele.

No verão de 1988, mais ou menos seis meses antes de os soviéticos se retirarem do Afeganistão, concluí meu primeiro romance — uma história entre pai e filho passada em Cabul, quase todo escrito com a máquina que o general me dera de presente. Enviei cartas para uma dúzia de agências literárias e fiquei surpreso num dia de agosto, quando abri nossa correspondência e li o pedido de uma agência de Nova York de meu manuscrito completo. Mandei-o no dia seguinte. Soraya deu um beijo no texto embrulhado, e *khala* Jamila insistiu que o passássemos por baixo do Corão. Disse que ia fazer uma *nazr* para mim, uma promessa de mandar matar um cordeiro e distribuir a carne aos pobres se meu livro fosse aceito.

— Por favor, nada de *nazr*, *khala jan* — disse, beijando seu rosto. — Faça apenas um *zakat*, dê o dinheiro a quem precisar, certo? Nada de sacrificar cordeiros.

Seis semanas depois, um homem chamado Martin Greenwalt ligou de Nova York oferecendo-se para ser meu agente. Só contei o fato a Soraya.

— Só o fato de ter um agente não significa que vou ser publicado. Se Martin vender o romance, aí nós vamos comemorar.

Um mês depois, Martin ligou para me informar que meu romance seria publicado. Quando contei a Soraya, ela deu um grito de alegria.

Fizemos um jantar comemorativo com os pais de Soraya naquela noite. *Khala* Jamila preparou *kofta* — almôndega com arroz branco — e *ferni* branco. O general, com os olhos ligeiramente úmidos, disse que se sentia orgulhoso de mim. Quando ele saiu com a esposa, Soraya e eu comemoramos com uma garrafa de um caro Merlot que eu tinha comprado a caminho de casa — o general não aprovava que mulheres bebessem álcool, e Soraya não bebia na presença dele.

— Estou tão orgulhosa de você! — disse ela, brindando. — *Kaka* também estaria orgulhoso.

— Eu sei — respondi, pensando em *baba*, desejando que estivesse me vendo.

Mais tarde naquela noite, quando Soraya dormiu — o vinho sempre a fazia sentir sono —, fiquei na sacada respirando o ar fresco do verão. Pensei em Rahim Khan e no bilhete de apoio que me escrevera depois de ler meu primeiro conto. E pensei em Hassan. *Algum dia,* Inshallah, *você vai ser um grande escritor* — dissera ele. — *E pessoas do mundo inteiro vão ler as suas histórias.* A vida tinha sido muito boa para mim. Tanta felicidade... Fiquei pensando se eu merecia tudo aquilo.

O romance foi publicado no verão do ano seguinte, 1989, e o editor me mandou para uma turnê por cinco cidades. Tornei-me uma pequena celebridade na comunidade afegã. Foi o ano em que os *shorawi* concluíram a retirada do Afeganistão. Deveria ter sido um tempo de glória para os afegãos. Em vez disso, a guerra continuou, agora entre afegãos, os *mujahidins*, contra o governo títere dos soviéticos de Najibullah, e refugiados afegãos continuaram acorrendo ao Paquistão. Foi o ano em que a Guerra Fria acabou, o ano em que o Muro de Berlim desabou. Foi o ano do protesto na praça da Paz Celestial. Em meio a isso tudo, o Afeganistão ficou esquecido. E o general Taheri, cujas esperanças se reavivaram com a retirada dos soviéticos, voltou a dar corda em seu relógio de bolso.

Foi também o ano em que Soraya e eu começamos a tentar ter um filho.

A PERSPECTIVA da paternidade desencadeou um turbilhão de emoções em mim. Descobri que era uma coisa amedrontadora, revigorante, desafiadora e animadora, tudo ao mesmo tempo. Ponderei que espécie de pai eu seria. Queria ser exatamente como *baba*, porém ao mesmo tempo nem um pouco igual a ele.

Contudo, um ano se passou, e nada aconteceu. A cada ciclo menstrual, Soraya se sentia mais frustrada, mais impaciente, mais irritável. Àquela altura, as insinuações inicialmente sutis de *khala* Jamila já eram explícitas:

— *Kho dega!* E então? Quando nós vamos cantar *alahoo* para meu pequeno *nawasa?*

O general, sempre um pashtun, nunca deu palpites — isso significaria aludir a um ato sexual entre a filha e um homem, mesmo que o homem em questão fosse casado com ela há mais de quatro anos. Mas seus olhos se mostravam interessados quando *khala* Jamila nos provocava com a história sobre um bebê.

— Às vezes demora um pouco — eu disse a Soraya uma noite.

— Um ano não é pouco, Amir — replicou ela, numa voz tensa nada característica. — Algo está errado. Tenho certeza.

— Então vamos consultar um médico.

O DR. ROSEN, um homem de barriga redonda, rosto rechonchudo e dentes pequenos e simétricos, falava com um leve sotaque da Europa Oriental, algo remotamente eslávico. Era apaixonado por trens — o consultório dele era repleto de livros de história das ferrovias, miniaturas de locomotivas, pinturas de trens correndo em trilhos em montanhas verdes e por cima de pontes. Um cartaz acima de sua mesa dizia: A VIDA É UM TREM. BEM-VINDO A BORDO.

Ele expôs um plano para nós. Primeiro eu faria um exame.

— Com os homens é mais fácil — explicou, tamborilando com os dedos na mesa de mogno. — O encanamento dos homens é como a cabeça deles: simples, com poucas surpresas. As damas, por outro lado... bem, Deus pensou muito para fazer vocês. — Cogitei se ele contava aquela história de encanamento para todos os casais.

— Sorte a nossa — comentou Soraya.

O dr. Rosen deu risada. Faltaram alguns detalhes para ser autêntica. Ele me deu uma lâmina laboratorial e um jarro de plástico, entregando a Soraya um pedido para alguns exames de sangue de rotina. Apertamos as mãos.

— Sejam bem-vindos a bordo — disse, enquanto nos levava até a porta.

EU PASSEI COM LOUVOR.

Os meses seguintes foram uma enxurrada de exames em Soraya: temperatura corpórea basal, exames de sangue para cada hormônio concebível, exames de urina, algo chamado "teste do muco cervical", ultrassons, mais exames de sangue e mais exames de urina. Soraya passou por um procedimento chamado histeroscopia — o dr. Rosen introduziu uma sonda telescópica no útero de Soraya para dar uma olhada. Ele não descobriu nada.

— O encanamento está livre — anunciou, retirando as luvas de látex. Gostaria que ele parasse de falar desse jeito; afinal, nós não éramos banheiros.

Quando terminaram os exames, ele disse que não sabia explicar por que não conseguíamos ter filhos. E parece que aquilo não era tão incomum. Tinha o nome de "infertilidade inexplicável".

Depois veio a fase de tratamento. Tentamos um remédio chamado Clomifeno, bem como o hMg, uma série de injeções que Soraya aplicava em si mesma. Quando isso não funcionou, o dr. Rosen sugeriu fertilização in vitro. Recebemos uma carta bem-educada do nosso seguro-saúde, desejando boa sorte, mas lamentando não poder cobrir as despesas.

Usamos o adiantamento que eu tinha recebido pelo romance para pagar o procedimento. A fertilização in vitro se mostrou demorada, meticulosa, frustrante e, afinal, infrutífera. Depois de meses sentados em salas de espera lendo revistas como *Good Housekeeping* e *Reader's Digest*, depois de intermináveis aventais de papel e salas de exame frias e estéreis iluminadas por lâmpadas fluorescentes, de muitas discussões humilhantes sobre todos os detalhes da nossa vida sexual com gente totalmente estranha, as injeções, as sondas e a coleta de espécimes, voltamos ao dr. Rosen e seus trens.

Sentado à nossa frente, tamborilando a mesa com os dedos, pela primeira vez ele usou a palavra "adoção". Soraya chorou durante todo o caminho para casa.

Ela deu a notícia aos pais no fim de semana seguinte à nossa última consulta com o dr. Rosen. Estávamos sentados em cadeiras de lona no quintal dos Taheri, grelhando trutas e tomando *dogh* de iogurte. Era um fim de tarde de março de 1991. *Khala* Jamila tinha regado as rosas e suas novas madressilvas, e o perfume se misturava ao peixe na grelha. Duas vezes ela se inclinara na cadeira para passar a mão nos cabelos de Soraya e dizer:

— Deus sabe o que faz, *bachem*. Quem sabe não era para ser?

Soraya continuava olhando as próprias mãos. Estava cansada, eu sabia, cansada de tudo aquilo.

— O médico disse que poderíamos adotar — murmurou.

O general Taheri ergueu a cabeça ao ouvir aquelas palavras.

— Ele disse isso?

— Disse que era uma opção — explicou Soraya.

Tínhamos conversado sobre adoção em casa. Soraya mostrara-se ambivalente, na melhor das hipóteses.

— Eu sei que é bobagem, e talvez até presunçoso, mas não consigo evitar — dissera, a caminho da casa dos pais. — Sempre sonhei que seguraria um filho nos braços e saberia que o meu sangue o tinha alimentado por nove meses, que olharia nos olhos dele um dia e me surpreenderia vendo você ou a mim, que o bebê iria crescer e ter o seu sorriso ou o meu. Sem isso... será que é errado?

— Não — respondi.

— Estou sendo egoísta?

— Não, Soraya.

— Porque se você quiser mesmo...

— Não — repeti. — Se formos fazer isso, não podemos ter nenhuma dúvida a respeito, e nós dois devemos estar de acordo. De outra forma não seria justo com a criança.

Ela apoiou a cabeça na janela e não falou mais nada durante o resto do trajeto.

Agora, o general sentou-se ao lado dela.

— *Bachem*, essa coisa de adoção... Não sei se é para nós, afegãos. — Soraya olhou para mim com um ar cansado e suspirou. — Uma das razões é que quando crescem eles querem saber quem são seus pais naturais — continuou. — E não se pode culpá-los. Às vezes eles saem da casa depois de anos de dedicação e empenho para encontrar as pessoas que os conceberam. O sangue é uma coisa poderosa, *bachem*, nunca se esqueça disso.

— Eu não quero mais falar sobre esse assunto — disse Soraya.

— Só vou dizer mais uma coisa — insistiu ele. Eu já sabia o que ia acontecer; estávamos prestes a ouvir mais um dos pequenos discursos do general. — Veja o caso de Amir *jan*. Nós conhecemos o pai dele, eu sei quem foi o avô dele em Cabul, assim como o bisavô. Poderia rastrear gerações dos ancestrais dele se você pedisse. Foi por isso que quando o pai dele, que Deus lhe dê paz, veio como *khastegari*, eu não hesitei. E, acredite em mim, o pai dele não teria concordado em pedir sua mão se não conhecesse a sua ascendência também.

Sangue é uma coisa poderosa, *bachem*, e, quando você adota, não sabe que sangue está trazendo para dentro de casa.

"Se vocês fossem americanos, isso não teria importância. Aqui as pessoas casam por amor, o nome da família e dos antepassados nunca entra na equação. Eles adotam da mesma maneira também; desde que o bebê seja saudável, todo mundo fica feliz. Mas nós somos afegãos, *bachem*."

— Será que o peixe já está pronto? — perguntou Soraya.

O olhar do general Taheri continuou pairando sobre a filha. Deu um tapinha no joelho dela.

— Sinta-se feliz por ter boa saúde e um bom marido.

— O que você acha, Amir *jan*? — perguntou *khala* Jamila.

Botei meu copo num beiral, onde uma fileira de seus vasos com gerânios gotejava.

— Acho que concordo com o general *sahib*.

Mais confiante, o general aquiesceu e voltou para a grelha.

Todos tínhamos as nossas razões para não adotar. Soraya tinha as dela, o general tinha as dele, e eu pensava o seguinte: que talvez alguma coisa, alguém, em algum lugar, tivesse resolvido me negar a paternidade pelas coisas que eu havia feito. Talvez esse fosse o meu castigo, quem sabe com toda a justiça. *Não era para ser*, dissera *khala* Jamila. Ou, talvez, era para não ser.

Alguns meses mais tarde, usamos o adiantamento pelo meu segundo livro para dar entrada numa bela casa vitoriana de dois quartos em Bernal Heights, em San Francisco. Tinha o telhado inclinado, assoalho de madeira e um minúsculo quintal que terminava num solário com uma churrasqueira. O general me ajudou a polir o assoalho e pintar as paredes. *Khala* Jamila reclamou por nos mudarmos para um lugar a uma hora de viagem, principalmente por achar que Soraya precisava de todo o amor e todo o apoio que pudesse ter — sem perceber que justamente seus bem-intencionados, porém excessivos, cuidados eram motivo para Soraya querer se mudar.

* * *

Às vezes, com Soraya dormindo ao meu lado, eu ficava na cama ouvindo a porta de tela abrir e fechar com a brisa, os grilos cantando no quintal. E conseguia quase sentir o vazio do útero de Soraya, como uma coisa viva e respirando. Aquele vazio havia se infiltrado no nosso casamento, nas nossas risadas, nos nossos gestos amorosos. E tarde da noite, no escuro do nosso quarto, eu sentia aquilo irradiar de Soraya e ficar entre nós dois. Dormindo entre nós dois. Como uma criança recém-nascida.

Catorze

Junho de 2001

Botei o telefone no gancho e o fitei por um longo tempo. Só quando Aflatoon me assustou com um latido percebi quão silenciosa estava a sala. Soraya tinha baixado o som da tv.

— Você parece pálido, Amir — comentou ela do sofá, o mesmo que os seus pais nos deram de presente para o nosso primeiro apartamento.

Estava deitada com a cabeça de Aflatoon no colo, as pernas encolhidas debaixo das almofadas gastas. A atenção se dividia entre um documentário especial sobre a situação dos lobos em Minnesota e a correção de ensaios de alunos de suas aulas de verão — ela já lecionava na mesma escola havia seis anos. Sentou-se, e Aflatoon pulou do sofá. Foi o general quem deu esse nome ao nosso cocker spaniel, que significava "Platão" em persa, porque, se examinássemos com atenção e por muito tempo os olhos negros do cão, seríamos capazes de jurar que ele estava tendo sábios pensamentos.

Agora era possível ver uma tira de gordura, só um começo, sob o queixo de Soraya. Os últimos dez anos tinham acolchoado um pouco as curvas de seu quadril e pintado algumas mechas cinzentas nos cabelos pretos. Mas ela continuava com as feições de uma grande princesa, com suas sobrancelhas de pássaro em voo e o nariz elegante, curvado como uma letra de antigos escritos árabes.

— Você parece pálido — repetiu Soraya, colocando a pilha de papéis sobre a mesa.

— Eu preciso ir ao Paquistão.

Agora ela se levantou.

— Paquistão?

— Rahim Khan está muito doente. — Ao dizer isso, senti um aperto no peito.

— O antigo sócio de *kaka*? — Ela não tinha conhecido Rahim Khan, mas eu conversei muito com ela sobre ele. Concordei com a cabeça.

— Ah — disse ela. — Sinto muito, Amir.

— Nós éramos muito próximos — disse. — Quando eu era garoto, ele foi o primeiro adulto que vi como amigo.

Visualizei *baba* e ele tomando chá no escritório de *baba*, depois fumando perto da janela, uma brisa com perfume de rosas soprando pelo jardim e entortando as duas colunas de fumaça.

— Eu me lembro de você ter falado sobre isso — disse Soraya. Fez uma pausa. — Quanto tempo você vai ficar lá?

— Não sei. Ele quer me ver.

— Será que...

— Sim, é seguro. Vai dar tudo certo, Soraya. — Era a pergunta que ela queria fazer desde que recebeu a notícia. Quinze anos de casamento tinham nos transformado em telepatas. — Vou sair para dar uma volta.

— Quer que eu vá com você?

— Não, prefiro ir sozinho.

Fui de carro até o Golden Gate Park e andei pelo lago Spreckels, na ala norte do parque. Era uma linda tarde de domingo; o sol cintilava na superfície da água, onde navegavam dezenas de miniaturas de barcos, propelidas por uma célere brisa de San Francisco. Sentei num banco do parque, vi um homem jogando bola com o filho, dizendo-lhe para não lançar a bola de lado, para lançar por cima do ombro. Olhei para cima e vi duas pipas, vermelhas com longas caudas azuis. Flutuavam acima das árvores, no lado oeste do parque, depois dos moinhos.

Pensei em um comentário feito por Rahim Khan pouco antes de desligarmos. Um comentário casual, quase uma reflexão de última hora. Fechei os olhos e o vi do outro lado de uma ligação interurbana cheia de chiados, vi seus lábios entreabertos, a cabeça inclinada para um lado. E, mais uma vez, algo no fundo de seus olhos negros insinuou uma palavra secreta nunca dita entre nós. Só que agora eu sabia que ele sabia. Minhas suspeitas de tantos anos se revelaram verdadeiras. Ele sabia sobre Assef, sobre a pipa, o dinheiro, o relógio com os ponteiros em forma de relâmpago. Ele sempre soube.

— *Venha. Existe um jeito de ser bom outra vez* — dissera Rahim Khan ao telefone pouco antes de desligar. Dissera isso de passagem, quase como uma reflexão tardia.

Um jeito de ser bom outra vez.

QUANDO VOLTEI para casa, Soraya estava no telefone com a mãe.

— Não vai demorar, *madar jan*. Uma semana, talvez duas... Sim, você e *padar* podem ficar comigo...

Dois anos antes, o general tinha fraturado a bacia. Estava com uma de suas enxaquecas e, ao sair do quarto, zonzo e com a vista embaralhada, tropeçou numa borda de tapete levantada. Seu grito trouxe *khala* Jamila correndo da cozinha.

— Fez um som como de um *jaroo*, um cabo de vassoura, partindo ao meio — ela gostava de dizer, embora o médico tenha dito que era improvável que ela tivesse ouvido algo do gênero.

A bacia fraturada do general — e todas as complicações subsequentes, como a pneumonia, a intoxicação sanguínea e a longa permanência no hospital — acabou com os longos solilóquios de *khala* Jamila a respeito da própria saúde. E deu início a novas exposições sobre a do general. Contava a todos os que a escutassem que os médicos haviam dito que os rins do marido estavam falhando.

— Mas, até aí, eles não sabem nada dos rins dos afegãos, não é? — dizia com orgulho.

O que mais me lembro sobre a permanência do general no hospital era como *khala* Jamila esperava até ele dormir para cantar para ele, canções que eu me lembrava de Cabul, tocando no velho radiotransistor chiante de *baba*.

A fragilidade do general e o passar do tempo tinham suavizado as coisas entre ele e Soraya. Saíam para caminhar juntos, iam almoçar aos sábados, e, às vezes, o general assistia a uma aula dela. Sentava no fundo da sala, com seu velho terno cinza, bengala de madeira no colo, sorrindo. Algumas vezes chegava a fazer anotações.

Naquela noite, Soraya e eu estávamos na cama, ela com a cabeça recostada no meu peito, meu rosto enterrado no cabelo dela. Lembrei quando ficávamos testa a testa, trocando beijos no crepúsculo e sussurrando até os olhos fecharem, suspirando sobre dedinhos dobrados, primeiros sorrisos, primeiras palavras, primeiros passos. Ainda fazíamos isso às vezes, mas os sussurros eram sobre a escola, meu novo livro, uma risadinha motivada por alguém com uma roupa ridícula numa festa. Fazer amor ainda era bom, às vezes melhor do que bom, mas em algumas noites eu sentia certo alívio quando terminava, em estar livre para devanear e esquecer, ao menos por algum tempo, a futilidade do que tínhamos acabado de fazer. Ela nunca disse isso, mas sei que às vezes Soraya também sentia o mesmo. Nessas noites, cada um virava para o seu lado da cama e se deixava levar para longe pelo agente libertador. Para Soraya era o sono. Para mim, como sempre, era um livro.

Fiquei deitado no escuro na noite em que Rahim Khan ligou, percorrendo com os olhos as linhas prateadas paralelas na parede formadas pelo luar que entrava pelas persianas. Em algum momento, talvez pouco antes do amanhecer, eu adormeci. E sonhei com Hassan correndo na neve, a barra de seu *chapan* verde se arrastando atrás, a neve esmagada pela bota preta de borracha. Gritando por cima do ombro: *Por você, faria mil vezes!*

Uma semana depois, eu estava sentado na janela de um voo da Pakistani International Airlines, observando dois funcionários uniformizados remover os calços dos pneus. O avião taxiou para sair do terminal e logo estava no ar, atravessando as nuvens. Descansei a cabeça na janela. Fiquei esperando, em vão, pelo sono.

Quinze

Três horas depois de meu voo pousar em Peshawar, eu estava sentado no assento esfarrapado de um táxi cheio de fumaça. Meu motorista, um sujeitinho suarento e fumante inveterado que se apresentou como Gholam, dirigia com indiferença e negligência, evitando colisões por margens mínimas, sempre sem fazer a menor pausa no incessante fluxo de palavras que saía de sua boca.

— ... terrível o que aconteceu com o seu país, *yar*. Os povos do Afeganistão e do Paquistão são como irmãos, é o que eu digo. Os muçulmanos precisam ajudar os muçulmanos...

Parei de escutar, mudando para uma postura de anuência delicada. Lembrava bem de Peshawar dos poucos meses que passara lá com *baba* em 1981. No momento íamos em direção ao oeste pela rua Jamrud, passando por Cantonment e suas luxuosas casas de muros altos. O burburinho da cidade ao redor me lembrava uma versão mais movimentada e populosa da Cabul que eu conhecia, particularmente o *Kocheh-Morgha*, ou mercado dos frangos, onde Hassan e eu costumávamos comprar batatas com molho chutney e água de cereja. As ruas eram entupidas de ciclistas, pedestres e riquixás soltando uma fumaça azulada, todos zanzando num labirinto de estreitos becos e vielas. Vendedores barbudos envolvidos em mantas finas vendiam cúpulas feitas de peles de animais, tapetes, xales bordados e utensílios de cobre em fileiras de pequenas barracas atulhadas. A cidade era uma explosão de sons; os gritos dos vendedores soavam nos meus ouvidos misturando-se à estridência da música hindu, ao crepitar dos riquixás e aos guizos das carroças puxadas por cavalo. Aromas agudos, alguns agradáveis e outros nem tanto, chegavam a mim pela janela do automóvel, o odor picante de *pakora* e *nihari* que *baba* tanto adorava mesclado com o cheiro ocre de vapores de diesel, o fedor de podridão do lixo e das fezes.

Quando passamos pelos prédios de tijolos vermelhos da universidade de Peshawar, entramos numa área a que meu motorista tagarela se referiu como "cidade afegã". Vi confeitarias e vendedores de tapetes, barracas de *kabob*, garotos de mãos sujas vendendo cigarros, pequenos restaurantes — com mapas do Afeganistão desenhados nas vitrines —, tudo entremeado por agências de publicidade de fundo de quintal.

— Há muitos irmãos seus nessa área, *yar*. Estão abrindo negócios, mas a maioria é muito pobre. — Estalou a língua e suspirou. — Bem, já estamos chegando.

Pensei na última vez em que tinha visto Rahim Khan, em 1981. Ele viera se despedir na noite em que *baba* e eu fugimos de Cabul. Lembro dos dois se abraçando no vestíbulo, chorando baixinho. Quando chegamos aos Estados Unidos, continuaram mantendo contato. Falavam por telefone umas quatro ou cinco vezes por ano, e às vezes *baba* me passava o aparelho. A última vez que havia falado com Rahim fora pouco depois da morte de *baba*. A notícia tinha chegado a Cabul, e ele ligou. Só conversamos por uns poucos minutos antes de a ligação cair.

O táxi estacionou em frente a um edifício estreito, numa esquina movimentada onde duas ruas sinuosas se cruzavam. Paguei o motorista, peguei minha única mala e andei até uma porta com entalhes intrincados. O prédio tinha sacadas de madeira com venezianas abertas — em muitas havia roupa pendurada para secar no sol. Subi degraus que rangiam até o segundo andar, passei por um corredor mal iluminado até a última porta à direita. Verifiquei o endereço num pedaço de papel na minha mão. Bati na porta.

A seguir, uma coisa feita de pele e ossos fingindo ser Rahim Khan abriu a porta.

* * *

Um dos professores de redação criativa da San Jose State costumava falar sobre clichês: "Evite os clichês como uma praga". E ele ria da própria piada. A classe ria também, mas sempre achei que os clichês são um pouco injustiçados. Porque em geral se mostram precisos. Mas o efeito do clichê pode ser ofuscado pelo fato de ser um clichê. Por exemplo, o clichê "bode na sala". Nada poderia descrever com maior precisão os momentos iniciais do meu encontro com Rahim Khan.

Sentamos num colchão fininho encostado à parede, em frente à janela que dava para a rua barulhenta lá embaixo. Uma nesga de sol projetava uma área triangular de luz no tapete afegão no piso. Duas cadeiras dobráveis se apoiavam numa parede, e havia um pequeno samovar de cobre no outro canto, de onde peguei chá para nos servir.

— Como você conseguiu me encontrar? — perguntei.

— Não é difícil encontrar pessoas na América. Comprei um mapa dos Estados Unidos e liguei para postos de informação na Carolina do Norte — explicou ele. — É estranho e maravilhoso ver você um homem adulto.

Sorri e joguei três cubos de açúcar no meu chá. Lembrei que ele gostava do chá forte e amargo.

— *Baba* não teve oportunidade de contar, mas eu me casei quinze anos atrás. — A verdade era que, na época, o câncer no cérebro de *baba* o deixara esquecido, avoado.

— Você está casado? Com quem?

— O nome dela é Soraya Taheri. — Pensei nela em casa, preocupada comigo. Fiquei contente de não estar sozinha.

— Taheri... de quem ela é filha?

Eu expliquei. Os olhos dele se iluminaram.

— Ah, sim, agora me lembro. O general Taheri não é casado com a irmã de Sharif *jan*? Qual era mesmo o nome dela?

— Jamila *jan*.

— *Balay!* — disse, sorrindo. — Eu conheci Sharif *jan* em Cabul, muito tempo atrás, antes de ele ir para a América.

— Ele trabalha no Departamento de Imigração há muitos anos, cuida de casos de vários afegãos.

— *Haiiii* — suspirou. — Você e Soraya *jan* têm filhos?

— Não.

— Ah. — Tomou um gole do chá e não perguntou mais nada; Rahim Khan sempre foi um dos homens mais espontâneos que conheci.

Falei muito com ele sobre *baba*, sobre o emprego em que trabalhou, o mercado das pulgas e como, no fim, tinha morrido feliz. Falei sobre minha faculdade, meus livros — quatro romances publicados até agora. Ele abriu um sorriso, disse que nunca tivera nenhuma dúvida a esse respeito. Contei que tinha escrito contos no caderno de capa de couro que me dera de presente, mas ele não se lembrou do caderno.

Como era inevitável, a conversa mudou para o Talibã.

— É tão ruim quanto tenho ouvido dizer? — perguntei.

— Não, é pior. Muito pior — respondeu ele. — Eles não deixam ninguém ser humano. — Apontou para uma cicatriz abrindo um caminho torto na sobrancelha espessa em cima do olho direito. — Eu estava num jogo de futebol no estádio Ghazi, em 1998. Cabul contra Mazar-i-Sharif, acho, e, a propósito, os jogadores não podiam usar short. Exposição indecente, suponho. — Deu uma risada cansada. — Enfim. Cabul fez um gol, e o homem ao meu lado comemorou em voz alta. De repente um sujeito jovem e barbudo que patrulhava os corredores, aparentando no máximo dezoito anos, veio até mim e me bateu na testa com a coronha do Kalashnikov. "Se fizer isso de novo, eu corto a sua língua, seu macaco velho", disse. — Rahim Khan esfregou a cicatriz com um dedo recurvado. — Eu tinha idade para ser avô dele e fiquei ali, o sangue escorrendo pelo rosto, pedindo desculpas para aquele filho de um cão.

Servi mais chá para ele. Rahim Khan falou um pouco mais. Muitas coisas eu já sabia, outras, não. Contou que, como foi combinado com *baba*, ele ficara morando na nossa casa desde 1981 — disso eu sabia. *Baba* tinha "vendido" a casa a Rahim Khan pouco antes de fugir de Cabul comigo. Do jeito que *baba* via as coisas na época, os problemas do Afeganistão eram apenas uma interrupção temporária no nosso modo de vida — sem dúvida os tempos de festas na casa de Wazir Akbar Khan e dos piqueniques em Paghman voltariam. Por isso dera a casa a Rahim Khan, para que cuidasse dela até esse dia.

Rahim Khan me contou que, quando a Aliança do Norte tomou Cabul entre 1992 e 1996, diferentes facções reclamaram diferentes partes da cidade.

— Se você fosse de Shar-e-Nau até Kerteh-Parwan para comprar um tapete, corria o risco de ser morto por um franco-atirador ou detonado por um foguete, isso se conseguisse passar por todos os postos de controle. Na prática era preciso ter um visto para ir de um bairro a outro. Por isso as pessoas ficavam onde estavam, rezando para que o próximo foguete não caísse na casa delas.

Contou como as pessoas abriam buracos nas paredes das casas para evitar o perigo das ruas e se movimentavam pelo quarteirão de buraco em buraco. Em outros lugares, elas tinham de passar por túneis subterrâneos.

— Por que você não saiu do país? — perguntei.

— Cabul era o meu lar. Ainda é. — Deu uma risadinha. — Lembra a rua que ia da sua casa até o *Qishla*, o acampamento militar perto do colégio Istiqlal?

— Lembro. — Era o atalho para a escola. Lembrei do dia em que Hassan e eu passamos por lá e os soldados provocaram Hassan por causa da mãe dele. Depois Hassan chorou no cinema, e eu o abracei.

— Quando o Talibã chegou e expulsou a Aliança do Norte de Cabul, eu cheguei a dançar na rua — continuou Rahim Khan. — E, acredite, não fui só eu. As pessoas comemoravam no *Chaman*, no *Deh-Mazang*, saudavam o Talibã nas ruas, subindo nos tanques e tirando fotos com eles. Estavam todos tão cansados das batalhas constantes, dos foguetes, dos disparos, das explosões, tão cansados de ver Gulbuddin e seus asseclas atirando em qualquer coisa que se movesse. No fim das contas, a Aliança causou mais danos em Cabul do que os *shoravi*. Eles destruíram o orfanato do seu pai, você soube disso?

— Por quê? — indaguei. — Por que eles destruiriam um orfanato? — Lembrei do dia em que estava atrás de *baba* quando ele inaugurou o orfanato. O vento derrubara o barrete dele e todos riram, depois aplaudiram de pé quando ele fez o discurso. E agora era só um monte de entulho. Todo o dinheiro que *baba* gastara, todas aquelas noites suando em cima do projeto, todas as visitas à construção para garantir que cada tijolo, cada viga e cada bloco fossem instalados direito...

— Danos colaterais — disse Rahim Khan. — Nem queira saber o que significou verificar os destroços daquele orfanato, Amir *jan*. Havia pedaços de corpos de crianças...

— Então, quando chegaram os talibãs...

— Eles eram os heróis — disse Rahim Khan.

— Finalmente a paz.

— É, esperança é uma coisa estranha. Finalmente a paz. Mas a que preço?

Rahim Khan foi acometido de um violento acesso de tosse, o corpo magro balançando para a frente e para trás. Quando cuspiu no lenço, logo surgiu uma mancha vermelha. Achei que era um bom momento para aludir ao bode suando conosco naquele quartinho.

— Como você está? — perguntei. — Quero dizer, como está de *verdade*?

— Na verdade, morrendo — respondeu numa vez roufenha. Mais uma rodada de tosse. Mais sangue no lenço. Limpou a boca, enxugou o suor amarronzado das têmporas macilentas com a manga e me deu um rápido olhar. Quando aquiesceu, eu sabia que já tinha antecipado minha próxima pergunta pela minha expressão. — Não muito tempo — suspirou.

— Quanto?

Ele deu de ombros. Tossiu outra vez.

— Acho que não vou ver o fim deste verão — concluiu.

— Eu posso levar você para minha casa. Posso encontrar um bom médico. Eles estão sempre descobrindo novos tratamentos. Existem novos medicamentos, tratamentos experimentais, podemos inscrever você num desses programas... — Eu estava divagando e sabia disso. Mas era melhor do que chorar, o que provavelmente eu ia fazer de qualquer jeito.

Ele deixou escapar uma risada entrecortada, revelando a falta dos incisivos inferiores. Foi a risada mais cansada que eu já tinha ouvido.

— Vejo que a América infundiu em você o otimismo que a tornou tão grande. Isso é muito bom. Somos um povo melancólico, nós afegãos, não somos? Estamos quase sempre atolados em *ghamkhori* e em autopiedade. Aceitamos as perdas, o sofrimento, que consideramos como fatos da vida, chegando a achar que são necessários. *Zendagi migzara*, dizemos, a vida continua. Mas eu não estou me rendendo ao destino, estou sendo pragmático. Já consultei muitos bons médicos aqui, e todos me deram a mesma resposta. Eu confio neles, acredito no que dizem. Existe algo como a vontade de Deus.

— Só existe o que fazemos ou deixamos de fazer — argumentei.

Rahim Khan riu.

— Agora você falou igual ao seu pai. Sinto tanta falta dele. Mas é a vontade de Deus, Amir *jan*. Realmente é. — Fez uma pausa. — Além do mais, existe outra razão no meu pedido para que viesse aqui. Eu queria ver você antes de partir, sim, mas há algo mais.

— O que você quiser.

— Sabe todos esses anos em que morei na casa do seu pai depois que vocês foram embora?

— Sei.

— Eu não fiquei todos esses anos sozinho. Hassan morou lá comigo.

— Hassan — repeti.

Quando foi a última vez que falei o nome dele? O espinhoso arame da culpa me rasgou por dentro mais uma vez, como se mencionar o nome dele tivesse quebrado o encanto, libertando o tormento de novo. De repente o ar ficou denso demais no pequeno apartamento de Rahim Khan, quente demais, cheio dos aromas da rua.

— Pensei em escrever contando isso a você, mas não sabia ao certo se queria saber. Eu estava enganado?

A verdade era que não. Eu mentiria se dissesse que sim. Fiquei no meio do caminho.

— Não sei.

Ele tossiu mais uma bola de sangue no lenço. Quando baixou a cabeça para cuspir, vi feridas em forma de colmeia em sua calva.

— Trouxe você até aqui para pedir que faça uma coisa por mim. Mas antes quero falar sobre Hassan. Você entende?

— Entendo — murmurei.

— Quero falar sobre ele. Quero contar tudo. Você vai escutar?

Assenti.

Então Rahim Khan serviu mais um chá. Apoiou a cabeça na parede e começou seu relato.

Dezesseis

— Foram muitas as razões por que fui procurar Hassan em 1986. A principal, Alá me perdoe, foi por estar solitário. Na época, quase todos os meus amigos e parentes estavam mortos ou haviam fugido para o Paquistão ou para o Irã. Eu não conhecia mais ninguém em Cabul, a cidade onde vivi toda a minha vida. Todos haviam desaparecido. Eu dava uma caminhada na região de Karteh-Parwan — onde os vendedores de melão costumavam ficar antigamente, lembra desse lugar? — e não reconhecia mais ninguém. Ninguém para cumprimentar, ninguém para sentar para um *chai*, ninguém com quem partilhar histórias, apenas soldados *roussi* patrulhando as ruas. Então acabei deixando de ir à cidade. Passava os dias na casa do seu pai, no escritório, lendo os antigos livros da sua mãe, ouvindo as notícias, assistindo à propaganda comunista na televisão. Depois rezava a *namaz*, cozinhava alguma coisa, lia um pouco mais, rezava de novo e ia para a cama. Levantava de manhã, rezava, fazia tudo de novo.

"Com a minha artrite, estava ficando cada vez mais difícil cuidar da casa. Os joelhos e as costas estavam sempre doendo — eu acordava de manhã e levava no mínimo uma hora para me livrar da rigidez das articulações, principalmente no inverno. Não queria deixar a casa do seu pai apodrecer; tínhamos passado tantos bons momentos naquela casa, havia tantas boas lembranças, Amir *jan*... Não era certo — seu pai tinha projetado aquela casa pessoalmente; era tão importante para ele, e além do mais eu tinha prometido que cuidaria de tudo quando você e ele vieram para o Paquistão. Agora éramos só a casa e eu, e... eu fazia o melhor que podia. Tentava regar as árvores regularmente, cortar a grama, cuidar das flores, consertar as coisas que precisavam de conserto, porém eu já não era mais um jovem.

"Ainda assim, eu poderia ter conseguido. Pelo menos por mais algum tempo. Mas quando soube da morte do seu pai... senti pela primeira vez uma solidão terrível naquela casa. Um vazio insuportável.

"Então, um dia, enchi o tanque do Buick e fui até Hazarajat. Lembrei que, quando Ali se demitiu, seu pai me disse que Hassan e ele haviam se mudado para uma pequena aldeia perto de Bamiyan. Ali tinha um primo lá, pelo que eu me lembrava. Eu não tinha ideia se Hassan ainda estava lá, se alguém ao menos saberia algo sobre ele. Afinal, já haviam se passado dez anos desde que Ali e Hassan tinham saído da casa do seu pai. Hassan já seria um adulto em 1986, vinte e dois ou vinte e três anos. Isso se estivesse vivo, quer dizer — os *shorawi*, que apodreçam no inferno pelo que fizeram à nossa *watan*, mataram tantos dos nossos jovens. Nem preciso falar sobre isso.

"Mas, com a graça de Deus, eu o localizei. Nem tive de procurar muito — só precisei fazer algumas perguntas em Bamiyan, e as pessoas me indicaram a aldeia. Nem me lembro mais do nome, nem mesmo se tinha um nome. Mas lembro que era um escaldante dia de verão e que eu dirigia numa estrada de terra esburacada, nada à vista a não ser arbustos calcinados, troncos de árvores retorcidos e espinhosos, a grama seca como palha de colchão. Passei por um jumento apodrecendo ao lado da estrada. Depois fiz uma curva e, bem no meio daquela terra desolada, vi um aglomerado de casas de barro, com nada ao fundo além do céu aberto e montanhas escarpadas como dentes pontudos.

"Os moradores de Bamiyan me disseram que era fácil encontrá-lo — que morava na única casa da aldeia que tinha um jardim murado. O muro de barro, baixo e cheio de furos, cercava a casinha, que na verdade não era muito mais que um casebre incrementado. Crianças descalças brincavam na rua, batendo numa bola de tênis esfarrapada com um bastão, e olharam para mim quando estacionei e desliguei o motor. Bati na porta de madeira e entrei num quintal com pouca coisa além de um canteiro de morangos e um limoeiro. Havia um *tandoor* no canto à sombra de uma acácia, e vi um homem agachado ao seu lado. Estava assentando argamassa com uma grande espátula de madeira, espalhando nas paredes do *tandoor*. Soltou a argamassa quando me viu. Tive de fazê-lo parar de beijar minhas mãos.

"— Deixa eu olhar para você — pedi. Ele deu um passo para trás. Estava tão alto que eu precisava ficar na ponta dos pés para chegar até o seu queixo. O sol de Bamiyan tinha curtido sua pele, alguns tons mais escura do que eu me lembrava, e ele havia perdido alguns dentes da frente. Pelos esparsos cresciam em seu queixo. Fora isso, continuava com os mesmos olhos verdes puxados, a cicatriz no lábio superior, o rosto redondo, o sorriso afável. Você o teria reconhecido, Amir *jan*, tenho certeza.

"Nós entramos na casa. Uma jovem hazara de pele clara costurava um xale num canto da sala. Estava visivelmente grávida.

"— Essa é minha mulher, Rahim Khan — disse Hassan com orgulho. — O nome dela é Farzana *jan*. — Era uma mulher tímida, tão delicada que falou num sussurro quase inaudível, sem erguer os bonitos olhos castanhos para olhar para mim. Mas, do jeito que olhava para Hassan, ele poderia muito bem estar sentado no trono de *Arg*.

"— Quando o bebê vai chegar? — perguntei ao nos acomodarmos no recinto. Não havia nada na sala, apenas um tapete esgarçado, alguns pratos, dois colchões e uma lanterna.

"— *Inshallah*, neste inverno — respondeu Hassan. — Estou rezando para que seja um menino, para levar o nome do meu pai.

"— Falando de Ali, onde ele está?

"Hassan baixou os olhos. Contou que Ali e o primo — que era o dono da casa — haviam sido mortos por uma mina terrestre dois anos antes, perto de Bamiyan. Uma mina terrestre. Será que existe um jeito mais afegão de morrer, Amir *jan*? Por alguma razão maluca, eu tive certeza absoluta de que fora a perna direita de Ali — a perna deformada pela pólio — que afinal o tinha traído e o fizera pisar na mina. Fiquei muito triste ao saber que Ali estava morto. Seu pai e eu crescemos juntos, como você sabe, e Ali esteve ao lado dele desde que me recordo. Lembro quando éramos todos pequenos, o ano em que Ali teve poliomielite e quase morreu. Seu pai ficou chorando e andando pela casa o dia inteiro.

"Farzana preparou *shorwa* com feijão, nabo e batata para nós. Lavamos as mãos e mergulhamos *naan* fresco saído do *tandoor* na *shorwa* — era a melhor refeição que eu fazia em meses. Foi aí que convidei Hassan para morar comigo em Cabul. Falei sobre a casa e como não conseguia mais cuidar dela sozinho. Disse que pagaria bem, que ele e sua *khanum* ficariam confortáveis. Os dois se olharam e não disseram nada. Mais tarde, depois de lavarmos as mãos e Farzana ter servido umas uvas, Hassan disse que agora aquela aldeia era o seu lar, que tinha construído a vida ali com Farzana.

"— E Bamiyan fica bem perto. Nós conhecemos gente lá. Desculpe, Rahim Khan. Por favor, entenda.

"— É claro — respondi. — Você não tem por que pedir desculpas. Eu entendo.

"Hassan escolheu o momento entre a *shorwa* e o chá para perguntar sobre você. Eu disse que estava na América, que não sabia muito mais do que isso. Hassan tinha muitas perguntas sobre você. Se estava casado. Se tinha filhos. Qual era a sua altura. Se ainda empinava pipas e ia ao cinema. Se era feliz... Contou que tinha ficado amigo de um velho professor de persa em Bamiyan que o ensinara a ler e escrever. Se ele escrevesse uma carta, eu a enviaria a você? E será que eu achava que você iria responder? Eu disse o que sabia sobre você das poucas conversas que eu tivera com seu pai ao telefone, mas não consegui responder a maioria das perguntas dele. Depois, perguntou sobre o seu pai. Quando respondi, Hassan cobriu o rosto com as mãos e começou a chorar. Chorou como uma criança pelo resto daquela noite.

"Eles insistiram para que eu passasse a noite lá. Farzana arrumou um colchão para mim e deixou um copo de água ao lado, caso eu sentisse sede. Durante a noite toda, ouvi Farzana sussurrando para Hassan, e o ouvi soluçando.

"De manhã, Hassan me disse que ele e Farzana tinham decidido se mudar comigo para Cabul.

"— Eu não deveria ter vindo — falei. — Você tem razão, Hassan *jan*. Vocês têm uma *zendagi*, uma vida aqui. Foi presunçoso da minha parte aparecer e pedir que abandone tudo. Sou em quem precisa ser perdoado.

"— Nós não temos muito o que abandonar, Rahim Khan — respondeu Hassan. Os olhos dele ainda estavam vermelhos e inchados. — Nós vamos com você. Vamos ajudar a cuidar da casa.

"— Você tem absoluta certeza?

"Ele aquiesceu e baixou a cabeça.

"— *Agha sahib* era como um segundo pai... Que Deus lhe dê paz.

"Empilharam suas coisas no meio de alguns panos surrados e amarraram as pontas. Carregamos as trouxas até o Buick. Hassan ficou na soleira da porta e segurou o Corão enquanto beijávamos o livro e passávamos por baixo dele. Em seguida partimos para Cabul. Lembro que, quando nos afastávamos, Hassan virou para dar uma última olhada para a sua casa.

"Quando chegamos a Cabul, descobri que Hassan não tinha a menor intenção de morar na residência.

"— Mas todos os quartos estão vazios, Hassan *jan*. Ninguém vai morar neles — observei.

"Mas ele não quis. Disse que era uma questão de *ihtiram*, uma questão de respeito. Ele e Farzana levaram as coisas para o casebre no quintal, onde ele tinha nascido. Implorei para que ficassem num dos quartos de hóspede do segundo andar, mas Hassan não quis saber.

"— O que Amir *agha* vai pensar? — perguntou. — O que vai pensar quando voltar a Cabul depois da guerra e descobrir que eu ocupei o lugar dele na casa?

"Depois Hassan usou preto nos quarenta dias seguintes, de luto por seu pai, Amir.

"Eu não queria que fizessem isso, mas os dois cozinhavam e limpavam tudo. Hassan cuidava das flores do jardim, molhava as plantas, aparava as folhas amareladas. Plantou roseiras. Pintou as paredes. Na casa, ele varria quartos que ninguém usava havia anos, limpava banheiros que ninguém utilizava. Como se estivesse preparando a casa para a volta de alguém. Você se lembra do muro atrás dos pés de milho que seu pai plantou, Amir *jan*? Que você e Hassan o chamavam de muro do milho doente? No começo daquele outono, um foguete havia destruído boa parte daquele muro no meio da noite. Hassan o reconstruiu com as próprias mãos, tijolo por tijolo, até ficar inteiro outra vez. Não sei o que eu teria feito se ele não estivesse lá.

"Mais tarde naquele outono, Farzana deu à luz uma garota natimorta. Hassan beijou o rosto sem vida do bebê, e nós a enterramos no quintal, perto das roseiras amarelas. Cobrimos a pequena cova com folhas de álamo. Fiz uma oração para ela, Farzana ficou na casinha o dia inteiro chorando — é um som de cortar o coração, Amir *jan*, os gemidos de uma mãe. Rogo a Alá para que você nunca ouça isso.

"Fora dos muros da casa, havia uma guerra em curso. Mas nós três, na casa do seu pai, construímos o nosso pequeno santuário. Minha vista começou a falhar no final dos anos 1980, e Hassan passou a ler os livros de sua mãe para mim. Sentávamos no vestíbulo, perto da estufa, e Hassan lia Masnawi ou Khayyan para mim, enquanto Farzana cozinhava. E, todas as manhãs, Hassan depositava uma flor no montinho perto das roseiras amarelas.

"No início de 1990, Farzana engravidou outra vez. Foi nesse ano, numa manhã na metade do verão, que uma mulher coberta por uma *burqa* azul-celeste bateu no portão da frente. Quando fui atender, ela estava oscilando, parecendo fraca demais até para ficar de pé. Perguntei o que desejava, mas ela não respondeu.

"— Quem é você? — perguntei. Mas ela simplesmente desmaiou ali mesmo na porta. Chamei Hassan e pedi que me ajudasse a levá-la até a casa, para a sala de visita. Deitamos a mulher no sofá e tiramos a *burqa*. Encontramos uma senhora desdentada, com cabelos grisalhos pegajosos e hematomas nos braços. Parecia que não comia havia dias. Mas, de longe, o pior de tudo era o rosto dela. Alguém tinha pegado uma faca e... Amir *jan*, os cortes iam de um extremo a outro. Um deles ia de um dos malares até a linha do couro cabeludo e não tinha poupado o olho esquerdo no caminho. Era grotesco. Passei um pano úmido em sua testa, e ela abriu os olhos.

"— Onde está Hassan? — murmurou.

"— Estou aqui — disse Hassan. Pegou a mão dela e apertou.

"O olho que restava rolou até ele.

"— Eu vim de longe e andei muito tempo para ver se você era tão bonito quanto nos meus sonhos. E você é. Mais bonito ainda. — Puxou a mão dele até o próprio rosto cheio de cicatrizes. — Sorria para mim. Por favor.

"Hassan sorriu, e a velha começou a chorar.

"— Você sorriu quando saiu de mim, alguém te contou? E eu nem quis segurar você no colo. Que Alá me perdoe, eu nem quis segurar você.

"Nenhum de nós tinha voltado a ver Sanaubar desde que ela fugira com um bando de cantores e dançarinos em 1964, logo depois de ter dado à luz Hassan. Você nunca a viu, Amir, mas ela era uma beleza quando jovem. Tinha um sorriso de covinhas e um andar que enlouquecia os homens. Ninguém que cruzasse com ela na rua, fosse homem ou mulher, conseguia deixar de olhar. E agora...

"Hassan soltou a mão dela e saiu correndo da casa. Eu fui atrás, mas ele estava andando muito depressa. Vi enquanto corria pela colina onde vocês dois costumavam brincar, os pés erguendo nuvens de poeira. Deixei que se fosse. Fiquei com Sanaubar o dia inteiro, até o céu mudar de azul-claro para lilás. Hassan ainda não tinha voltado quando a noite caiu e o luar começou a iluminar as nuvens. Sanaubar chorava e dizia que voltar tinha sido um equívoco, talvez ainda pior do que ter partido. Mas eu fiz com que ficasse. Hassan ia voltar, eu sabia.

"Ele voltou na manhã seguinte, parecendo cansado e abatido, como se não tivesse dormido a noite toda. Pôs a mão de Sanaubar entre as dele e disse que ela podia chorar se quisesse, mas que não precisava, pois agora estava em casa, com a família. Tocou nas cicatrizes do rosto dela, passou os dedos por seu cabelo.

"Hassan e Farzana cuidaram dela até recuperar a saúde. Dando-lhe comida e lavando suas roupas. Ofereci um dos quartos de hóspede do segundo andar. Às vezes, eu olhava o quintal pela janela e via Hassan e a mãe ajoelhados lado a lado, colhendo tomates ou podando uma roseira, conversando. Suponho que estivessem pondo em dia todos aqueles anos perdidos. Até onde eu sei, ele nunca perguntou onde ela estava ou por que tinha ido embora, e ela nunca explicou. Acho que algumas histórias não devem mesmo ser contadas.

"Foi Sanaubar quem ajudou a trazer o filho de Hassan ao mundo naquele inverno de 1990. Ainda não tinha começado a nevar, mas os ventos do inverno já sopravam pelo quintal, vergando os canteiros de flores e farfalhando nas folhas. Lembro da imagem de Sanaubar saindo da casinha segurando o neto, enrolado num cobertor de lã. Ficou sorrindo sob um céu cinza e opaco, lágrimas correndo pelas faces, o vento gélido e penetrante agitando seu cabelo, agarrando o bebê nos braços como se nunca mais o quisesse soltar. Não dessa vez. Entregou o bebê a Hassan e ele o passou para mim, e fiz uma prece de *Ayat-ul-kursi* no ouvido do garotinho.

"Deram ao menino o nome de Sohrab, em homenagem ao herói favorito de Hassan do *Shahnamah,* como você sabe, Amir *jan*. Era um garotinho lindo, doce como o mel, e com o mesmo temperamento do pai. Você devia ter visto Sanaubar com aquele bebê, Amir *jan*. Ele se tornou o centro de sua existência. Ela costurava roupas para ele, construía brinquedos com restos de madeira, trapos e mato seco. Quando ele pegou uma febre, ela ficou acordada a noite inteira, jejuou por três dias. Acendia *isfand* para ele numa caçarola para expulsar o *nazar,* o olho gordo. Quando Sohrab fez dois anos, começou a chamá-la de *sasa*. Os dois eram inseparáveis.

"Ela viveu até vê-lo fazer quatro anos, depois simplesmente não acordou numa manhã. Parecia tranquila, em paz, como se não se importasse de morrer agora. Nós a enterramos no cemitério da colina, aquele com a romãzeira, e rezamos uma prece para ela também. Foi uma grande perda para Hassan — sempre dói mais quando se tem uma coisa e se perde do que nunca ter tido desde o começo. Mas foi ainda mais difícil para o pequeno Sohrab. Ele ficava andando pela casa, procurando pela *sasa*, mas você sabe como são as crianças, elas esquecem depressa.

"Àquela altura — deveríamos estar em 1995 —, os *shorawi* já tinham partido havia muito tempo, derrotados, e Cabul pertencia a Massoud, Rabbani e os *mujahidins*. A luta interna entre as facções era feroz, e ninguém sabia se estaria vivo no final de cada dia. Nossos ouvidos se acostumaram ao assobio das bombas caindo, ao trovejar dos disparos, nossos olhos se familiarizaram com a visão de homens desenterrando cadáveres das pilhas de escombros. Naqueles dias, Amir *jan,* Cabul era o mais perto que se podia chegar do proverbial inferno na Terra. Mas Alá foi generoso conosco. A região de Wazir Akbar Khan não foi muito atacada, por isso não ficou tão ruim como em outros bairros.

"Naqueles dias, quando os disparos de foguete diminuíam e os tiros ficavam mais esparsos, Hassan levava Sohrab ao cinema ou ao zoológico, para ver o leão Marjan. Hassan ensinou o filho a atirar com o estilingue. Quando tinha uns oito anos, Sohrab ficou craque com aquela coisa: do terraço, ele conseguia acertar uma pinha em cima de um balde do outro lado do quintal. Hassan o ensinou a ler e escrever — o filho não ia crescer analfabeto como ele. Fiquei muito afeiçoado àquele garotinho — vi quando deu seus primeiros passos, ouvi-o balbuciar sua primeira palavra. Comprei livros infantis com o personagem Sohrab para ele na livraria perto do cinema Park — eles haviam destruído o cinema também —, e Sohrab lia todos assim que chegavam às suas mãos. Ele me lembrava você, de como adorava ler quando era pequeno, Amir *jan*. Às vezes eu lia para ele à noite, montávamos quebra-cabeças juntos, eu lhe ensinava truques com cartas de baralho. Sinto muita saudade dele.

"No inverno, Hassan levava o filho para empinar pipas. Não eram tantas quanto nos torneios dos velhos tempos — ninguém se sentia seguro fora de casa por muito tempo —, mas havia alguns torneios esparsos. Hassan punha o filho nos ombros, e os dois saíam pela rua, correndo atrás de pipas, subindo em árvores onde as pipas caíam. Você lembra como Hassan era bom caçador de pipas, Amir *jan*? Ele continuava bom. No fim do inverno, Hassan e Sohrab penduravam nas paredes dos corredores as pipas que tinham pegado durante o inverno. Eram expostas como quadros.

"Eu já disse como nós comemoramos quando o Talibã chegou em 1996, encerrando as batalhas diárias. Lembro de ter voltado para casa uma noite e encontrado Hassan na cozinha, ouvindo o rádio. Estava com uma expressão séria no rosto. Perguntei qual era o problema, mas ele só deu de ombros.

"— Que Deus ajude os hazaras agora, Rahim Khan *sahib* — disse.

"— A guerra acabou, Hassan — expliquei. — Agora será um tempo de paz, *Inshallah*, e tranquilidade e alegria. Chega de foguetes, chega de matanças, chega de enterros! — Mas ele só desligou o rádio e perguntou se eu queria comer alguma coisa antes de dormir.

"Algumas semanas depois, o Talibã proibiu torneios de pipas. Dois anos depois, em 1998, eles realizaram um massacre de hazaras em Mazar-i-Sharif."

Dezessete

Rahim Khan descruzou as pernas devagar e recostou-se na parede, da maneira cuidadosa de pessoas para as quais qualquer movimento pode provocar pontadas de dor. Fora, um jumento zurrou, e alguém gritou alguma coisa em urdu. O sol começava a se pôr, lançando luzes avermelhadas através das rachaduras entre os prédios esquálidos.

A enormidade do que eu tinha feito naquele inverno e no verão seguinte me atingiu mais uma vez. Os nomes soavam na minha cabeça: Hassan, Sohrab, Ali, Farzana e Sanaubar. Ouvir Rahim Khan falar o nome de Ali foi como encontrar uma velha caixinha de música enferrujada que não era aberta havia anos; a melodia começou a tocar de imediato: *Ei, Babalu, quem você comeu hoje? Quem você comeu, seu* Babalu *de nariz chato?* Tentei imaginar o rosto paralisado de Ali, visualizar seus olhos tranquilos, mas o tempo sabe ser avaro — às vezes rouba todos os detalhes para si mesmo.

— Hassan continua na casa? — perguntei.

Rahim Khan levou a xícara de chá aos lábios rachados e tomou um gole. Em seguida tirou do bolso do colete um envelope, que me entregou.

— Para você.

Abri o envelope. Dentro, havia uma foto polaroide e uma carta dobrada. Fiquei olhando a fotografia por um minuto inteiro.

Um homem alto, usando um turbante branco e *chapan* de listras verdes, estava de pé ao lado de um garotinho, diante de portões de ferro batido. O sol batia num ângulo rasante vindo da esquerda, projetando uma sombra em metade de seu rosto redondo. Tinha os olhos apertados e sorria para a câmera, com dois dentes faltando na frente. Mesmo naquela foto embaçada, o homem no *chapan* exalava segurança e tranquilidade: tanto por sua postura, os pés levemente afastados, os braços cruzados no peito numa posição relaxada, a cabeça um pouco inclinada em direção ao sol, mas principalmente pela maneira como sorria. Olhando aquela foto, qualquer um poderia concluir que se tratava de um homem que achava que o mundo tinha sido bom para ele. Rahim Khan estava certo: eu teria reconhecido Hassan no momento em que o encontrasse na rua. O garotinho estava descalço, um braço enlaçado na coxa do homem, a cabeça raspada descansando no quadril do pai. Também sorria, os olhos semicerrados.

Desdobrei a carta. Estava escrita em persa. Não faltava nem um pingo, nem um acento, as palavras estavam bem separadas — a caligrafia era quase infantil em seu esmero. Comecei a ler:

> Em nome de Alá, o mais benevolente, o mais misericordioso,
> Amir *agha*, com meus mais profundos respeitos,
> Farzana *jan*, Sohrab e eu rezamos para que esta carta o encontre em boa saúde e sob a luz das boas graças de Alá. Por favor, transmita meus mais calorosos agradecimentos a Rahim Khan *sahib* por tê-la levado até você. Tenho a esperança de um dia segurar uma carta sua nas mãos e ler sobre a sua vida na América. Talvez até uma fotografia sua possa agraciar nossos olhos. Falei muito sobre você com Farzana *jan* e Sohrab, sobre termos crescido juntos, participado de jogos e brincado na rua. Eles riem das histórias de todas as travessuras que aprontamos, você e eu!
>
> Amir *agha*,
> Saiba que o Afeganistão de nossa juventude está morto há muito tempo. A generosidade desapareceu desta terra, e não se pode escapar das matanças. Sempre as matanças. Em Cabul, o medo está em toda parte, nas ruas, no estádio, nos mercados; faz parte da nossa vida aqui, Amir *agha*.

Os selvagens que governam a nossa *watan* não acreditam na decência humana. Outro dia, acompanhei Farzana *jan* ao bazar para comprar batatas e *naan*. Ela perguntou ao vendedor quanto custava a batata, mas ele não ouviu, acho que era surdo de um ouvido. Então ela falou mais alto, e de repente um jovem talibã chegou e bateu com seu bastão nas coxas dela. Bateu tão forte que ela caiu. Gritou com ela e esbravejou, dizendo que o Ministério do Vício e da Virtude não permite que as mulheres falem alto. Ela ficou com um hematoma na perna por dias, mas o que eu podia fazer, a não ser ficar observando minha mulher apanhar? Se eu reagisse, com certeza aquele cão teria metido uma bala em mim com a maior alegria! E o que aconteceria com Sohrab? As ruas já estão cheias de órfãos famintos, e todos os dias agradeço a Alá por estar vivo, não por medo da morte, mas por minha esposa ter um marido e meu filho não ser um órfão.

Gostaria que você conhecesse Sohrab. É um bom garoto. Rahim Khan e eu lhe ensinamos a ler e escrever, para que não cresça estúpido como o pai. E como ele é bom no estilingue! Às vezes levo Sohrab para passear em Cabul e compro doces para ele. O homem-macaco ainda está em Shar-e-Nau, e, quando o encontro, pago para ele fazer sua dança de macaco para Sohrab. Você devia ver como ele ri! Nós dois vamos sempre ao cemitério da colina. Lembra de quando costumávamos ficar embaixo da romãzeira e você lia o *Shahnamah*? As secas desfolharam a colina, e a árvore não dá frutos há anos, mas Sohrab e eu ainda sentamos à sua sombra, e eu leio para ele trechos do *Shahnamah*. Não preciso dizer que seu trecho favorito é o que leva o nome dele, Rostam e Sohrab. Logo ele vai poder ler o livro sozinho. Sinto-me muito orgulhoso e um pai de muita sorte.

Amir *agha*,
Rahim Khan *sahib* está muito doente. Tosse o dia inteiro, e vejo sangue na manga dele quando limpa a boca. Emagreceu muito, e eu gostaria que comesse um pouco da *shorwa* com arroz que Farzana *jan* prepara para ele. Mas ele só come um ou dois bocados, e mesmo assim acho que só por delicadeza com Farzana *jan*. Estou tão preocupado com essa figura querida que rezo por ele todos os dias. Ele está indo para o Paquistão dentro

de alguns dias para consultar alguns médicos de lá e, *Inshallah*, vai voltar com boas notícias. Mas no meu coração eu temo por ele. Farzana *jan* e eu dissemos ao pequeno Sohrab que Rahim Khan vai ficar bom. O que podemos fazer? Ele tem só dez anos e adora Rahim Khan *sahib*. Ficaram muito próximos um do outro. Rahim Khan *sahib* costumava levá-lo ao bazar para comprar balões e biscoitos, mas está fraco demais para fazer isso agora.

Tenho sonhado muito ultimamente, Amir *agha*. Às vezes são pesadelos, com cadáveres pendurados apodrecendo em campos de futebol sobre a grama ensanguentada. Acordo desses sonhos suando e com falta de ar. Mas quase sempre sonho com coisas boas, e agradeço a Alá por isso. Sonho que Rahim Khan vai ficar bom. Sonho que meu filho vai crescer e ser uma pessoa livre, uma pessoa importante. Sonho que as flores de *lawla* vão florir nas ruas de Cabul outra vez, que música *rubab* vai tocar nas casas de samovar e pipas vão voar pelos céus. E sonho que algum dia você volte a Cabul para rever a terra da nossa infância. Se voltar, vai encontrar um velho e leal amigo o esperando.

Que Alá esteja sempre com você.

Hassan

Li a carta duas vezes. Dobrei a folha de papel e olhei para a fotografia mais um minuto. Guardei ambas no bolso.

— Como ele está? — perguntei.

— Essa carta foi escrita seis meses atrás, poucos dias antes de eu sair de Peshawar — respondeu Rahim Khan. — Tirei essa foto um dia antes de viajar. Um mês depois que cheguei a Peshawar, recebi um telefonema de um dos meus vizinhos em Cabul. Ele me contou a seguinte história: logo depois que parti, espalhou-se um rumor de que havia uma família hazara morando sozinha na casa grande de Wazir Akbar Khan, ou ao menos assim alegou o Talibã. Dois funcionários do Talibã foram investigar e interrogaram Hassan. Eles o acusaram de mentir quando Hassan disse que morava comigo, embora muitos vizinhos, incluindo o que ligou para mim, tivessem confirmado a história de Hassan. Os talibãs disseram que ele era mentiroso e ladrão, como todos os hazaras, e ordenaram que saísse da casa com a família antes do pôr do sol. Hassan protestou.

Mas meu vizinho disse que os talibãs estavam olhando para aquele casarão como... como ele disse?... Sim, como "lobos olhando para um rebanho de ovelhas". Disseram a Hassan que iriam ocupar a casa para mantê-la segura até eu voltar. Hassan protestou mais uma vez. Então eles o levaram até a rua...

— Não! — arquejei.

— ... mandaram-no se ajoelhar...

— Não. Meu Deus, não!

— ... e atiraram na nuca dele.

— Não.

— ... Farzana saiu gritando e atacou os milicianos...

— Não.

— ... que atiraram nela também. Legítima defesa, eles alegaram depois... Mas eu só conseguia balbuciar, sem parar: "Não. Não. Não".

FIQUEI PENSANDO naquele dia de 1974, no quarto do hospital, logo depois da cirurgia no lábio de Hassan. *Baba*, Rahim Khan, Ali e eu reunidos em torno do leito de Hassan, vendo quando ele examinava seu novo lábio no espelho de mão. Agora todos daquele quarto estavam mortos ou morrendo. Menos eu.

Depois vi outra coisa: um homem usando um colete quadriculado encostando o cano de seu Kalashnikov na nuca de Hassan. O tiro ecoa pela rua da casa do meu pai. Hassan cai no asfalto, uma vida de lealdade inquestionável esvaindo como as pipas sopradas pelo vento que ele caçava.

— O Talibã ocupou a casa — disse Rahim Khan. — O pretexto foi de terem expulsado um invasor. Os assassinos de Hassan e Farzana foram inocentados como um caso de legítima defesa. Ninguém falou uma palavra a respeito. Principalmente por medo do Talibã, imagino. Mas ninguém ia arriscar nada por causa de dois empregados hazaras.

— O que eles fizeram com Sohrab? — perguntei, sentindo-me cansado, exaurido.

Rahim Khan foi acometido por um acesso de tosse que durou muito tempo. Quando finalmente ergueu os olhos, o rosto estava vermelho, e os olhos injetados de sangue.

— Ouvi dizer que está num orfanato, em algum lugar em Karteh-Seh, Amir *jan*. — E começou a tossir outra vez. Quando parou, parecia mais velho do que instantes atrás, como se estivesse envelhecendo a cada acesso de tosse. — Amir *jan*, eu chamei você aqui porque queria vê-lo antes de morrer, mas não só por isso. — Eu não disse nada. Acho que já sabia o que ele ia dizer. — Eu gostaria que você fosse até Cabul. Gostaria que trouxesse Sohrab para cá — falou.

Lutei para encontrar as palavras certas. Mal tivera tempo para lidar com o fato de Hassan estar morto.

— Por favor, ouça o que tenho a dizer. Conheço um casal americano aqui em Peshawar. Thomas e Betty Caldwell. São cristãos e dirigem uma pequena instituição de caridade com recursos de doações particulares. Basicamente, eles dão abrigo e alimentação para crianças afegãs que perderam os pais. Eu conheço o lugar. É limpo e seguro, as crianças são bem cuidadas, e os Caldwell são ótimas pessoas. Os dois já me disseram que podem receber Sohrab na casa e que...

— Rahim Khan, você não pode estar falando sério.

— Crianças são muito vulneráveis, Amir *jan*. Cabul já está cheia de crianças perdidas, e não quero que Sohrab seja mais uma.

— Rahim Khan, eu não quero ir a Cabul. Não posso! — repliquei.

— Sohrab é um garotinho inteligente. Podemos proporcionar uma nova vida a ele aqui, um pouco de esperança, com gente que vai gostar dele. Thomas *agha* é um homem bom, e Betty *khanum* é muito generosa, você devia ver como eles tratam aqueles órfãos.

— Por que eu? Por que você não paga alguém daqui para ir lá? Eu posso pagar, se for uma questão de dinheiro.

— Não é uma questão de dinheiro, Amir! — esbravejou Rahim Khan. — Eu estou morrendo e não vou ser insultado! *Nunca* foi uma questão de dinheiro comigo, você sabe disso. E por que você? Acho que nós dois sabemos por que tem de ser você, não é?

Eu não queria entender aquele comentário, mas entendi. Entendi tudo muito bem.

— Tenho uma esposa na América, um lar, uma carreira e uma família. Cabul é um lugar perigoso, você sabe disso, e você quer que eu arrisque tudo por... — parei de falar.

— Sabe de uma coisa? — começou Rahim Khan. — Um dia, quando você não estava perto, seu pai e eu estávamos conversando. E você sabe quanto ele se preocupava com você naquela época. Lembro que ele disse: "Rahim, um garoto que não sabe se defender vai se tornar um homem incapaz de defender qualquer coisa". Será que foi isso que você se tornou? — Baixei os olhos. — O que estou pedindo é que atenda ao desejo de um velho que está morrendo — disse com solenidade.

Aquele último comentário fora uma jogada. Era a melhor carta que tinha. Ou ao menos foi o que pensei no momento. As palavras dele penderam num limbo entre nós, mas ao menos ele soubera o que dizer. Eu ainda buscava as palavras exatas, e eu era o escritor no recinto. Finalmente escolhi dizer o seguinte:

— Talvez *baba* estivesse certo.

— Sinto muito que pense assim, Amir.

Eu não conseguia olhar para ele.

— E você não pensa assim?

— Se pensasse, eu não teria pedido que viesse até aqui.

Fiquei brincando com minha aliança.

— Você sempre me superestimou, Rahim Khan.

— E você sempre foi severo demais consigo mesmo. — Hesitou por um momento. — Mas existe algo mais. Algo que você não sabe.

— Por favor, Rahim Khan...

— Sanaubar não foi a primeira mulher de Ali.

Agora eu ergui os olhos.

— Ele já tinha se casado uma vez, com uma mulher hazara da região de Jaghori. Isso foi muito antes de você nascer. Eles ficaram casados por três anos.

— E o que isso tem a ver com toda essa história?

— Depois de três anos, sem filhos, ela se separou dele e casou com um homem de Khost. E teve três filhas com *esse homem*. É isso que estou tentando dizer.

Comecei a entender aonde aquilo ia chegar. Mas não queria ouvir o resto da história. Eu tinha uma vida boa na Califórnia, uma bela casa vitoriana com telhado inclinado, um bom casamento, uma promissora carreira como escritor, parentes que me amavam. Eu não precisava daquela merda toda.

— Ali era estéril — disse Rahim Khan.

— Não, não era. Ele teve Hassan com Sanaubar, não foi? Eles tiveram Hassan...

— Não, não tiveram — respondeu Rahim Khan.

— Sim, tiveram!

— Não tiveram, Amir.

— Então quem...

— Acho que você sabe quem.

Eu me sentia como um homem rolando uma ribanceira profunda, tentando agarrar tufos e gravetos emaranhados sem conseguir. O quarto oscilava para cima e para baixo, balançando de um lado para o outro.

— Hassan sabia disso? — perguntei, com lábios que não pareciam os meus. Rahim Khan fechou os olhos. Fez que não com a cabeça. — Seus canalhas — murmurei. Levantei. — Seus canalhas malditos! — gritei. — Todos vocês... um bando de canalhas malditos e mentirosos!

— Sente-se, por favor — disse Rahim Khan.

— Como conseguiram esconder isso de mim? E *dele*? — berrei.

— Por favor, pense, Amir *jan*. Foi uma situação vergonhosa. As pessoas iam falar. Tudo o que um homem tinha na época, tudo o que ele era, era sua honra, seu nome, e se as pessoas falassem... Nós não podíamos contar a ninguém, com certeza você entende isso. — Ele fez menção de me tocar, mas afastei a mão dele. Tomei o caminho da porta. — Amir *jan*, por favor, não vá embora.

Abri a porta e virei para ele.

— Por quê? O que você poderia me dizer? Eu tenho trinta e oito anos e acabo de descobrir que minha vida inteira foi uma puta mentira! O que você poderia dizer para melhorar as coisas? Nada. Absolutamente nada!

Com essas palavras, saí do apartamento batendo a porta.

Dezoito

O SOL ESTAVA QUASE SE PONDO, deixando o céu recortado de manchas vermelhas e lilás. Saí andando pela rua estreita e movimentada, ganhando distância do prédio de Rahim Khan. Era uma alameda barulhenta num labirinto de ruelas entupidas de pedestres, bicicletas e riquixás. Cartazes nas esquinas anunciavam Coca-Cola e cigarros, cartazes de filmes de Lollywood mostravam provocantes atrizes dançando com homens bonitões de pele escura em campos de cravos florindo.

Entrei numa pequena e esfumaçada casa de chá russa e pedi uma xícara. Inclinei-me nas pernas de trás da cadeira dobrável e esfreguei o rosto. O sentimento de estar escorregando por uma ribanceira começava a passar. Mas eu me sentia como um homem que tivesse acordado na própria casa e descoberto que todos os móveis tinham sido rearranjados, de modo que cada recanto agora parecesse estranho. Desnorteado, eu agora teria de reavaliar o ambiente e me reorientar.

Como eu pude ser tão cego? Os sinais estavam na minha frente o tempo todo e, agora, pareciam tão claros! *Baba* chamando o dr. Kumar para operar o lábio leporino de Hassan. *Baba* lembrando sempre os aniversários de Hassan. Recordei do dia em que estávamos plantando tulipas, quando perguntei se *baba* consideraria arranjar outros empregados. *Hassan não vai a lugar nenhum,* ele dissera. *Ele vai ficar aqui mesmo conosco, no seu devido lugar. Essa é a casa dele, e nós somos a família dele*. Depois chorou, *chorou* quando Ali anunciou que ia embora com Hassan.

O garçom pôs uma xícara de chá na mesa diante de mim. No ponto onde as pernas da mesa se cruzavam em X, havia um anel com esferas de latão do tamanho de uma noz. Uma das esferas tinha desatarraxado. Abaixei e a apertei no lugar. Desejei que minha vida pudesse ser consertada com a mesma facilidade. Tomei um gole do chá mais forte que tinha tomado em anos e tentei pensar em Soraya, no general e em *khala* Jamila, no romance que precisava terminar. Tentei observar os carros passando pela rua, as pessoas entrando e saindo das lojinhas. Tentei ouvir a música *Qawali* tocando no radiotransistor de cada mesa. Qualquer coisa. Mas continuei vendo *baba* na noite da minha formatura, sentado no Ford que acabara de me dar de presente, cheirando a cerveja e dizendo: *Gostaria que Hassan estivesse conosco hoje*.

Como ele conseguiu mentir para mim todos aqueles anos? E para Hassan? Ele tinha me sentado no colo quando eu era pequeno, olhado direto nos meus olhos e dito: *Só existe um pecado. E é roubar... Quando você mente, está roubando de alguém o direito de saber a verdade*. Ele não me dissera tais palavras? E agora, quinze anos depois de ter sido enterrado, eu ficava sabendo que *baba* era um ladrão. E um ladrão da pior espécie, pois tinha roubado coisas sagradas: de mim, o direito de saber que eu tinha um irmão, de Hassan, a sua identidade, e, de Ali, sua honra. Sua *nang*. Seu *namoos*.

A pergunta continuava me intrigando: Como *baba* conseguia olhar nos olhos de Ali? Como Ali morou naquela casa, dia após dia, sabendo que havia sido desonrado pelo patrão da pior maneira que um homem afegão podia ser desonrado? E como eu iria reconciliar essa nova imagem de *baba* com a que tinha gravada na memória por tanto tempo, ele e seu velho terno marrom, titubeando na entrada da casa dos Taheri para pedir a mão de Soraya?

Lá estava outro clichê que meu professor de redação criativa teria ironizado: tal pai, tal filho. Mas era verdade, não era? No final das contas, *baba* e eu éramos mais parecidos do que jamais imaginei. Ambos havíamos traído as pessoas que dariam sua vida por nós. E nisso veio a súbita compreensão: de que Rahim Khan tinha me chamado aqui para reparar não só os meus pecados, como também os de *baba*.

Rahim Khan dissera que sempre fui exigente demais comigo mesmo. Mas refleti. Na verdade, eu não tinha feito Ali pisar numa mina terrestre, nem havia levado o Talibã àquela casa para matar Hassan. Mas eu tinha expulsado Hassan e Ali da casa. Será que era especulação demais imaginar que as coisas poderiam ter sido diferentes se eu não tivesse feito aquilo? Talvez *baba* tivesse levado os dois para a América também. Talvez Hassan agora tivesse sua própria casa, um emprego, uma família, uma vida num país em que ninguém se importava de ele ser hazara, onde a maioria nem sabia o que era um hazara. Talvez não. Mas talvez sim.

Eu não posso ir a Cabul, eu respondera a Rahim Khan. *Tenho uma esposa na América, um lar, uma carreira e uma família.* Mas como poderia fazer as malas e voltar para casa se minhas ações podem ter impedido Hassan de ter essas mesmas coisas?

Gostaria que Rahim Khan não tivesse me chamado. Preferia que me deixasse viver na minha ignorância. Mas ele havia me chamado. E as revelações de Rahim Khan mudaram as coisas. Fizeram com que eu percebesse que toda a minha vida, bem antes do inverno de 1975, na época em que aquela mulher hazara ainda me amamentava, tinha sido um ciclo de mentiras, traições e segredos.

Existe um jeito de ser bom outra vez, dissera ele.

Um jeito de terminar o ciclo.

Com um garotinho. Um órfão. O filho de Hassan. Em algum lugar em Cabul.

VOLTANDO DE RIQUIXÁ ao apartamento de Rahim Khan, lembrei de *baba* dizendo que meu problema era que alguém sempre lutava as minhas batalhas por mim. Agora eu estava com trinta e oito anos. Meus cabelos estavam rareando e ficando grisalhos, e havia pouco eu tinha localizado pequenos pés de galinha nos cantos dos olhos. Eu era um homem mais velho, mas talvez ainda não velho demais para começar a lutar minhas batalhas. Afinal, *baba* tinha mentido sobre um monte de coisas, mas não mentira sobre isso.

Olhei mais uma vez para o rosto redondo da foto, a maneira como o sol batia nele. O rosto do meu irmão. Hassan me amou muito, me amou de um modo que ninguém tinha me amado ou me amaria de novo. Agora estava morto, mas uma pequena parte dele ainda vivia. E estava em Cabul.

Esperando.

Encontrei Rahim Khan rezando a *namaz* num canto da sala. Era apenas uma silhueta escura inclinada em direção ao leste diante de um céu cor de sangue. Esperei que ele terminasse.

Depois disse que iria a Cabul. Pedi que conversasse com os Caldwell logo de manhã.

— Vou rezar por você, Amir *jan* — avisou.

Dezenove

Mais uma vez, enjoo de viagem. Quando passamos de jipe pelo cartaz crivado de balas anunciando Bem-vindo ao passo Khyber, minha boca começou a salivar. Alguma coisa no meu estômago se agitava e retorcia. Farid, meu motorista, me lançou um olhar gelado. Não havia empatia em seus olhos.

— Podemos abrir o vidro? — perguntei.

Ele acendeu um cigarro, segurando-o entre os dois únicos dedos restantes da mão esquerda, a que segurava o volante. Mantendo os olhos negros na estrada, inclinou-se para a frente, pegou uma chave de fenda entre os pés e passou-a para mim. Enfiei a chave no furinho na porta onde deveria estar a manivela e girei-a para baixar o vidro.

Farid me lançou mais um olhar de repúdio, agora com uma leve sugestão de animosidade suprimida, e voltou a fumar seu cigarro. Ele não tinha dito mais que uma dúzia de palavras desde que saímos da fortaleza de Jamrud.

— *Tashakor* — murmurei.

Pus a cabeça para fora da janela e deixei o ar frio do meio da tarde arejar meu rosto. O caminho pelos territórios tribais do passo Khyber serpenteava entre penhascos de xisto e calcário e era exatamente como eu me lembrava — *baba* e eu tínhamos percorrido esse terreno acidentado em 1974. As montanhas áridas e imponentes alinhavam-se em gargantas profundas e terminavam em picos escarpados. Velhas fortalezas, com muralhas de adobe esfarelando, encimavam os rochedos. Tentei manter os olhos grudados nos montes nevados de Hindu Kush ao norte, mas cada vez que meu estômago melhorava um pouquinho o jipe derrapava numa curva, provocando um novo acesso de náusea.

— Tente um limão.

— O quê?

— Limão. É bom para enjoo — disse Farid. — Eu sempre trago um nessa viagem.

— Não, obrigado — respondi.

O mero pensamento de acrescentar acidez ao meu estômago causava ainda mais náusea. Farid deu uma risadinha e comentou:

— Não é sofisticado como um remédio americano, sabe, é só um antigo remédio que minha mãe me ensinou.

Lamentei ter perdido a chance de ganhar a simpatia dele.

— Nesse caso, acho que vou experimentar.

Pegou um saco de papel no banco traseiro e tirou meio limão. Dei uma mordida, esperei alguns minutos.

— Você tem razão. Estou me sentindo melhor — menti. Como afegão, eu sabia que era melhor ser infeliz do que indelicado. Forcei um sorriso amarelo.

— É um velho truque *watani*, não precisa de remédio sofisticado — disse ele.

O tom de voz beirava o grosseiro. Bateu a cinza do cigarro e me enviou um olhar de autossatisfação pelo retrovisor. Era um *tajik*, um homem magricela e de pele escura com o rosto marcado pelo clima, ombros estreitos e um pescoço comprido, pontuado por um pomo de adão protuberante que só aparecia debaixo da barba quando ele virava a cabeça. Estava vestido mais ou menos como eu, mas na verdade era eu que o imitava: uma manta de lã grosseira enrolada sobre um *pirhan-tumban* cinza e um colete. Na cabeça, um *pakol* marrom, meio de lado, como o do herói *tajik* Ahmad Shah Massoud — chamado pelos *tajiks* de "Leão de Panjsher".

Rahim Khan me apresentara a Farid em Peshawar. Disse que Farid tinha vinte e nove anos, embora tivesse o rosto enrugado e circunspecto de um homem vinte anos mais velho. Havia nascido em Mazar-i-Sharif e morado lá até o pai se mudar com a família para Jalalabad, quando Farid tinha dez anos.

Aos catorze, ele e o pai se afiliaram à *jihad* contra os *shorawi*. Lutaram no vale de Panjsher por dois anos, até a metralhadora de um helicóptero estraçalhar o homem mais velho. Farid tinha duas esposas e cinco filhos.

Ele tinha sete filhos, contara Rahim Khan com um olhar pesaroso, mas perdeu as duas meninas mais novas alguns anos antes na explosão de uma mina terrestre perto de Jalalabad, a mesma explosão que havia decepado alguns dedos dos seus pés e três dedos da mão esquerda. Depois disso, mudou-se para Peshawar com as duas esposas e os filhos.

— Posto de controle — resmungou Farid. Afundei um pouco no banco, os braços cruzados no peito, esquecendo o enjoo por um momento. Mas eu não precisava ter me preocupado. Dois milicianos paquistaneses se aproximaram do nosso Land Cruiser caindo aos pedaços, lançaram um olhar descuidado e gesticularam para seguirmos.

Farid fora o primeiro item de uma lista de preparativos que Rahim Khan e eu havíamos feito, uma lista que incluía trocar dólares por dinheiro kaldar e afegão, arranjar minhas roupas e o *pakol* — ironicamente, eu nunca tinha usado aquilo quando morava no Afeganistão — e levar a foto de Hassan e Sohrab. E, finalmente, talvez o item mais importante: uma barba postiça, preta e à altura do peito, simpática à moda *shari'a* — ou pelo menos à versão talibã da *shari'a*. Rahim Khan tinha um amigo em Peshawar especialista em tecer essas barbas, às vezes para jornalistas ocidentais que cobriam a guerra.

Rahim Khan queria que eu ficasse mais alguns dias para planejar melhor. Mas eu sabia que precisava partir o mais rápido possível. Eu tinha medo de mudar de ideia. Tinha medo de refletir, ruminar, agonizar, racionalizar e me convencer a não ir. Tinha medo de que o apelo da minha vida na América me puxasse de volta, para vadear aquele rio grande e caudaloso e me deixar esquecer, deixar as coisas que tinha aprendido nos últimos dias descer ao fundo. Tinha medo de deixar as águas me carregar para longe do que eu precisava fazer. De Hassan. Do passado que agora me chamava. E dessa última chance de redenção. Por isso parti antes de qualquer possibilidade de isso acontecer. Quanto a Soraya, contar que eu estava voltando para o Afeganistão não era uma opção. Se eu tivesse feito isso, ela teria embarcado no primeiro voo para o Paquistão.

Já tínhamos atravessado a fronteira, e os sinais de pobreza estavam em toda parte. Dos dois lados da estrada eu via sequências de pequenos vilarejos brotando aqui e ali, como brinquedos descartados entre as rochas, casas de barro rachadas e casebres consistindo em pouco mais que quatro estacas de madeira e um pano esfarrapado como teto. Vi crianças cobertas de trapos correndo atrás de uma bola de futebol do lado de fora das casas. Poucos quilômetros adiante, avistei um aglomerado de homens empoleirados, como uma fileira de corvos, na carcaça de um velho tanque soviético queimado, o vento balançando a barra das mantas que os envolviam. Atrás deles, uma mulher numa *burqa* marrom levava um grande cântaro de argila no ombro, descendo um caminho esburacado em direção a uma fileira de casas de barro.

— Estranho — comentei.
— O quê?
— Estou me sentindo como um turista no meu país — respondi, observando um pastor conduzir meia dúzia de cabras ossudas pelo lado da estrada.

Farid sorriu. Depois jogou o cigarro fora.
— Você ainda vê esse lugar como o seu país?
— Acho que uma parte de mim sempre vai ver — argumentei, mais na defensiva do que pretendia.
— Depois de vinte anos vivendo na América! — observou ele, desviando o jipe para evitar um buraco do tamanho de uma bola de praia.

Concordei com a cabeça.
— Eu cresci no Afeganistão. — Farid deu outra risadinha. — Por que essa reação?
— Deixa pra lá — resmungou ele.
— Não, eu quero saber. Por que essa atitude?

Pelo retrovisor, vi um brilho em seu olhar.
— Você quer saber? — fez uma expressão irônica. — Deixa eu imaginar, *agha sahib*. Provavelmente você morava numa casa grande de dois ou três andares, com um belo quintal e um jardim cheio de flores e árvores frutíferas. Tudo murado, é claro. Seu pai tinha um carro americano. Você tinha empregados, provavelmente hazaras. Seus pais contratavam gente pra fazer a deco-

ração da casa nas luxuosas *mehmanis* que organizavam, para os amigos virem tomar um drinque e se vangloriarem de suas viagens à Europa e aos Estados Unidos. Eu apostaria o olho do meu filho mais velho que essa é a primeira vez que você usa um *pakol*. — Abriu um sorrisinho para mim, revelando a boca cheia de dentes precocemente apodrecidos. — Estou certo?

— Por que está dizendo essas coisas? — perguntei.

— Porque você queria saber — replicou. Apontou para um velho coberto de andrajos cambaleando na estrada de terra, um saco de aniagem cheio de grama ressecada amarrado nas costas. — Esse é o verdadeiro Afeganistão, *agha sahib*. Esse é o Afeganistão que eu conheço. Já você... Você *sempre* foi um turista aqui, só não sabia disso.

Rahim Khan havia alertado para não esperar uma acolhida gentil daqueles que tinham ficado e lutado no Afeganistão.

— Sinto muito pelo seu pai — falei. — Sinto muito pelas suas filhas e sinto muito pela sua mão.

— Isso não significa nada pra mim — retrucou. Abanou a cabeça. — Por que você voltou, aliás? Para vender as terras do seu *baba*? Embolsar o dinheiro e voltar pra sua mãe na América?

— Minha mãe morreu ao me dar à luz — respondi. Ele suspirou e acendeu outro cigarro. Não disse nada. — Pare o carro.

— O quê?

— Pare logo esse carro! — exigi. — Eu vou vomitar.

Saí do jipe cambaleando, enquanto ele ainda estacionava no acostamento de cascalho ao lado da estrada.

No final da tarde, a geografia mudou de montanhas contempladas pelo sol e penhascos áridos para uma paisagem rural e verdejante. A passagem principal descia de Landi Kotal pelo território Shinwari até atingir Landi Khana. Havíamos entrado no Afeganistão por Torkham. Pinheiros flanqueavam a estrada, menos do que eu me lembrava e muitos deles desfolhados, mas era bom voltar a ver árvores depois do trajeto árido pelo passo Khyber. Estávamos nos aproximando de Jalalabad, onde Farid tinha um irmão que nos hospedaria naquela noite.

O sol ainda não tinha se posto quando entramos em Jalalabad, capital do estado de Nangarhar, uma cidade outrora conhecida por suas frutas e pelo clima afável. Farid passava pelos edifícios e casas de pedra do centro da cidade. Não havia tantas palmeiras quanto eu me lembrava, e algumas casas estavam reduzidas a paredes sem teto e pilhas de argila retorcida.

Farid entrou numa estrada de terra estreita e estacionou o Land Cruiser ao lado de um bueiro seco. Saí do jipe, me estiquei e dei uma respirada profunda. Antigamente, os ventos passavam pelas planícies irrigadas ao redor de Jalalabad, onde fazendeiros plantavam cana-de-açúcar, impregnando o ar da cidade de um aroma adocicado. Fechei os olhos e tentei sentir a doçura, mas não consegui.

— Vamos logo! — disse Farid, impaciente. Andamos pela estrada de terra, passando por álamos desfolhados e uma sequência de muros de barro. Farid me levou até uma casa térrea deteriorada e bateu na porta de madeira.

Uma jovem com olhos verdes como o mar e um lenço branco em volta do rosto apareceu. Ela me viu primeiro, hesitou, avistou Farid, e então seus olhos se iluminaram.

— *Salaam alaykum, kaka* Farid!

— *Salaam*, Maryan *jan* — respondeu Farid, dando à garota o que tinha me negado o dia todo: um sorriso carinhoso. Deu um beijo na testa dela. A jovem abriu caminho, olhando-me com um pouco de apreensão quando segui Farid para dentro da casinha.

O teto de adobe era baixo, as paredes encardidas sem adornos, e a única iluminação vinha de dois lampiões em um canto. Tiramos os sapatos e pisamos na esteira de palha que cobria o assoalho. Ao longo de uma das paredes sentavam-se três garotinhos, de pernas cruzadas, num colchão forrado de cobertores com as barras puídas. Um homem alto e barbudo de ombros largos levantou-se para nos cumprimentar. Farid e ele se abraçaram e se beijaram no rosto. Farid o apresentou como Wahid, seu irmão mais velho.

— Ele é da América — disse a Wahid, apontando com o polegar na minha direção. Deixou-nos sozinhos e foi cumprimentar os garotos.

Wahid acomodou-se comigo na parede oposta à de onde estavam os garotos, agora amontoados em Farid e subindo em seus ombros. Apesar dos meus protestos, Wahid mandou um dos garotos buscar outro cobertor para me deixar mais confortável no chão e pediu a Maryan que me servisse um chá. Perguntou sobre a viagem desde Peshawar, o trajeto pelo passo Khyber.

— Espero que não tenham encontrado *dozds* no caminho — disse. O passo Khyber era famoso por seu terreno acidentado e pelos bandidos que usavam esse território para assaltar viajantes. Antes de eu responder, ele piscou e disse em voz alta: — Claro que nenhum *dozd* perderia tempo com um carro feio como o do meu irmão.

Farid rolava no chão com o mais novo dos três garotos e fazia cócegas em suas costelas com a mão boa. O garoto ria e espernava.

— Pelo menos eu tenho um carro — arquejou Farid. — Como anda o seu jumento esses dias?

— Meu jumento é um transporte melhor que o seu carro.

— *Khar khara mishnassah* — replicou Farid. *É preciso um jumento para transportar outro jumento.* Todos deram risada, e eu também.

Ouvi vozes femininas no quarto adjacente. Podia ver metade do quarto de onde eu estava. Maryan e uma mulher mais velha usando um *hijab* marrom — provavelmente a mãe dela — conversavam em voz baixa enquanto passavam o chá da chaleira para um bule.

— Então, o que você faz na América, Amir *agha*? — perguntou Wahid.

— Sou escritor — respondi. Pensei ter ouvido Farid rir dessa resposta.

— Escritor? — repetiu Wahid, nitidamente impressionado. — Você escreve sobre o Afeganistão?

— Bem, já escrevi. Mas não no momento — expliquei.

Meu último romance, *Uma estação para as cinzas*, era sobre um professor universitário que entra para um clã de ciganos depois de encontrar a mulher na cama com um aluno. Não era um livro ruim. Alguns críticos o definiram como um "bom" livro, e um deles chegou a usar a palavra "interessante". Mas de repente eu me sentia envergonhado do livro. Desejei que Wahid não perguntasse do que se tratava.

— Talvez você devesse voltar a escrever sobre o Afeganistão — observou Wahid, anuindo e corando levemente. — Mas você é quem sabe, é claro. Não cabe a mim sugerir...

Nesse momento, Maryan e a outra mulher entraram na sala com duas xícaras e um bule numa pequena bandeja. Levantei-me em sinal de respeito, levei a mão ao peito e inclinei a cabeça.

— *Salaam alaykum* — cumprimentei.

A mulher, agora envolta no *hijab* para esconder a parte de baixo do rosto, também fez uma pequena vênia.

— *Salaam* — respondeu numa voz quase inaudível. Não nos olhamos nos olhos. Ela serviu o chá enquanto continuei de pé.

A mulher deixou a xícara de chá fumegante na minha frente e saiu da sala, os pés descalços silenciosos enquanto desaparecia. Sentei e tomei um gole do chá bem forte. Afinal, Wahid rompeu o silêncio constrangedor que se seguiu.

— Então, o que o traz ao Afeganistão?

— O que traz *todos* eles ao Afeganistão, querido irmão? — disse Farid, dirigindo-se a Wahid, mas fixando em mim um olhar de desprezo.

— *Bas!* — replicou Wahid.

— É sempre a mesma coisa — continuou Farid. — Vender essa terra, vender aquela casa, pegar o dinheiro e fugir como um rato. Voltar para a América, gastar o dinheiro numas férias com a família no México.

— Farid! — trovejou Wahid. Os filhos, e até Farid, hesitaram. — Você esqueceu seus bons modos? Esta é a minha casa! Amir *agha* é meu hóspede esta noite, e não vou permitir que me desrespeite dessa maneira!

Farid abriu a boca, quase disse alguma coisa, reconsiderou e não falou nada. Encostou-se na parede, resmungou algo em voz baixa e cruzou o pé mutilado sobre o pé bom. Mas seu olhar acusador não me abandonou.

— Perdão, Amir *agha* — disse Wahid. — Desde a infância, a boca do meu irmão anda dois passos adiante da cabeça.

— A culpa é minha, na verdade — respondi, tentando sorrir, apesar do olhar intenso de Farid. — Não me sinto ofendido. Eu deveria ter explicado a ele o que vim fazer no Afeganistão. Não estou aqui para vender propriedades. Estou voltando a Cabul para localizar um garoto.

— Um garoto — repetiu Wahid.

— Sim. — Peguei a foto polaroide no bolso da camisa. Ver a imagem de Hassan foi como arrancar a casca de uma ferida. Tive de afastar o olhar.

Entreguei a foto a Wahid. Ele observou a fotografia. Olhou de mim para a foto e voltou para mim.

— Esse garoto?

Concordei com a cabeça.

— Esse garoto hazara?

— Sim.

— O que ele significa para você?

— O pai dele significou muito para mim. É o homem na foto. Ele está morto.

Wahid piscou os olhos.

— Era seu amigo?

Meu instinto foi dizer que sim, como se, em algum nível profundo, eu também quisesse proteger o segredo de *baba*. Mas já eram mentiras demais.

— Era meu meio-irmão. — Engoli em seco, acrescentando: — Meu meio-irmão ilegítimo. — Girei a xícara de chá. Brinquei com a asa.

— Eu não quis ser indiscreto.

— Não foi — comentei.

— O que você vai fazer com ele?

— Levá-lo para Peshawar. Tem gente lá que vai cuidar dele.

Wahid me devolveu a foto e pôs a mão pesada no meu ombro.

— Você é um homem honrado, Amir *agha*. Um verdadeiro afegão. — Eu me arrepiei por dentro. — Tenho orgulho de receber você em minha casa esta noite — continuou Wahid. Agradeci e arrisquei uma olhada para Farid. Estava de cabeça baixa, mexendo na barra franjada da esteira de palha.

Pouco depois, Maryan e sua mãe trouxeram duas fumegantes terrinas de *shorwa* de vegetais e duas bisnagas de pão.

— Desculpe não poder oferecer carne — disse Wahid. — Só os talibãs conseguem comprar carne hoje em dia.

— A refeição está maravilhosa — eu disse. E estava mesmo. Ofereci a ele e aos garotos, mas Wahid disse que a família já tinha comido antes da minha chegada. Eu e Farid arregaçamos as mangas, molhamos o pão na *shorwa* e comemos com as mãos.

Enquanto comia, percebi que os filhos de Wahid, os três muito magros, com a cara suja de lama seca e cabelos curtos embaixo do barrete, lançavam olhares furtivos para o meu relógio de pulso digital. O mais novo cochichou alguma coisa no ouvido do irmão. O irmão aquiesceu, sem tirar os olhos do meu relógio. O mais velho dos garotos — calculei sua idade em mais ou menos doze anos — balançava para a frente e para trás, o olhar grudado no meu pulso. Depois do jantar e depois de lavar as mãos com a água que Maryan despejou numa bacia de barro, pedi permissão a Wahid para dar a seus filhos um *hadia*, um presente. Ele disse que não, mas concordou com relutância quando insisti. Tirei o relógio do pulso e o dei ao mais novo dos três garotos. Ele murmurou um envergonhado "*tashakor*".

— Você pode saber que horas são em qualquer cidade do mundo — expliquei-lhe. Os garotos anuíram educadamente, passando o relógio entre eles, revezando-se para colocá-lo no pulso. Mas logo perderam o interesse, e o relógio foi abandonado na esteira de palha.

— Você poderia ter me contado — disse Farid mais tarde. Estávamos deitados um ao lado do outro nos colchões de palha que a esposa de Wahid tinha arrumado para nós.

— Contado o quê?

— A razão de ter vindo ao Afeganistão. — A voz tinha perdido a rispidez que eu vinha sentindo desde que nos conhecemos.

— Você não perguntou — retruquei.

— Você deveria ter me contado.

— Você não perguntou.

Virou na cama para ficar de frente para mim. Dobrou o braço sob a cabeça.

— Talvez eu ajude você a encontrar esse garoto.

— Obrigado, Farid — respondi.

— Foi errado de minha parte fazer suposições.

Deu um suspiro.

— Não se preocupe. Você estava mais certo do que imagina.

* * *

As mãos dele estão amarradas atrás das costas, a corda apertada cortando a pele nos pulsos. Está vendado com um pano preto. Ajoelhado na rua, na beira de um bueiro cheio de água, a cabeça caída entre os ombros. Os joelhos raspam o chão duro e sangram pela calça enquanto ele se balança numa prece. É fim de tarde, e a sombra alongada oscila para a frente e para trás no cascalho. Murmura alguma coisa em voz baixa. *Por você, faria mil vezes.* Para a frente e para trás, ele balança. Ergue o rosto. Vejo uma cicatriz apagada em seu lábio superior.

Não estamos sozinhos.

Vejo primeiro o cano. Há um homem em pé atrás dele. É alto, usa um colete quadriculado e um turbante preto. Olha para o homem vendado abaixo dele com olhos que não revelam nada, a não ser um vasto e cavernoso vazio. Dá um passo atrás e levanta o cano. Encosta-o na nuca do homem ajoelhado. Por um instante, a luz desmaiada do sol reluz no metal.

O fuzil ruge um estrondo ensurdecedor.

Sigo com os olhos o cano da arma, da ponta até a culatra. Vejo o rosto do homem atrás da nuvem de fumaça saindo do bocal. Eu sou o homem de colete quadriculado.

Acordo com um grito preso na garganta.

Saí da casa. Fiquei sob a mancha prateada da meia-lua e olhei para um céu cheio de estrelas. Grilos cantavam na escuridão, e um vento bafejava pelas árvores. O chão era frio sob meus pés e de repente, pela primeira vez desde que atravessamos a fronteira, senti que estava de volta. Depois de todos esses anos, eu estava em casa outra vez, pisando no solo dos meus antepassados. O solo em que meu bisavô se casara com sua terceira esposa um ano antes de morrer, numa epidemia de cólera que atingiu Cabul em 1915. Ela lhe dera afinal o que suas duas primeiras mulheres não tinham conseguido — um filho. Foi nesse solo que meu avô saiu numa caçada com o rei Nadir Shah e matou um veado. Minha mãe tinha morrido nesse solo. E, nesse solo, eu lutei pelo amor do meu pai.

Recostei-me em uma das paredes de barro da casa. A afinidade que subitamente sentia pela minha terra... me surpreendeu. Eu tinha partido havia muito tempo, o suficiente para esquecer e ser esquecido. Tinha família numa terra que poderia muito bem estar em outra galáxia para as pessoas que dormiam do outro lado da parede em que me apoiava. Achei que tivesse esquecido essa terra. Mas não tinha. E, sob o brilho opaco de uma meia-lua, senti o Afeganistão murmurar sob meus pés. Talvez o Afeganistão também não tivesse me esquecido.

Olhei para o oeste e fiquei maravilhado ao pensar que, em algum lugar além daquelas montanhas, Cabul ainda existia. Realmente existia, não só como uma antiga lembrança, ou como título de uma reportagem da Associated Press na página 15 do *San Francisco Chronicle*. Em algum lugar do outro lado daquelas montanhas dormia a cidade onde meu irmão de lábio leporino e eu caçávamos pipas. Em algum lugar dali, o homem vendado do meu sonho tivera uma morte desnecessária. Há algum tempo, além daquelas montanhas, eu havia feito uma escolha. E agora, um quarto de século depois, aquela escolha tinha me trazido de volta a este solo.

Eu estava prestes a voltar, quando ouvi vozes saindo da casa. Reconheci uma delas como a de Wahid.

— ... não sobrou nada para as crianças.

— Nós estamos com fome, mas não somos selvagens! Ele é um hóspede! O que eu deveria fazer? — perguntava numa voz tensa.

— ... encontrar alguma coisa amanhã. — Ela parecia a ponto de chorar.

— O que eu vou dar de comer...

Saí de lá na ponta dos pés. Entendia agora por que os garotos não mostraram interesse pelo relógio. Eles não estavam olhando para o relógio. Estavam olhando para a minha comida.

Despedimo-nos logo cedo. Pouco antes de subir no Land Cruiser, agradeci Wahid pela hospitalidade. Ele apontou para a casinha atrás.

— Essa é a sua casa — disse. Os três filhos estavam na porta, olhando para nós. O menor usava o relógio, frouxo ao redor do pulso esquelético.

Olhei para o retrovisor lateral enquanto nos afastávamos. Wahid estava rodeado pelos filhos na nuvem de poeira levantada pelo jipe. Passou pela minha cabeça que, num mundo diferente, aqueles garotos não estariam com fome demais para correr atrás do carro.

Mais cedo naquela manhã, quando verifiquei que não havia ninguém observando, fiz o que tinha feito vinte e seis anos atrás: coloquei um maço de cédulas amassadas debaixo de um colchão.

Vinte

BEM QUE FARID ME AVISOU. Avisou mesmo. Mas, no final das contas, acabou desperdiçando suas palavras.

Estávamos percorrendo a estrada esburacada e sinuosa que liga Jalalabad a Cabul. A última vez que tinha viajado por aquela estrada fora no sentido contrário, num caminhão coberto de lona. *Baba* quase fora morto por um soldado *roussi* drogado que cantava — *baba* me deixara tão furioso naquela noite, tão assustado e, no final, tão orgulhoso. A pista entre Cabul e Jalalabad, uma sacolejante viagem por um caminho de altos e baixos serpenteando entre as rochas, agora era uma relíquia, uma relíquia de duas guerras. Vinte anos antes, eu vira parte da primeira guerra com meus próprios olhos. Remanescentes sombrios se enfileiravam na beira da estrada: carcaças queimadas de antigos tanques soviéticos, caminhões militares capotados enferrujando, um jipe russo esmagado que tinha rolado pela encosta da montanha. A segunda guerra eu tinha assistido na tela da minha TV. E agora eu a via através dos olhos de Farid.

Desviando sem esforço dos buracos no meio da estrada semidestruída, Farid parecia à vontade. Estava muito mais falador desde nosso pernoite na casa de Wahid. Fizera questão que eu sentasse no banco do passageiro e olhava para mim enquanto falava. Chegou até a sorrir uma ou duas vezes. Manobrando o volante com a mão mutilada, apontava para casas de barro de aldeias ao longo do caminho onde conhecera pessoas anos antes. A maioria das pessoas, explicou, tinha morrido ou se refugiado em campos no Paquistão.

— E às vezes os mortos são os mais felizes — observei. Apontou para os escombros calcinados de um pequeno vilarejo. Era apenas um tufo de paredes enegrecidas sem teto. Vi um cachorro dormindo perto de uma das paredes. — Eu tinha um amigo aí — disse Farid. — Era um ótimo mecânico de bicicletas. Tocava tabla muito bem também. O Talibã matou ele e a família e, por fim, queimou a aldeia.

Passamos pelo vilarejo queimado, e o cachorro não se moveu.

ANTIGAMENTE, A VIAGEM entre Jalalabad e Cabul levava duas horas, talvez um pouco mais. Farid eu demoramos mais de quatro horas para chegar a Cabul. E, quando chegamos... Farid me alertara pouco depois de passarmos pela represa de Mahipar.

— Cabul não está mais do jeito que você se lembra.

— Foi o que ouvi dizer.

Farid me deu uma olhada que significava que "ouvir dizer" não era a mesma coisa que "ver". E ele estava certo. Porque quando Cabul afinal se descortinou à nossa frente, eu tive certeza, certeza absoluta, de que ele tinha errado o caminho em algum lugar. Farid deve ter notado minha expressão estupefata; de tanto levar e trazer pessoas para Cabul, ele já conhecia aquela expressão no rosto dos que não viam a cidade havia muito tempo.

Bateu no meu ombro.

— Seja bem-vindo de volta — disse lentamente.

RUÍNAS E MENDIGOS. Para onde eu olhasse, era só o que eu via. Nos velhos tempos eu também via mendigos — *baba* sempre levava um punhado de dinheiro afegão no bolso só para eles; eu nunca o vi negar um pedido de esmola. Mas, agora, eles se amontoavam em cada esquina, cobertos de andrajos de sacos de estopa, mãos encardidas de terra estendidas pedindo uma moeda. E agora os mendigos eram na maioria crianças, magras e de rosto esquálido, algumas com não mais que cinco ou seis anos. Sentavam no colo de mães cobertas por *burqas* nas sarjetas de esquinas movimentadas, cantando "*Bakh-*

shesh, bakhshesh!". E algo mais, algo que não percebi de imediato: quase nenhuma estava acompanhada de um homem adulto — a guerra tinha tornado os pais um artigo raro no Afeganistão.

Seguíamos no sentido oeste, em direção ao bairro de Karteh-Seh, no que me lembrava ser uma das principais artérias nos anos 1970: a Jadeh Maywand. Logo ao norte ficava o ressecado rio Cabul. Nas colinas ao sul, via-se a velha muralha da cidade em ruínas. A leste ficava o forte Bala Hissar — a antiga cidadela que o senhor da guerra Dostum ocupara em 1992 —, na cadeia de montanhas Shirdarwaza, as mesmas montanhas das quais as tropas dos *mujahidins* tinham bombardeado Cabul com foguetes entre 1992 e 1996, provocando a maior parte da destruição que eu agora testemunhava. A cordilheira de Shirdarwaza se estendia ao longe para o oeste. Era dessas montanhas que vinham os disparos do *topeh chasht* de que eu me lembrava, o "canhão do meio-dia". Disparava diariamente para anunciar o meio-dia e também para sinalizar o fim do jejum diurno durante o mês do Ramadã. Naqueles dias, a gente ouvia o trovejar daquele canhão em toda a cidade.

— Eu costumava vir aqui para a Jadeh Maywand quando era criança — murmurei. — Havia lojas e hotéis. Luzes de néon e restaurantes. Eu comprava pipas de um velho chamado Saifo, que tinha uma lojinha perto do velho quartel da polícia.

— O quartel da polícia ainda está lá — disse Farid. — O que não falta nessa cidade é polícia. Mas você não encontra mais pipas nem lojas de pipas na Jadeh Maywand nem em nenhum outro lugar de Cabul. Esses tempos não existem mais.

A Jadeh Maywand havia se transformado num gigantesco castelo de areia. Os prédios que não tinham desabado completamente mal se sustentavam em pé, com telhados afundados e paredes perfuradas por disparos de foguetes. Quarteirões inteiros tinham virado escombros. Vi um cartaz perfurado de balas quase enterrado, caído em ângulo numa pilha de entulho. Dizia BEBA COCA-CO. Vi crianças brincando nas ruínas de edifícios sem janelas em meio a pilhas de tijolos e pedras quebradas. Ciclistas e carroças puxadas por mulas desviavam das crianças, de cães abandonados e de pilhas de escombros. Uma névoa de poeira pairava sobre a cidade, e, do outro lado do rio, uma solitária coluna de fumaça subia até o céu.

— Onde estão as árvores? — perguntei.

— As pessoas cortaram para ter lenha no inverno — respondeu Farid. — Os *shorawi* também abateram muitas delas.

— Por quê?

— Os franco-atiradores se escondiam nas árvores.

Fui acometido por uma tristeza. Voltar a Cabul era como voltar a encontrar um velho e esquecido amigo e perceber que a vida não tinha sido boa com ele, que tinha virado um pobre sem-teto.

— Meu pai construiu um orfanato em Shar-e-Kohna, a cidade velha ao sul daqui — contei.

— Eu me lembro desse orfanato — observou Farid. — Foi destruído há alguns anos.

— Você pode estacionar? — perguntei. — Gostaria de andar um pouco por aqui.

Farid parou perto da calçada, numa ruela secundária perto de um edifício abandonado, sem portas.

— Aqui era uma farmácia — disse Farid em voz baixa quando saí do jipe.

Caminhamos de volta pela Jadeh Maywand e viramos à direita, rumo a oeste.

— Que cheiro é esse? — perguntei. Alguma coisa fazia meus olhos lacrimejar.

— Diesel — respondeu Farid. — Os geradores da cidade estão sempre quebrando e não se pode confiar na eletricidade, por isso as pessoas usam óleo diesel.

— Diesel. Lembra qual era o cheiro dessa rua naquele tempo?

Farid sorriu e respondeu:

— *Kabob*.

— *Kabob* de cordeiro — completei.

— Cordeiro — disse Farid, saboreando a palavra na boca. — As únicas pessoas que ainda comem cordeiro em Cabul são os talibãs. — Ele me puxou pela manga. — E por falar neles... — Um veículo se aproximava de nós. — "Patrulha barbada" — sussurrou Farid.

Era a primeira vez que eu via os talibãs. Já os tinha visto na TV e na internet, em capas de revistas e em jornais. Mas agora eu estava aqui, a menos de quinze metros deles, dizendo a mim mesmo que o súbito gosto que sentia na boca não era de um medo puro e límpido. Dizendo a mim mesmo que meus músculos não tinham subitamente encolhido nos meus ossos, que meu coração não estava disparado. Lá vinham eles. Em toda a sua glória.

A picape Toyota vermelha passou ao largo. Homens jovens de rosto severo se amontoavam na carroceria, Kalashnikov pendurado nos ombros. Todos usavam barba e turbante preto. Um deles, um homem de pele escura com pouco mais de vinte anos, sobrancelhas espessas e emaranhadas, brandia um chicote na mão e açoitava ritmadamente a lateral da picape. Seus olhos vagantes pousaram em mim. E assim se mantiveram. Nunca me senti tão nu em toda a minha vida. Pouco depois, o talibã deu uma cuspida tinta de tabaco e olhou para o outro lado. Descobri que conseguia respirar de novo. A picape continuou pela Jadeh Maywand, deixando um rastro de poeira.

— Qual é o seu problema? — disparou Farid.

— O quê?

— Nunca os encare! Você me entendeu? Nunca!

— Foi sem querer — expliquei.

— Seu amigo tem toda a razão, *agha*. É a mesma coisa que cutucar um cão raivoso com vara curta — disse alguém ao lado. A nova voz pertencia a um velho mendigo descalço, sentado nos degraus de um edifício crivado de balas. Usava um *chapan* surrado em farrapos e um turbante encardido. A pálpebra esquerda recobria um buraco vazio. Com uma mão artrítica, ele apontou para a direção em que a picape vermelha tinha seguido. — Eles dirigem por aí olhando. Olhando e esperando que alguém os provoque. Cedo ou tarde, alguém sempre faz isso. Então os mastins se saciam, o tédio do dia é rompido, e todos dizem: *Allah-u-akbar!* E, nos dias em que ninguém os ofende, bem, existe sempre alguma violência gratuita, não é?

— Mantenha os olhos em seus pés quando os talibãs estiverem por perto — disse Farid.

— O seu amigo dá bons conselhos — interveio o velho mendigo. Deu uma tossida e cuspiu num lenço sujo. — Desculpe, mas pode me dar alguns afeganes? — arquejou.

— *Bas*. Vamos embora — disse Farid, puxando-me pelo braço.

Dei ao velho cem mil afeganes, o equivalente a mais ou menos três dólares. Quando ele se aproximou para pegar o dinheiro, seu fedor — de leite azedo e pés que não eram lavados havia semanas — inundou minhas narinas e me causou ânsia de vômito. Enfiou o dinheiro no bolso rapidamente, o único olho dardejando de um lado para o outro.

— Um mundo de agradecimentos pela sua benevolência, *agha sahib*.

— Você sabe onde fica o orfanato de Karteh-Seh? — perguntei.

— Não é difícil de achar; fica logo depois do bulevar Darulaman — respondeu ele. — As crianças foram transferidas daqui para Karteh-Seh quando os foguetes atingiram o velho orfanato. Que é como tirar alguém da jaula do leão e jogar na do tigre.

— Obrigado, *agha* — disse, virando para ir embora.

— Foi a primeira vez, não foi?

— Como?

— A primeira vez que você viu um talibã.

Não respondi nada. O velho mendigo anuiu com um sorriso, mostrando poucos dentes restantes, todos tortos e amarelados.

— Eu me lembro da primeira vez que vi os talibãs entrando em Cabul. Que dia feliz, aquele! — disse. — Era o fim da matança! *Wah wah!* Mas, como diz o poeta: "Como o amor parece perfeito antes de surgirem os problemas!".

Um sorriso brotou no meu rosto e falei:.

— Eu conheço esse *ghazal*. É Hafez.

— Isso mesmo. Realmente — replicou o velho. — Eu preciso saber essas coisas. Eu lecionava na universidade.

— É mesmo?

O velho tossiu e disse:

— De 1958 a 1996. Dava aulas sobre Hafez, Khayyam, Rumi, Beydel, Jami, Saadi. Uma vez cheguei a ser convidado para uma palestra em Teerã, em 1971. A palestra foi sobre a mística em Beydel. Lembro como todos aplaudiram de pé. Ah! — Meneou a cabeça. — Mas você viu aqueles jovens na picape. Qual o valor que acha que eles veem no sufismo?

— Minha mãe lecionou na universidade — mencionei.

— E qual era o nome dela?
— Sofia Akrami.
Os olhos dele conseguiram brilhar através do véu de catarata.
— "A erva do deserto continua viva, mas as flores da primavera florescem e secam." Quanta graça, quanta dignidade, que tragédia.
— O senhor conheceu minha mãe? — perguntei, agachando-me em frente ao velho.
— Conheci, sim — confirmou o velho mendigo. — Costumávamos conversar depois das aulas. A última vez foi num dia chuvoso, pouco antes dos exames finais, quando comemos um maravilhoso bolo de amêndoas juntos. Bolo de amêndoas com mel e chá. Estava obviamente grávida na ocasião, e por isso ainda mais bonita. Nunca vou me esquecer do que ela me disse naquele dia.
— O que foi? Por favor, me conte. — *Baba* sempre descrevia minha mãe de maneira vaga, como "Era uma grande mulher". Mas sempre senti falta dos detalhes: o jeito como o cabelo brilhava ao sol, o sabor predileto de sorvete, a música que gostava de cantarolar; será que ela roía as unhas? *Baba* levou suas lembranças para o túmulo junto com ele. Talvez falar o nome dela o relembrasse de sua culpa, do que tinha feito logo depois da morte dela. Ou talvez a perda tivesse sido tão grande, a dor tão profunda, que não aguentasse falar sobre ela. Talvez as duas coisas.
— Ela disse: "Estou com tanto medo". E eu perguntei "Por quê?", e ela respondeu: "Porque estou imensamente feliz, dr. Rasul. Felicidade como essa é assustadora". Perguntei por quê, e ela respondeu: "Eles só deixam a gente ser feliz assim se estiverem prestes a tirar alguma coisa de nós". E eu disse: "Quieta, já. Não diga bobagens".
Farid me pegou pelo braço.
— Nós precisamos ir, Amir *agha* — recomendou em voz baixa.
Puxei o braço da mão dele.
— O que mais? O que mais ela disse?
A expressão do velho suavizou-se, e ele falou:
— Gostaria de lembrar mais para você. Mas não me lembro. Sua mãe faleceu há muito tempo, e minha memória está tão destroçada quanto esses prédios. Sinto muito.

— Mas nem uma coisinha, qualquer coisinha?

O velho sorriu.

— Vou tentar lembrar, prometo. Volte a me procurar.

— Obrigado — falei. — Muito obrigado.

E eu estava mesmo muito agradecido. Agora sabia que minha mãe gostava de bolo de amêndoas com mel e chá, que já tinha usado a palavra "imensamente" e que hesitara diante da felicidade. Eu havia acabado de aprender mais sobre minha mãe daquele velho na rua do que a vida toda com *baba*.

Enquanto voltávamos para o jipe, nenhum de nós comentou sobre o que a maioria dos não afegãos teria considerado uma improvável coincidência — que um mendigo de rua por acaso tivesse conhecido minha mãe. Porque nós dois sabíamos que no Afeganistão, especialmente em Cabul, um absurdo como esse é um lugar-comum. *Baba* costumava dizer: "Pegue dois afegãos que não se conhecem, ponha-os numa sala por dez minutos, e eles vão descobrir alguma relação".

Deixamos o velho na escada daquele prédio. Pretendia aceitar a oferta dele, voltar e ver se tinha desencavado mais alguma história sobre a minha mãe. Mas nunca mais o vi.

Encontramos o novo orfanato na parte norte de Karteh-Seh, às margens do leito seco do rio Cabul. Era um edifício baixo como uma barraca, com paredes rachadas e janelas cobertas com tábuas. Farid tinha me contado no caminho que Karteh-Seh fora um dos bairros mais devastados pela guerra em Cabul. Quando descemos do jipe, as evidências eram avassaladoras. As ruas esburacadas eram flanqueadas por pouco mais que ruínas de prédios bombardeados e casas abandonadas. Passamos pelo esqueleto enferrujado de um automóvel capotado, um aparelho de TV sem tela semienterrado no entulho, uma parede com as palavras Zenda bad Taliban! (Viva o Talibã) pichadas em preto.

Um homem baixo, magro, de cabelos rareando e uma barba grisalha emaranhada abriu a porta. Usava um paletó de tweed puído, um barrete e óculos com uma das lentes trincada na ponta do nariz. Atrás dos óculos, olhos miúdos como ervilhas negras saltaram de mim para Farid.

— *Salaam alaykum* — cumprimentou.

— *Salaam alaykum* — respondi. Mostrei-lhe a foto polaroide. — Estamos procurando esse garoto.

Ele deu uma olhada rápida na fotografia.

— Sinto muito. Nunca vi esse garoto.

— Você quase nem olhou a foto, meu amigo — disse Farid. — Por que não olha mais de perto?

— *Lotfan* — acrescentei. Por favor.

O homem atrás da porta examinou a fotografia. Ficou observando. Devolveu-a para mim.

— Não, sinto muito. Conheço quase todas as crianças desta instituição, e essa não me é conhecida. Agora, se me permitem, tenho trabalho a fazer. — Fechou a porta. Trancou a fechadura.

Bati na porta com os nós dos dedos.

— *Agha! Agha*, por favor, abra a porta. Não há por que ter medo de nós.

— Eu já falei. Ele não está aqui. — A voz veio do outro lado. — Agora, por favor, vão embora.

Farid aproximou-se da porta, apoiou a testa na madeira.

— Amigo, nós não somos do Talibã — disse, numa voz baixa e cautelosa. — O homem que está comigo quer levar esse garoto a um lugar seguro.

— Estou vindo de Peshawar — expliquei. — Um bom amigo meu conhece um casal americano que dirige um abrigo para crianças lá. — Sentia a presença do homem no outro lado da porta. Senti que estava lá, ouvindo, hesitando, dividido entre suspeita e esperança. — Olha, eu conheci o pai de Sohrab — acrescentei. — O nome dele era Hassan. O nome da mãe era Farzana. Ele chamava a avó de *sasa*. Sabe ler e escrever. E é bom no estilingue. Existe uma esperança para esse garoto, *agha*, uma saída. Por favor, abra a porta. — Do outro lado, apenas o silêncio. — Eu sou tio dele — continuei.

Passou-se um momento. Uma chave girou na fechadura. O rosto fino do homem reapareceu na abertura. Olhou de mim para Farid e de volta para mim.

— Você estava errado numa coisa.

— Em quê?

— Ele é *ótimo* no estilingue. — Abri um sorriso, e ele continuou: — Ele não se separa daquela coisa. Leva sempre na cintura da calça, aonde quer que vá.

O HOMEM NOS DEIXOU ENTRAR e se apresentou como Zaman, o diretor do orfanato.

— Vamos até o meu escritório — disse.

Seguimos Zaman por corredores escuros e encardidos, onde andavam crianças descalças vestindo suéteres surrados. Passamos por quartos sem piso, forrados de esteiras de palha e janelas fechadas com placas de matéria plástica. Esqueléticas estruturas de camas de ferro, a maioria sem colchões, enchiam os aposentos.

— Quantos órfãos moram aqui? — perguntou Farid.

— Mais do que poderíamos alojar. Uns duzentos e cinquenta — respondeu Zaman por cima do ombro. — Mas nem todos são *yateem*. Muitos perderam os pais na guerra e as mães não conseguem alimentá-los, porque o Talibã não permite que trabalhem. Por isso elas trazem os filhos para cá. — Fez um gesto abrangente e acrescentou, com tristeza: — O lugar é melhor do que a rua, mas não tão melhor assim. Esse prédio não foi construído para se morar; era o depósito de um fabricante de tapetes. Por isso não temos água quente, e eles deixaram o poço secar. — Baixou o tom de voz: — Já pedi dinheiro ao Talibã para cavar outro poço mais vezes do que consigo lembrar, mas eles só torcem seus rosários e dizem que não têm dinheiro. Não têm dinheiro... — Deu uma risadinha. Apontou para uma fileira de camas perto da parede e disse: — Não temos camas suficientes, nem colchões para todas as camas. Pior, não temos cobertores suficientes. — Mostrou uma garotinha pulando corda com outros garotos. — Está vendo aquela garota? No inverno passado as crianças tiveram que dividir os cobertores. O irmão dela morreu de frio. — Continuou andando. — A última vez que verifiquei, tínhamos reserva de arroz para menos de um mês na despensa. Quando isso acabar, as crianças vão ter que comer pão e tomar chá no desjejum *e* no jantar. — Notei que ele não fez menção a um almoço. Deu uma parada e virou-se para mim: — O abrigo aqui é precário, quase não há comida, nem roupas nem água potável. O que tenho, e muito, são crianças que perderam a infância. Mas a tragédia é que essas tiveram sorte. Estamos totalmente lotados, e todos os dias aparecem mães trazendo os filhos. — Deu um passo em minha direção. — Você diz que existe esperança para Sohrab? Rezo para que não esteja mentindo, *agha*. Mas... talvez você tenha chegado tarde demais.

— Como assim?

Zaman desviou o olhar e disse:

— Venha comigo.

O QUE SERVIA COMO escritório do diretor eram quatro paredes nuas rachadas, um colchão no chão, uma mesa e duas cadeiras de dobrar. Quando Zaman e eu nos sentamos, vi um rato cinzento pôr a cabeça para fora de um buraco na parede e atravessar a sala correndo. Fiquei encolhido quando ele farejou meus sapatos, depois os de Zaman, antes de fugir pela porta aberta.

— O que você quis dizer com "tarde demais"? — indaguei.

— Quer tomar um *chai*? Eu posso preparar um pouco.

— Não, obrigado. Preferia que falasse comigo.

Zaman recostou-se na cadeira e cruzou os braços no peito.

— O que tenho a dizer não é agradável. Sem mencionar que pode ser muito perigoso.

— Para quem?

— Para você. Para mim. E, claro, para Sohrab, se já não for tarde demais.

— Eu preciso saber! — insisti.

Ele aquiesceu.

— É o que você diz. Mas primeiro quero fazer uma pergunta: você quer mesmo encontrar o seu sobrinho?

Pensei nas brigas de rua em que nos envolvíamos quando éramos garotos, todas as vezes em que Hassan lutava por mim, dois contra um, às vezes três contra um. Eu ficava olhando e fazendo careta, tentado a participar, mas sempre de fora, sempre impedido por alguma coisa.

Olhei para o corredor, vi um grupo de crianças dançando num círculo. Uma garotinha, com a perna amputada abaixo do joelho, estava sentada num colchão andrajoso, sorrindo e batendo palmas com as outras crianças. Vi Farid observando as crianças também, a própria mão mutilada pendendo ao lado do corpo. Lembrei dos filhos de Wahid e... percebi uma coisa: eu não ia sair do Afeganistão sem encontrar Sohrab.

— Diga onde ele está — pedi.

Zaman me olhou com firmeza. Depois anuiu, pegou um lápis, ficou girando entre os dedos.

— Você vai manter meu nome fora disso.

— Prometo.

Tamborilou com o lápis sobre a mesa.

— Apesar da sua promessa, acho que vou lamentar o que estou fazendo, mas talvez seja melhor assim. Eu já estou perdido mesmo. Mas se alguma coisa ainda puder ser feita por Sohrab... vou falar porque acredito em você. Você tem o olhar de um homem desesperado. — Ficou em silêncio por um bom tempo. — Existe um funcionário do Talibã — murmurou. — Ele faz visitas a cada um ou dois meses. Traz dinheiro, não muito, mas é melhor do que nada. — Seus olhos inquietos pararam em mim, afastaram-se. — Em geral ele leva uma menina. Mas nem sempre.

— E você permite isso? — perguntou Farid atrás de mim, começando a contornar a mesa para se aproximar de Zaman.

— Que escolha eu tenho? — gritou Zaman, afastando-se da mesa.

— Você é o diretor deste lugar — disse Farid. — Seu trabalho é cuidar das crianças.

— Não há nada que eu possa fazer para impedir.

— Você está vendendo crianças! — berrou Farid.

— Farid, sente-se! Deixa pra lá! — Mas era tarde demais. De repente Farid estava pulando a mesa. A cadeira de Zaman voou quando Farid caiu sobre ele e o prendeu no chão. O diretor se debatia embaixo de Farid e soltava gritos abafados. As pernas chutaram uma gaveta, que caiu espalhando papéis pelo chão.

Contornei a mesa e vi por que os gritos de Zaman eram abafados: Farid estava estrangulando o homem. Agarrei Farid pelos ombros com as duas mãos e dei-lhe um puxão forte. Ele se desvencilhou de mim.

— Pare com isso! — gritei.

Mas o rosto de Farid estava vermelho, os lábios retorcidos num esgar.

— Eu vou matar este sujeito! Você não pode me impedir! Eu vou matar este sujeito! — rosnou.

— Sai de cima dele!

— Eu vou matar ele! — Alguma coisa na sua voz me disse que se não fizesse algo depressa eu iria presenciar meu primeiro assassinato.

— As crianças estão vendo, Farid. Estão vendo tudo — falei.

Os músculos do ombro dele se enrijeceram na minha mão, e por um instante achei que ele continuou apertando o pescoço de Zaman. Depois se virou, viu as crianças. Estavam observando em silêncio perto da porta, de mãos dadas, algumas chorando. Senti os músculos de Farid se distendendo. Abriu as mãos, levantou-se. Olhou para Zaman e deu uma cuspida no rosto dele. Depois foi fechar a porta.

Zaman levantou-se com dificuldade, enxugou os lábios sangrando com a manga, limpou o cuspe da face. Tossindo e arquejando, pôs de volta o barrete, os óculos, viu que as duas lentes estavam trincadas e tirou os óculos. Enterrou o rosto entre as mãos. Nenhum de nós disse nada por um longo tempo.

— Ele levou Sohrab há um mês — disse Zaman afinal, com a voz chorosa, mantendo a cabeça entre as mãos.

— E você se considera um diretor? — perguntou Farid.

Zaman baixou as mãos.

— Eu não recebo nada há seis meses. Estou falido porque gastei todas as minhas economias neste orfanato. Tudo o que já tive ou herdei foi vendido pra manter este lugar desgraçado. Você acha que não tenho parentes no Paquistão ou no Irã? Eu poderia ter fugido como todo mundo. Mas não fugi. Fiquei. Fiquei por causa *delas*. — Apontou para a porta. — Se eu negar uma criança, ele leva dez. Por isso deixo que leve uma e entrego o julgamento a Alá. Engulo meu orgulho e pego o dinheiro sujo dele... o dinheiro imundo. Depois saio para ir ao bazar comprar comida para as crianças.

Farid baixou os olhos.

— O que acontece com as crianças que ele leva? — perguntei.

— Vá até o estádio Ghazi amanhã. Você vai ver o sujeito no intervalo. Estará de óculos escuros pretos. — Pegou os óculos trincados e passou a revirá-los nas mãos. — Agora gostaria que vocês fossem embora. As crianças estão assustadas.

Zaman nos acompanhou até a saída.

Quando o jipe se afastava, pelo retrovisor lateral vi Zaman em pé na soleira da porta. Um grupo de crianças o rodeou, agarrando a barra suja de sua camisa larga. Ele estava usando os óculos trincados.

Vinte e um

Atravessamos o rio e seguimos para o norte pela movimentada praça Pashtunistan. *Baba* costumava me levar ao restaurante Khyber, ali localizado, para comer *kabob*. O prédio ainda continuava em pé, mas as portas estavam pregadas, as janelas quebradas, e faltavam as letras K e R no nome.

Vi um cadáver perto do restaurante. Tinha sido enforcado. Um jovem pendia da ponta de uma corda amarrada a uma viga, o rosto azul e inchado, as roupas que usava no último dia de sua vida, rasgadas e ensanguentadas. Quase ninguém o notava.

Passamos em silêncio pela praça e tomamos a direção do bairro de Wazir Akbar Khan. Para onde eu olhasse, uma névoa de poeira cobria a cidade e os prédios de tijolos ressecados pelo sol. Alguns quarteirões adiante da praça Pashtunistan, Farid apontou para dois homens conversando animados numa movimentada esquina da rua. Um deles se equilibrava numa perna só, a outra fora amputada na altura do joelho. Segurava uma perna mecânica nos braços.

— Sabe o que eles estão fazendo? Regateando a perna.

— Ele está vendendo a própria perna?

Farid fez que sim com a cabeça.

— Rende um bom dinheiro no mercado negro. Dá pra alimentar os filhos por algumas semanas.

* * *

Para minha surpresa, a maior parte das casas de Wazir Akbar Khan ainda tinha telhados e paredes de pé. Aliás, estavam em bom estado. Ainda se viam árvores por trás dos muros, e as ruas não estavam cheias de entulho como as de Karteh-Seh. Placas de trânsito meio apagadas, algumas tortas e perfuradas de balas, ainda indicavam as direções.

— Aqui não está tão ruim — observei.

— Não é surpresa nenhuma. A maioria das pessoas importantes mora aqui agora.

— Os talibãs?

— Eles, também — confirmou Farid.

— Quem mais?

Ele entrou numa avenida larga, com calçadas razoavelmente limpas e casas muradas dos dois lados.

— As pessoas por trás do Talibã. As verdadeiras cabeças desse governo, se é que podemos chamar assim: árabes, tchetchenos, paquistaneses — explicou Farid. Apontou para o noroeste. — A rua 15, daquele lado, é chamada de Sarak-e-Mehmana. — Rua dos Convidados. — É como eles são chamados aqui, convidados. Acho que um dia esses convidados ainda vão mijar em todos os tapetes.

— Acho que é aquela! — falei. — Aquela ali! — Apontei para um marco que me servia de orientação quando eu era garoto. *Se você se perder*, dizia *baba, lembre-se de que a nossa rua é a da casa cor-de-rosa no final.* A casa cor-de-rosa com o telhado inclinado era a única do bairro com essa cor naquele tempo. Ainda era.

Farid entrou na rua. Logo vi a casa de *baba*.

Encontramos a tartaruguinha atrás de um emaranhado na roseira no quintal. Não sabemos como foi parar lá e ficamos animados demais para pensar a respeito. Pintamos o casco dela de vermelho brilhante, ideia de Hassan, e uma boa ideia: assim nós nunca vamos perdê-la no meio das plantas. Fingimos que somos uma dupla de corajosos exploradores que descobriram um gigantesco monstro pré-histórico numa floresta distante e o trouxeram para o mundo ver.

Colocamos a tartaruga num carrinho de madeira que Ali construiu para Hassan no último inverno como presente de aniversário, fazendo de conta que é uma enorme jaula de aço. Admirem o monstro que cospe fogo! Andamos pelo gramado puxando o carrinho, contornando macieiras e cerejeiras, que se transformam em arranha-céus tocando as nuvens, cabeças espiando de milhares de janelas para ver o espetáculo passando abaixo. Atravessamos a ponte em forma de meia-lua que baba construiu perto de um aglomerado de figueiras; torna-se uma grande ponte pênsil unindo duas cidades, e o laguinho abaixo, um mar espumante. Fogos de artifício espocam acima dos imensos pilares da ponte, e soldados armados nos saúdam dos dois lados dos gigantescos cabos de aço voltados para o céu. Arrastamos o carrinho pela entrada de tijolos circular na frente do portão de ferro batido, com a tartaruguinha balançando, e correspondemos às saudações dos líderes mundiais enquanto eles aplaudem em pé. Somos Hassan e Amir, famosos aventureiros e os maiores exploradores do mundo, prestes a receber uma medalha de honra por nossa corajosa proeza...

DEVAGAR, ANDEI pela entrada onde tufos de mato agora cresciam entre os tijolos desbotados. Parei em frente aos portões da casa do meu pai, sentindo-me um estranho com as mãos naquelas grades enferrujadas, lembrando quantas mil vezes passei por aqueles portões quando criança, coisas que agora não tinham a menor importância, mas que na época pareciam tão importantes. Espiei lá dentro.

O caminho do portão até o quintal, onde Hassan e eu nos revezávamos tomando tombos no verão em que aprendemos a andar de bicicleta, não parecia tão largo e longo quanto me lembrava. O asfalto tinha rachado num estampado que lembrava relâmpagos, e plantas emaranhadas brotavam das fissuras. A maior parte dos álamos fora derrubada — as árvores em que costumávamos subir para refletir nossos espelhos nas casas vizinhas. As que ainda continuavam em pé estavam quase sem folhas. O Muro do Milho Doente ainda estava lá, embora eu não visse milho nenhum, doente ou não, perto do muro. A pintura estava descascando, e partes dela estavam totalmente apagadas. O gramado tinha assumido a mesma tonalidade cinzenta do pó que pairava sobre a cidade, pontilhado de clareiras de terra onde nada crescia.

Havia um jipe estacionado na entrada, e isso pareceu errado: aquele lugar pertencia ao Mustang preto de *baba*. Durante anos, os oito cilindros do Mustang despertavam com um rugido todas as manhãs, arrancando-me do sono. Notei uma mancha de óleo embaixo do jipe que marcava o pavimento como uma prancha de Rorschach. Adiante do jipe, um carrinho de mão vazio estava caído de lado. Não vi sinal das roseiras que Ali havia plantado no lado esquerdo da entrada, somente terra se derramando sobre o asfalto. E mato.

Farid tocou a buzina atrás de mim.

— Precisamos ir, *agha*. Nós vamos chamar a atenção — avisou.

— Só mais um minuto — retruquei.

A casa estava longe de ser a ampla mansão branca de que me lembrava da infância. Parecia menor. O telhado estava cedendo, e o reboco mostrava rachaduras. As janelas da sala de visita, do vestíbulo e do banheiro de hóspedes do segundo andar estavam quebradas, remendadas ao acaso com placas de plástico transparente e tábuas de madeira pregadas nas molduras. A pintura, sempre tão branca e reluzente, havia esmaecido num tom cinza fantasmagórico e erodido em algumas partes, revelando os tijolos em camadas. Os degraus da frente estavam esfarelados. Assim como tantas outras coisas em Cabul, a casa do meu pai era a imagem de um esplendor em decadência.

Localizei a janela do meu antigo quarto, no segundo andar, terceira janela ao sul da principal entrada da casa. Fiquei na ponta dos pés e não vi nada além de vultos atrás da janela. Vinte e cinco anos antes, eu estava atrás daquelas mesmas janelas, a chuva grossa escorrendo pela vidraça e minha respiração embaçando o vidro. Tinha visto Hassan e Ali carregar seus pertences no porta-malas do carro do meu pai.

— Amir *agha* — chamou Farid de novo.

— Já vou — respondi.

Era loucura, mas eu queria entrar. Queria subir os degraus da frente, onde Ali fazia Hassan e eu tirar as botas de neve. Queria entrar no vestíbulo, sentir o aroma das cascas de laranja que Ali jogava na estufa para queimar com a serragem. Sentar à mesa da cozinha, tomar chá com uma fatia de *naan*, ouvir Hassan cantar antigas canções hazaras.

Mais uma buzinada. Caminhei até o Land Cruiser estacionado perto da calçada. Farid fumava, sentado ao volante.

— Eu preciso olhar mais uma coisa — falei.

— Pode fazer isso logo?

— Me dá dez minutos.

— Então vai. — Depois, quando eu já me virava para sair, ele disse: — É melhor esquecer tudo. Fica mais fácil.

— O que fica mais fácil?

— Seguir em frente — respondeu Farid, jogando o cigarro pela janela. — O que mais você precisa ver? Posso poupá-lo desse seu trabalho: nada do que você se lembra sobreviveu. É melhor esquecer.

— Eu não quero mais esquecer — falei. — Me dá dez minutos.

NÃO ERA ESFORÇO NENHUM para mim e Hassan subir a colina ao norte da casa de *baba*. Corríamos até o topo correndo um atrás do outro, ou sentávamos num beiral na encosta onde se tinha uma boa vista do aeroporto à distância. Ficávamos vendo os aviões decolar e aterrissar. Continuávamos correndo.

Agora, quando cheguei ao topo da colina escarpada, parecia estar inalando fogo a cada respiração. O suor escorria pelo meu rosto, e parei ofegante, sentindo uma pontada do lado. Depois saí em busca do velho cemitério. Não demorou muito para encontrá-lo. Ainda estava lá, assim como a velha romãzeira.

Encostei na entrada de pedra cinzenta do cemitério onde Hassan enterrara a mãe. O velho portão meio despencado não estava mais lá, e quase não se viam as lápides por causa dos arbustos que haviam tomado conta do lugar. Dois corvos estavam pousados na mureta que cercava o cemitério.

Hassan dissera na carta que a romãzeira não dava frutos havia anos. Observando a árvore ressecada e sem folhas, duvidei que um dia ainda pudesse dar frutos. Fiquei embaixo da árvore, lembrei de todas as vezes que subimos nela, montamos nos galhos, as pernas penduradas, salpicos da luz do sol piscando através das folhas e projetando um mosaico de luz e sombra em nosso rosto. O sabor penetrante de romã invadiu minha boca.

Agachei-me e passei as mãos no tronco. Encontrei o que estava procurando. A inscrição estava quase apagada, mas continuava lá: *Amir e Hassan, os sultões de Cabul*. Tracei as curvas de cada letra com os dedos. Pequei lasquinhas das pequenas ranhuras da casca.

Sentei de pernas cruzadas ao pé da árvore e olhei para a cidade da minha infância. Naqueles dias, copas de árvore apareciam atrás dos muros de todas as casas. O céu se estendia amplo e azul, e roupa lavada secando nos varais cintilava ao sol. Se prestasse atenção, era possível ouvir até o apelo dos vendedores de frutas passando por Wazir Akbar Khan com seus jumentos: *Cerejas! Damascos! Uvas!* No meio da manhã, ouvíamos o *azan*, o chamado *muezzin* para a oração na mesquita de Shar-e-Nau.

Ouvi uma buzina e vi Farid acenando para mim. Era hora de ir.

Tomamos o rumo sul outra vez, em direção à praça Pashtunistan. Passamos por várias outras picapes vermelhas com jovens barbudos armados amontoados na carroceria. Farid amaldiçoava em voz baixa cada vez que cruzávamos com um deles.

Encontrei um quarto num pequeno hotel perto da praça Pashtunistan. Três garotinhas usando vestidos pretos idênticos e echarpes brancas ladeavam o homem esguio de óculos atrás do balcão. Ele me cobrou setenta e cinco afeganes, uma quantia impensável, dada a aparência decadente do lugar, mas não me incomodei com isso. Exorbitar nos preços para financiar uma casa de praia no Havaí era uma coisa. Fazer isso para alimentar os filhos era outra.

Não havia água quente, e a privada rachada não tinha descarga. Havia apenas uma só cama de estrutura de aço com um colchão surrado, um cobertor esfarrapado e uma cadeira de madeira num canto. A janela que abria para a praça estava quebrada e não fora substituída. Quando depositei a mala no chão, notei uma mancha de sangue seco na parede atrás da cama.

Dei um dinheiro a Farid, e ele saiu para comprar comida. Voltou com quatro espetinhos de *kabob* fumegando, *naan* fresco e uma porção de arroz branco. Sentamos na cama e quase devoramos a comida. Pelo menos *uma coisa* não tinha mudado em Cabul: o *kabob* continuava tão suculento e delicioso como eu me lembrava.

Naquela noite eu fiquei com a cama, e Farid dormiu no chão, enrolado num cobertor extra pelo qual o dono do hotel cobrou um preço à parte. Não havia luz no quarto, exceto pelos raios de luar passando pela janela quebrada. Farid disse que o dono informara que Cabul estava sem eletricidade já havia dois dias e que o gerador do hotel precisava ser consertado. Ficamos conversando por algum tempo. Ele me contou sobre ter crescido em Mazar-i-Sharif, em Jalalabad. Falou sobre o que aconteceu pouco depois que ele e o pai entraram para o *jihad* para combater os *shorawi* no vale de Panjsher. Ficaram isolados, sem alimentos, e tiveram de comer gafanhotos para sobreviver. Falou sobre o dia em que os disparos de um helicóptero mataram seu pai, do dia em que a mina terrestre matou suas duas filhas. Perguntou sobre a América. Eu disse que lá era possível entrar num mercado e escolher entre quinze ou vinte tipos diferentes de cereais. Que o carneiro estava sempre fresco e o leite gelado, as frutas eram abundantes e a água pura. Todas as casas tinham TV e todo aparelho tinha um controle remoto, e quem quisesse poderia ter uma antena parabólica e sintonizar mais de quinhentos canais.

— Quinhentos! — exclamou Farid.

— Quinhentos.

Ficamos em silêncio por um tempo. Quando achei que ele tinha adormecido, Farid deu uma risada.

— *Agha*, sabe o que o mulá Nasruddin fez quando a filha chegou em casa se queixando que o marido tinha batido nela? — Consegui imaginar o sorriso dele no escuro, e eu mesmo abri um sorriso. Não existia um afegão no mundo que não conhecesse alguma piada com o pobre mulá.

— O quê?

— Bateu nela também, depois, mandou-a de volta para dizer ao marido que o mulá não era bobo: se o canalha ia bater na filha dele, o mulá ia bater na mulher dele também.

Dei risada. Em parte pela piada, em parte por constatar que o humor afegão não tinha mudado. Guerras eclodiam, a internet foi inventada e um robô andava na superfície de Marte, mas no Afeganistão eles continuavam contando piadas sobre o mulá Nasruddin.

— Conhece aquela em que o mulá pôs um saco pesado nas costas e saiu montado no seu jumento? — perguntei.

— Não.

— Alguém perguntou na rua por que ele não punha o saco no lombo do jumento. E ele respondeu: "Isso seria uma crueldade, eu sozinho já sou pesado demais para o coitado".

Ficamos trocando piadas do mulá Nasruddin até elas se esgotarem e voltarmos a ficar em silêncio.

— Amir *agha*? — disse Farid, me acordando quando eu já estava quase dormindo.

— Sim?

— Por que você está aqui? Quer dizer, por que realmente está aqui?

— Eu já falei.

— Por causa do garoto?

— Por causa do garoto.

Farid mudou de posição.

— É difícil acreditar.

— Às vezes eu mesmo mal acredito que estou aqui.

— Não... o que eu quis perguntar é por que *esse* garoto? Você veio da América até aqui por causa de... um xiita?

Aquilo acabou com as minhas risadas. E com meu sono.

— Eu estou cansado — falei. — Vamos dormir um pouco.

Logo os roncos de Farid ecoavam no quarto vazio. Fiquei acordado, mãos cruzadas no peito, olhando para a noite estrelada pela janela quebrada e pensando que talvez o que as pessoas diziam sobre o Afeganistão fosse verdade. Talvez fosse um lugar sem esperança.

UMA MULTIDÃO ANIMADA lotava o estádio Ghazi quando passamos pelos túneis de acesso. Milhares de pessoas acorriam pelos terraços de concreto apinhados. Crianças brincavam nos corredores e se perseguiam pelos degraus. O cheiro de grão de bico com molho de pimenta pairava no ar, mesclado aos odores de esterco e suor. Farid e eu passamos por ambulantes vendendo cigarro, pinhão e biscoitos.

Um garoto esquelético de paletó de tweed me agarrou pelo cotovelo e falou no meu ouvido. Perguntou se eu queria comprar "fotografias sexy".

— Muito sexy, *agha* — dizia, os olhos saltando de um lado a outro, me fazendo lembrar de uma garota que, poucos anos antes, tentava me vender crack no bairro de Tenderloin, em San Francisco. O garoto abriu uma aba do paletó e me permitiu uma rápida olhada nas tais imagens sensuais: cartões-postais de filmes indianos mostrando atrizes de olhares provocantes, totalmente vestidas, nos braços de seus galãs. — Muito sexy — repetiu.

— Não, obrigado — respondi, passando por ele.

— Se ele for apanhado, vai ser tão açoitado que até o pai vai acordar no caixão — murmurou Farid.

Não havia lugares marcados, é claro. Ninguém veio atenciosamente nos mostrar o caminho, a fila, o lugar. Isso também não existia antes, nem mesmo nos velhos tempos dos monarcas. Encontramos um lugar razoável para sentar, pouco à esquerda do meio do campo, ainda que à custa de empurrões e cotoveladas de Farid.

Lembrei como o gramado era verde nos anos 1970, quando *baba* me trazia aqui para assistir a jogos de futebol. Agora o campo era uma ruína. Buracos e crateras estavam em toda parte, com dois buracos bem fundos atrás de um dos gols. E não havia grama nenhuma, só terra. Quando, afinal, os dois times entraram em campo — todos de calça comprida, apesar do calor — e o jogo começou, ficou difícil acompanhar a bola no meio das nuvens de pó levantadas pelos jogadores. Jovens talibãs de chicote na mão rondavam os corredores, açoitando qualquer um que se entusiasmasse demais.

Eles foram trazidos depois que o apito anunciou o fim do primeiro tempo. Duas picapes vermelhas entraram pelos portões do estádio, iguais às outras que eu tinha visto na cidade desde que chegara. A multidão se levantou. Uma mulher vestindo uma *burqa* verde estava na carroceria de uma picape, um homem vendado na outra. Os veículos deram uma volta na pista, lentamente, como que para deixar a multidão olhar bem. Surtiu o efeito desejado: as pessoas esticavam o pescoço, apontavam, erguiam-se na ponta dos pés. Ao meu lado, o pomo de adão de Farid subia e descia enquanto ele sussurrava uma prece em voz baixa.

As picapes vermelhas entraram no campo, dirigindo-se para um dos lados seguidas por duas colunas de pó gêmeas, o sol refletindo nos capôs. Uma terceira picape as encontrou na linha de fundo. A carroceria estava cheia de alguma coisa, e de repente entendi o propósito daqueles dois buracos atrás do gol. A terceira picape foi descarregada. A multidão murmurou em expectativa.

— Você quer ficar? — perguntou Farid com a voz séria.

— Não — respondi. Nunca na minha vida quis estar tão distante de um lugar como naquele momento. — Mas precisamos ficar.

Dois talibãs, com um Kalashnikov pendurado nos ombros, ajudaram o homem vendado a descer da primeira picape, enquanto dois outros apearam a mulher coberta pela *burqa*. Os joelhos da mulher cederam quando ela pousou no solo. Os soldados a levantaram, mas ela caiu outra vez. Quando tentaram erguê-la de novo, ela começou a gritar e espernear. Nunca vou esquecer, enquanto continuar respirando, o som daquele grito. Era o ganido de um animal selvagem tentando livrar a pata mutilada de uma armadilha para ursos. Mais dois talibãs se aproximaram para ajudar a enfiar a mulher num dos buracos até o peito. O homem vendado, por outro lado, aceitou em silêncio quando eles o desceram ao buraco cavado para ele. Agora só o torso dos dois acusados projetava-se do chão.

Um clérigo gorducho, de barba branca e vestido de cinza, posicionou-se perto do gol e limpou a garganta diante do microfone de mão. Atrás dele, a mulher dentro do buraco continuava gritando. O clérigo recitou uma longa oração do Corão, sua voz nasalada ondulando pelo súbito silêncio da multidão no estádio. Lembrei de uma coisa que *baba* me dissera muito tempo atrás: *Estou cagando nas barbas desses macacos santarrões. Eles só sabem ficar desfiando aquelas contas de oração e recitar um livro escrito numa língua que às vezes nem entendem. Deus nos ajude se algum dia o Afeganistão cair nas mãos deles.*

Quando a oração acabou, o clérigo limpou a garganta.

— Irmãos e irmãs! — falou em persa, a voz ecoando pelo estádio. — Estamos aqui hoje para aplicar a *shari'a*. Estamos aqui hoje para fazer justiça. Estamos aqui hoje porque a vontade de Alá e a palavra do profeta Maomé, que a paz esteja com ele, estão vivas e muito bem aqui no Afeganistão, nossa pátria amada. Escutamos o que Deus diz e obedecemos, pois somos humildes, criaturas frágeis diante da grandeza de Deus. E o que Deus diz? Eu vos pergunto! O QUE DEUS DIZ? Deus diz que todo pecador deve ser castigado de maneira adequada ao seu pecado. Essas palavras não são minhas, nem de meus irmãos. São as palavras de Deus! — Apontou para o céu com a mão livre. Minha cabeça latejava, e o sol estava quente demais. — Cada pecador deve ser castigado de acordo com o seu pecado! — repetiu o clérigo no microfone, erguendo a voz, pronunciando as palavras lentamente, de modo dramático. — E qual é o castigo, irmãos e irmãs, que se aplica ao adúltero? Como castigaremos os que desonram a santidade do matrimônio? Como responderemos aos que atiram pedras nas janelas de Deus? Nós também atiramos pedras! — Desligou o microfone. Um murmúrio abafado percorreu a multidão.

Ao meu lado, Farid abanava a cabeça.

— E eles se definem como muçulmanos — sussurrou.

Em seguida, um homem alto e de ombros largos desceu da picape. Sua presença provocou aclamações de alguns espectadores. Dessa vez, ninguém foi açoitado por se manifestar com muito entusiasmo. O traje imaculadamente branco do homem alto brilhava ao sol da tarde. A barra da camisa solta balançava ao vento, os braços abertos como os de Jesus na cruz. Saudou a multidão girando e fazendo um círculo completo. Quando ficou de frente para a nossa seção, vi que usava óculos escuros redondos como os de John Lennon.

— Esse deve ser o nosso homem — disse Farid.

O talibã alto de óculos escuros pretos andou até uma pilha de pedras que havia sido descarregada da terceira picape. Pegou uma pedra e mostrou à multidão. O burburinho diminuiu, substituído por um zunido perpassando o estádio. Olhei ao redor e vi que todos estalavam a língua. O talibã, absurdamente parecendo um lançador de beisebol sobre o seu morrinho, lançou a pedra no homem vendado enterrado no buraco. A pedra atingiu sua têmpora. A mulher deu outro grito. A multidão emitiu um assustado som de "Oh!". Fechei os olhos e cobri o rosto com as mãos. Os brados de "Oh!" dos espectadores rimavam com cada pedra atirada, e o processo durou algum tempo. Quando parou, perguntei a Farid se tinha acabado. Ele disse que não. Deduzi que as pessoas tinham se cansado. Não sei quanto tempo mais fiquei com o rosto entre as mãos. Sei que só voltei a abrir os olhos quando ouvi as pessoas perguntar ao meu redor: *"Mord? Mord? Está morto?"*.

O homem no buraco era agora uma massa de sangue e trapos rasgados. A cabeça pendia para a frente, o queixo apoiado no peito. O talibã com óculos de John Lennon olhava para outro homem agachado perto do buraco, jogando uma pedra para cima e para baixo na mão. O homem agachado tinha um estetoscópio no ouvido, a outra ponta encostada no homem no buraco. Tirou o estetoscópio do ouvido e balançou a cabeça num sinal negativo em direção ao talibã de óculos escuros. A multidão gemeu.

John Lennon voltou ao morrinho.

Quando tudo acabou, quando os cadáveres ensanguentados foram jogados sem cerimônia na traseira das picapes — um em cada uma —, alguns homens taparam rapidamente os buracos com pás. Um deles fez uma rápida tentativa de recobrir as grandes manchas de sangue chutando terra sobre elas. Poucos minutos depois, os times voltaram a campo. Começava o segundo tempo.

Nosso encontro foi marcado para as três horas da tarde. A rapidez com que o encontro foi combinado me surpreendeu. Eu esperava adiamentos, pelo menos uma rodada de perguntas, talvez uma verificação dos meus documentos. Mas fui lembrado de como os eventos no Afeganistão, mesmo os oficiais, eram tratados não oficialmente: Farid só precisou dizer a um dos talibãs de chicote em punho que tínhamos um assunto pessoal a discutir com o homem de branco. Ele e Farid trocaram algumas palavras. Em seguida, o sujeito com o chicote aquiesceu e gritou alguma coisa em pashtu para um jovem no campo, que correu para uma das balizas onde o talibã de óculos escuros falava com o clérigo gorducho que tinha feito o sermão. Os três conversaram. Vi o sujeito de óculos escuros levantar a cabeça. Concordar. Dizer alguma coisa no ouvido do mensageiro. O jovem trouxe a mensagem até nós.

O encontro estava marcado. Às três horas.

Vinte e dois

Farid estacionou o Land Cruiser na entrada de um casarão em Wazir Akbar Khan. Parou à sombra de uns salgueiros que transbordavam pelos muros do complexo localizado na rua 15, Sarak-e-Mehmana, a Rua dos Convidados. Desligou o jipe e ficamos ali um minuto, ouvindo o tique-tique do motor esfriando, sem dizer nada. Farid agitou-se no banco e mexeu nas chaves ainda na ignição. Percebi que estava se preparando para me dizer alguma coisa.

— Acho que vou ficar esperando você no carro — disse afinal, meio que se desculpando. Não olhou para mim. — Agora esse é um assunto seu...

Dei um tapinha no braço dele.

— Você já fez muito mais do que o combinado. Eu não esperava que fosse comigo.

Mas eu gostaria de não ter de entrar sozinho. Apesar de tudo o que tinha descoberto sobre *baba*, gostaria que ele estivesse ao meu lado agora. *Baba* teria irrompido pela porta da frente e exigido ser levado ao homem no comando, cagando na barba de quem se interpusesse no caminho. Mas *baba* estava morto havia muito tempo, enterrado na parte afegã de um pequeno cemitério em Hayward. Ainda no mês anterior, Soraya e eu tínhamos deixado um buquê de margaridas e frésias ao lado do túmulo. Eu estava por minha conta.

Saí do carro e andei até os altos portões de madeira da casa. Toquei a campainha, mas não ouvi nenhum som — a eletricidade ainda não voltara, e

tive que bater no portão. Pouco depois, ouvi vozes tensas do outro lado, e dois homens portando fuzis Kalashnikov abriram a porta.

Dei uma olhada para Farid sentado no carro e mexi os lábios dizendo *Eu já volto*, mas sem ter certeza de que iria voltar.

Os homens armados me revistaram dos pés à cabeça, apalparam minhas pernas, sentiram minha virilha. Um deles disse alguma coisa em pashtu, e ambos deram risada. Entramos pelos portões. Os dois guardas me escoltaram por um gramado bem cuidado, passando por uma fileira de gerânios e arbustos eriçados ao longo da parede. Uma velha bomba-d'água manual ficava no fundo do pátio. Recordei que a casa de *kaka* Homayoun em Jalalabad tinha um poço como aquele — e que eu e as gêmeas, Fazila e Karima, costumávamos jogar pedrinhas só para ouvir o *plinc*.

Subimos alguns degraus e entramos numa casa grande e esparsamente decorada. Passamos pelo vestíbulo — havia uma grande bandeira do Afeganistão estendida numa das paredes —, e os homens me conduziram pela escada até uma sala com dois idênticos sofás verdes cor de menta e uma TV de tela grande no canto mais afastado. Um tapete de orações estampado com uma Meca levemente oblonga sobressaía numa das paredes. O mais velho me apontou o sofá com o cano da arma. Sentei. Eles saíram da sala.

Cruzei as pernas. Descruzei. Apoiei as mãos suadas nos joelhos. Será que isso me fazia parecer nervoso? Cruzei as mãos, resolvi que era pior e simplesmente cruzei os braços no peito. O sangue latejava nas minhas têmporas. Senti-me totalmente sozinho. Pensamentos voavam na minha cabeça, mas eu não queria pensar em nada, pois uma parte sóbria de mim sabia que o que eu fazia era uma loucura. Eu estava a milhares de quilômetros da minha mulher, num quarto que parecia uma cela de detenção, esperando um homem que eu tinha visto assassinar duas pessoas naquele mesmo dia. *Era* loucura. Pior ainda, era irresponsável de minha parte. Havia uma probabilidade real de eu fazer de Soraya uma *biwa*, uma viúva, aos trinta e seis anos. *Esse não é você, Amir*, parte de mim dizia. *Você não tem coragem. Faz parte da sua natureza. E não é uma coisa ruim, pois sua salvação é que você nunca se enganou sobre isso. Não sobre isso. Não há nada de errado na covardia, desde que venha junto com a prudência. Mas quando um covarde deixa de lembrar quem é... Que Deus o ajude.*

Havia uma mesa de centro perto do sofá. A base era em forma de x, com esferas de latão do tamanho de uma noz mantendo as pernas metálicas cruzadas. Eu tinha visto uma mesa como essa antes. Onde? Então me ocorreu: na casa de chá lotada de Peshawar, naquela noite em que saíra para dar uma volta. Em cima da mesa havia uma bandeja com uvas rosadas. Peguei uma e joguei na boca. Eu precisava me ocupar com alguma coisa, qualquer coisa, para calar a voz interior na minha cabeça. A uva estava doce. Peguei mais uma, sem saber que seria a última porção de comida sólida que comeria por um bom tempo.

A porta se abriu, e os dois homens armados voltaram, entre eles o talibã alto de branco, ainda usando os óculos escuros à John Lennon, parecendo um guru místico e grandalhão da New Age.

Sentou-se à minha frente e pousou as mãos nos braços da poltrona. Por um longo tempo ele não disse nada. Só ficou ali sentado, olhando para mim, uma das mãos tamborilando sobre o estofado, a outra burilando um rosário de orações turquesa. Usava um colete preto sobre a camisa branca e um relógio de ouro. Vi uma mancha de sangue seco na manga esquerda. Com certa morbidez, achei fascinante o fato de ele não ter trocado de roupa depois das execuções daquele dia.

De tempos em tempos, sua mão livre flutuava, e os dedos grossos apalpavam alguma coisa no ar. Faziam pequenos movimentos em vaivém, de um lado para o outro, como se estivessem acariciando um bichinho invisível. Uma das mangas subiu, e vi marcas no seu antebraço — já tinha visto aquelas marcas em desabrigados que moravam em vielas escuras em San Francisco.

A pele dele era bem mais clara que a dos outros dois homens, quase doentia, e um aglomerado de gotículas de suor brilhava em sua testa, abaixo do limite do turbante preto. A barba, até o peito como a dos outros, também tinha uma tonalidade mais clara.

— *Salaam alaykum* — disse ele.
— *Salaam*.
— Agora você já pode tirar isso — falou.
— Como?

Apontou para um dos homens armados e fez um gesto com a mão. *Rrr-rip*. De repente minhas bochechas estavam ardendo, e o guarda agitava minha barba para cima e para baixo, dando risada. O talibã sorriu.

— Uma das mais bem feitas que já vi recentemente. Mas é muito melhor assim, acho. Você não concorda? — Deu uma torcida nos dedos, estalou-os, abrindo e fechando a mão. — Então, *Inshallah* você tenha gostado do espetáculo de hoje?

— Aquilo foi um espetáculo? — perguntei, esfregando as bochechas, esperando que minha voz não denunciasse a explosão de terror que sentia por dentro.

— Justiça em público é o maior espetáculo que existe, meu irmão. Drama. Suspense. E, o melhor de tudo, é educação em massa. — Estalou os dedos. O guarda mais jovem acendeu um cigarro para ele. O talibã riu. Falou em voz baixa consigo mesmo. As mãos dele tremiam e quase derrubaram o cigarro. — Mas se você queria ver um verdadeiro espetáculo, deveria estar comigo em Mazar. Foi em agosto de 1998.

— Como?

— Nós deixamos todos para os cães, sabe?

Percebi aonde ele queria chegar.

Ele se levantou, andou ao redor do sofá uma, duas vezes. Sentou-se novamente. E falou:

— Fomos de porta em porta, chamando os homens e os meninos. Fuzilamos todos ali mesmo, na frente das famílias. Deixamos todos assistir. Para se lembrarem de quem eram, a que lugar pertenciam. — Agora ele estava quase ofegante. — Às vezes nós arrombávamos a porta e invadíamos a casa. E... eu varria o recinto com o cano da metralhadora até ficar cego pela fumaça. — Inclinou-se na minha direção, como um homem prestes a partilhar um grande segredo. — Ninguém sabe o significado da palavra "libertação" até fazer algo assim, entrar num quarto cheio de alvos, deixar as balas voar, livre de culpa ou remorso, sabendo ser virtuoso, bom e decente. Sabendo que está fazendo o trabalho de Deus. É de tirar o fôlego. — Beijou as contas de oração, inclinou a cabeça. — Lembra disso, Javid?

— Sim, *agha sahib* — respondeu o mais jovem dos guardas. — Como poderia esquecer?

Eu tinha lido nos jornais sobre o massacre de hazaras em Mazar-i-Sharif. Aconteceu pouco depois que o Talibã tomou Mazar, uma das últimas cidades a cair. Lembrei de Soraya ter me mostrado o artigo durante o café da manhã, o rosto dela pálido.

— De porta em porta. Só descansávamos para comer e rezar — continuou o talibã. Dizia isso com orgulho, como um homem comentando sobre uma grande festa a que tinha comparecido. — Deixamos os cadáveres nas ruas e, quando os familiares tentavam levá-los para casa, atirávamos neles também. Deixamos os corpos nas ruas durante dias. Deixamos para os cães. Carne de cão para os cães. — Esmagou o cigarro. Esfregou os olhos com mãos trêmulas. — Você veio dos Estados Unidos?

— Sim.

— Como anda aquela puta?

Senti uma súbita vontade de urinar. Rezei para que passasse.

— Estou procurando um garoto.

— E não é o que todos procuram? — disse ele. Os homens de Kalashnikov deram risada. Os dentes eram manchados de verde pelo *naswar*.

— Soube que ele está aqui, com você — falei. — O nome dele é Sohrab.

— Vou lhe fazer uma pergunta: o que está fazendo com aquela puta? Por que não está aqui, com seus irmãos muçulmanos, servindo o seu país?

— Estou longe há muito tempo — foi só o que consegui pensar em dizer. Minha cabeça parecia muito quente. Juntei os joelhos, prendendo a bexiga.

O talibã virou para os homens que guardavam a porta.

— Isso é uma resposta? — perguntou a eles.

— Não, *agha sahib* — responderam os dois em uníssono, sorrindo.

Virou-se para olhar para mim. Deu de ombros.

— Não é uma resposta, eles dizem. — Deu uma tragada no cigarro. — Há pessoas no meu círculo que acreditam que abandonar a *watan* quando ela mais necessita de nós é igual a uma traição. Eu poderia mandar prender você por traição e até mesmo ordenar o seu fuzilamento. Isso o amedronta?

— Só estou aqui por causa do garoto.

— Isso o amedronta?

— Sim.

— Deveria amedrontar mesmo — disse. Recostou-se no sofá. Esmagou o cigarro.

O CAÇADOR DE PIPAS 261

Pensei em Soraya. Aquilo me acalmou. Pensei na marca de nascença em forma de foice, a curva elegante do pescoço dela, os olhos luminosos. Pensei na nossa noite de núpcias, ambos sob o véu verde olhando para o reflexo um do outro no espelho, como sua face corou quando sussurrei que a amava. Lembrei de quando dançamos uma antiga canção afegã, girando, girando, e todos assistiam e batiam palmas, o mundo como um lampejo de flores, vestidos, smokings e rostos sorridentes.

O talibã estava dizendo alguma coisa.

— Perdão?

— Perguntei se gostaria de vê-lo. Você gostaria de ver o meu garoto? — A expressão dele foi irônica ao pronunciar a última frase.

— Sim.

Um dos guardas saiu da sala. Ouvi o rangido de uma porta se abrindo. Ouvi o guarda dizer alguma coisa em pashtu, num tom ríspido. Depois, passos, e o som de guizos a cada passo. Fez lembrar o homem-macaco que Hassan e eu costumávamos perseguir em Shar-e-Nau. Pagávamos uma rúpia da nossa mesada por uma dança. O guizo amarrado na perna do macaco fazia aquele mesmo som de sininho.

A porta se abriu, e o guarda entrou. Trazia um estéreo no ombro — um grande aparelho portátil. Atrás dele, entrou um garoto vestindo um folgado *pirhan-tumban* azul-safira.

A semelhança era de tirar o fôlego. Estonteante. A polaroide de Rahim Khan não lhe tinha feito justiça.

O garoto tinha o mesmo rosto redondo em forma de lua do pai, o mesmo queixo pontudo, as orelhas que pareciam conchas marinhas e a mesma estrutura corporal. Era o boneco chinês da minha infância, o rosto que olhava para mim por cima do baralho durante aqueles dias de inverno, o rosto atrás do mosquiteiro quando ele dormia no telhado da casa do meu pai no verão. A cabeça estava raspada, os olhos pintados de preto, e as bochechas ostentavam um vermelho nada natural. Quando ele parou no meio da sala, os guizos amarrados em seus tornozelos pararam de tocar.

Olhou para mim. Fixou o olhar. Depois virou o rosto. Observou os próprios pés descalços.

Um dos guardas apertou um botão, e uma música pashtu começou a soar. Tabla, harmônio, o silvo de uma *dil-roba*. Deduzi que música não era pecado se tocada para os ouvidos de um talibã. Os três homens começaram a bater palmas.

— *Wah wah! Mashallah!* — aclamaram.

Sohrab ergueu os braços e girou lentamente. Ficou na ponta dos pés, virou com elegância, ajoelhou, levantou e girou outra vez. Suas mãozinhas se retorciam nos pulsos, os dedos estalavam, e a cabeça pendia de um lado a outro como um pêndulo. Os pés batiam no chão, os guizos soando em perfeita harmonia com o ritmo da tabla. Mantinha os olhos fechados.

— *Mashallah!* — aclamavam eles. — *Shahbas!* Bravo! — Os dois guardas riam e assobiavam. O talibã de branco jogava a cabeça para a frente e para trás acompanhando a música, a boca semiaberta.

Sohrab dançava em círculos, os olhos fechados. Dançou até a música acabar. Os guizos soaram pela última vez quando ele bateu o pé ao som da nota final da canção. Imobilizado no último giro.

— *Bia, bia*, meu garoto — disse o talibã, chamando Sohrab para ele. O menino andou até ele, com a cabeça baixa, e parou entre suas pernas. O talibã o abraçou. — Quanto talento tem esse garoto hazara, não é? — comentou.

As mãos desceram pelo pescoço do menino, depois subiram até as axilas dele. Um dos guardas cutucou o outro e deu uma risadinha. O talibã mandou que saíssem do recinto.

— Sim, *agha sahib* — disseram antes de sair.

O talibã deu meia-volta no garoto para ele ficar de frente para mim. Abraçou Sohrab pela cintura, apoiando o queixo em seu ombro. Sohrab ficou olhando os próprios pés, mas continuou lançando olhares furtivos e tímidos em minha direção. A mão do homem subia e descia pela barriga do menino. Para cima e para baixo, com delicadeza.

— Eu andei pensando — disse o talibã, os olhos vermelhos me fitando por cima do ombro de Sohrab. — O que pode ter acontecido com o velho *Babalu*?

A pergunta me atingiu como uma martelada no meio dos olhos. Senti meu rosto empalidecer. Minhas pernas falsearam. Enfraqueceram-se.

Ele riu.

— O que você estava pensando? Que ia usar uma barba falsa e eu não o reconheceria? Aposto que você nunca soube uma coisa a meu respeito: eu nunca me esqueço de um rosto. Nunca. — Esfregou os lábios na orelha de Sohrab, mantendo o olhar em mim. — Soube que o seu pai morreu. *Tsc, tsc.* Eu sempre quis ficar cara a cara com ele. Mas acho que vou ter que me conformar com o filho fracote. — Tirou os óculos escuros e olhou direto para mim com seus olhos azuis.

Tentei respirar, mas não consegui. Tentei piscar e não consegui. Parecia um momento surreal — não, surreal, não, *absurdo* — tirando meu fôlego, parando o mundo ao meu redor. Meu rosto estava afogueado. Como era mesmo o ditado? "Vaso ruim não quebra?" Meu passado era assim, estava sempre ressurgindo. O nome dele emergiu lá do fundo, mas eu não queria pronunciá-lo, como se a simples menção pudesse causar seu aparecimento. Mas ele já estava ali, em carne e osso, sentado a menos de três metros de mim, depois de todos aqueles anos. O nome escapou dos meus lábios:

— Assef.

— Amir *jan*.

— O que está fazendo aqui? — perguntei, sabendo quão estúpida era a pergunta, mas incapaz de pensar em qualquer outra coisa para dizer.

— Eu? — Assef ergueu uma sobrancelha. — Eu estou no meu ambiente. A pergunta é: o que *você* está fazendo aqui?

— Eu já disse — respondi. Minha voz estava trêmula. Queria que não estivesse, queria que minha pele não estivesse arrepiada.

— O garoto?

— Sim.

— Por quê?

— Eu posso pagar por ele — falei. — Eu posso mandar dinheiro.

— Dinheiro? — repetiu Assef. Soltou um riso sufocado. — Já ouviu falar em Rockingham? Oeste da Austrália, um pedacinho de céu. Você devia ver, quilômetros e quilômetros de praia. Águas verdes, céu azul. Meus pais moram lá, numa aldeia à beira-mar. Tem um campo de golfe e um laguinho atrás da aldeia. Meu pai joga golfe todos os dias. Minha mãe prefere tênis; meu pai diz que a esquerda dele é péssima. Eles têm um restaurante afegão e duas joalherias, e os dois negócios vão muito bem. — Pegou uma uva. Colocou-a na boca de Sohrab, com carinho. — Então, se eu precisar de dinheiro, *eles* podem me mandar. — Beijou o pescoço de Sohrab. O garoto esquivou-se ligeiramente, fechando os olhos de novo. — Além do mais, eu não lutei contra os *shorawi* por dinheiro. Tampouco entrei para o Talibã por dinheiro. Você quer saber por que fiz isso? — Meus lábios tinham ressecado. Passei a língua e percebi que também estava seca. — Está com sede? — perguntou Assef, com um risinho.

— Não.

— Acho que está com sede.

— Eu estou bem — respondi. A verdade era que de repente a sala tinha ficado muito quente; o suor brotava pelos meus poros, pinicando minha pele. Será que aquilo estava realmente acontecendo? Eu estava mesmo sentado em frente a Assef?

— Como preferir — disse ele. — Enfim, onde eu estava? Ah, sim, como eu entrei para o Talibã. Bem, como você deve lembrar, eu não era exatamente religioso. Mas um dia tive uma epifania. Foi na prisão. Você quer ouvir a história? — Eu não disse nada. — Ótimo. Eu vou contar — continuou. — Eu passei um tempo na prisão, em Poleh-Charkhi, logo depois de Babrak Karmal tomar o poder em 1980. Acabei indo parar lá uma noite, quando um grupo de soldados *parchami* armados invadiu minha casa e levou meu pai e eu. Os canalhas não deram nenhuma razão, não responderam às perguntas da minha mãe. Não que tenha sido uma surpresa; todo mundo sabia que os comunistas não tinham classe. Vinham de famílias pobres e sem sobrenome. Os mesmos cães que não eram dignos de lamber minhas botas antes da chegada dos *shorawi* agora me davam ordens apontando suas armas, bandeirinha *parchami* na lapela, discursando sobre a queda da burguesia e agindo como se tivessem classe. Estava acontecendo de novo: prender os ricos, jogar todos na prisão, dar um exemplo para os camaradas.

"Enfim, fomos empilhados em grupos de seis em cubículos do tamanho de uma geladeira. Toda noite o comandante, uma coisa metade hazara e metade usbeque que fedia como um jumento apodrecido, arrastava um dos presos da cela e batia nele até escorrer suor do seu rosto. Depois acendia um cigarro, estalava as juntas e saía. Na noite seguinte, escolhia outro. Numa dessas noites ele me pegou. Não poderia ter acontecido num pior momento. Eu estava urinando sangue havia três dias. Pedras nos rins. Se você nunca teve isso, acredite quando digo que é a pior dor que se pode imaginar. Minha mãe também tinha, e lembro que ela me disse que preferia dar à luz a expelir uma pedra dos rins. Mas o que eu podia fazer? Eles me arrastaram, e o sujeito começou a me chutar. Usava botas de cano alto e biqueira de ferro para suas sessões de chutes noturnos e usou essas botas em mim. Eu gritava, gritava, e ele continuava chutando. Então, de repente, ele deu um chute no meu rim esquerdo, e a pedra foi expelida. Assim, de repente! Ah, que alívio! — Assef deu risada. — E eu gritei '*Allah-u-akbar*', e ele me chutou mais forte, e eu comecei a rir. Ele enlouqueceu e me bateu mais ainda, e, quanto mais ele me batia, mais eu ria. Eu continuava rindo quando eles me jogaram de volta à cela. Continuava rindo, pois de repente eu sabia que tinha sido uma mensagem de Deus: Ele estava do *meu* lado. Ele queria que eu vivesse por uma razão.

"Sabe, alguns anos depois eu encontrei esse comandante no campo de batalha — engraçado como Deus age. Encontrei-o numa trincheira perto de Meymanah, sangrando, com um estilhaço de granada no peito. Ainda estava com as mesmas botas. Perguntei se ele se lembrava de mim. Ele disse que não. Eu falei a mesma coisa que disse a você agora há pouco, que nunca me esquecia de um rosto. Em seguida atirei no saco dele. Desde então eu estou numa missão."

— E que missão é essa? — ouvi a mim mesmo perguntar. — Apedrejar adúlteros? Estuprar crianças? Chicotear mulheres que usam salto alto? Massacrar hazaras? Tudo em nome do islã? — De repente as palavras jorraram de maneira inesperada, escapando antes que eu pudesse puxar a coleira. Gostaria de retirar o que dissera. Engolir aquelas palavras. Mas já tinham saído. Eu tinha ultrapassado um limite, e, se houvesse alguma esperança de sair de lá vivo, ela havia desaparecido com aquelas palavras.

Uma expressão de surpresa passou rapidamente pelo rosto de Assef e desapareceu.

— Vejo que isso pode se transformar numa coisa agradável — disse, dando uma risadinha. — Mas há coisas que traidores como você não entendem.

— Por exemplo?

O cenho de Assef franziu.

— Orgulho do próprio povo, dos costumes, da linguagem. O Afeganistão é como uma linda mansão cheia de lixo, e alguém precisa retirar esse lixo.

— Era isso que você estava fazendo em Mazar, indo de porta em porta? Retirando o lixo?

— Exatamente.

— Eles têm um termo para isso no Ocidente — falei. — Chama-se limpeza étnica.

— É mesmo? — A expressão de Assef se iluminou. — Limpeza étnica. Gostei. Gosto do som da expressão.

— Eu só quero o garoto.

— Limpeza étnica — murmurou Assef, saboreando as palavras.

— Eu quero o garoto — repeti. Os olhos de Sohrab me fitaram. Eram olhos de um cordeiro no matadouro. Estavam até pintados. Lembrei que, no dia de *Eid-e-qorban*, o mulá no nosso quintal pintava os olhos do cordeiro de preto e lhe dava um cubo de açúcar antes de cortar sua garganta. Achei que os olhos de Sohrab também imploravam.

— Explique por quê — disse Assef. Mordeu o lóbulo da orelha de Sohrab. Soltou-o. Gotas de suor rolavam pela sua testa.

— Isso é assunto meu.

— O que você quer fazer para ele? — perguntou. — Depois abriu um sorriso cínico. — Ou *com* ele.

— Não seja nojento — repliquei.

— Como você pode saber? Já experimentou?

— Quero levar o garoto para um lugar melhor.

— Mas explique por quê.

— Isso é assunto meu — repeti. Não sei o que me deixou tão ousado; talvez fosse o fato de achar que ia morrer de qualquer jeito.

— Eu fico imaginando — começou Assef. — Fico imaginando por que você veio de tão longe, Amir, só por um hazara? Por que você veio aqui? Qual a *verdadeira* razão?

— Eu tenho minhas razões — respondi.

— Então, tudo bem — falou Assef, com deboche.

Empurrou Sohrab pelas costas direto até a mesa. Sohrab bateu com o quadril no tampo, virando a mesa e derrubando as uvas. Caiu em cima delas, de cara no chão, manchando a camisa de vermelho com o sumo das uvas. As pernas cruzadas da mesa, presas pelas esferas de latão, agora apontavam para o teto.

— Então pode levar — disse Assef. Ajudei Sohrab a levantar, limpei as cascas de uva amassada grudadas na calça dele como cracas num ancoradouro. — Vai, pode levar! — repetiu Assef, apontando a porta.

Peguei Sohrab pela mão. Era pequena, a pele grossa e calosa. Os dedos se mexeram, enlaçaram os meus. Visualizei Sohrab na foto outra vez, o jeito como os braços se agarravam à perna de Hassan, a cabeça apoiada no quadril do pai. Os dois estavam sorrindo. Os guizos soaram enquanto atravessávamos a sala.

Chegamos até a porta.

— Mas é claro que eu não disse que você poderia levar o garoto de graça — disse Assef. — Você se lembra, não é?

Ele não precisava se preocupar. Eu nunca me esqueceria do dia seguinte ao que Daoud Khan destituíra o rei. Durante toda a minha vida adulta, sempre que ouvia o nome de Daoud Khan, o que eu via era Hassan com seu estilingue apontado para o rosto de Assef, Hassan dizendo que ele ia começar a ser chamado de Assef Caolho, em vez de Assef *Goshkhor*. Lembrava de como invejei a coragem de Hassan. Assef tinha recuado, mas prometendo que ainda iria nos pegar. Ele manteve a promessa com Hassan. Agora era minha vez.

— Tudo bem — eu disse, sem saber o que mais poderia dizer. Eu não iria implorar; isso só adoçaria ainda mais o momento para ele.

Assef chamou os guardas de volta à sala e disse-lhes:

— Quero que vocês me escutem. Daqui a pouco vou fechar essa porta. Depois, ele e eu vamos terminar um assunto antigo. Não importa o que ouvirem, não entrem aqui! Estão entendendo? Não entrem aqui!

Os guardas aquiesceram. Olharam de Assef para mim.

— Sim, *agha sahib*.

— Quando tudo acabar, só um de nós vai sair desta sala vivo — continuou Assef. — Se for ele, é porque mereceu sua liberdade, podem deixar que vá embora, estão entendendo?

O guarda mais velho se mexeu um pouco.

— Mas, *agha sahib*...

— Se for ele, deixem que vá embora! — bradou Assef. Os dois homens hesitaram, mas aquiesceram mais uma vez. Viraram-se para sair. Um deles fez menção de pegar Sohrab. — Deixem o garoto ficar — disse Assef, sorrindo. — Ele vai assistir. Os garotos precisam aprender essas lições.

Os guardas saíram. Assef largou o rosário de orações. Enfiou a mão no bolso de seu colete preto. O que tirou de lá não me surpreendeu em nada: o soco-inglês de aço inoxidável.

Ele usa gel no cabelo e um bigode de Clark Gable em cima dos lábios grossos. O gel umedeceu a touca cirúrgica de papel verde, fazendo uma mancha do formato da África. Disso eu me lembro sobre ele. Isso, e a corrente de ouro de Alá ao redor do pescoço. Está olhando para mim, falando rápido numa língua que não compreendo, urdu, acho. Meus olhos observam seu pomo de adão subindo e descendo, subindo e descendo, e quero perguntar que idade ele tem — ele parece jovem demais, como um ator de uma novela estrangeira —, mas só o que consigo murmurar é: Acho que lutei bem. Acho que lutei bem.

Não sei se lutei bem contra Assef. Acho que não. Como poderia? Era a primeira vez que eu lutava com alguém. Nunca tinha dado um soco em ninguém na vida.

A recordação de minha luta com Assef é incrivelmente nítida em alguns trechos: lembro de Assef ter ligado o som antes de colocar o soco-inglês. O tapete de orações, com a estampa da Meca oblongada, caiu da parede em algum momento e atingiu minha cabeça; a poeira me fez espirrar. Lembro de Assef esfregando uvas na minha cara, os dentes cerrados brilhando com saliva, os olhos injetados de sangue revirando. Em algum momento seu turbante caiu, soltando mechas de cabelo loiro até o ombro.

E o final, é claro. Isso ainda vejo com perfeita nitidez. Sempre verei.

Principalmente, lembro do seguinte: o soco-inglês brilhando na luz da tarde — como parecia frio nos primeiros golpes e como esquentou rápido com o meu sangue. Ser jogado contra a parede, um prego que deveria ter sustentado algum retrato emoldurado cravando nas minhas costas. Sohrab gritando. Tabla, harmônio, uma *dil-roba*. Ser arremessado contra a parede. O soco-inglês fraturando o meu queixo. Quebrando meus dentes, eu engolindo os dentes, pensando nas intermináveis horas que tinha passado a escová-los e a usar fio dental. Ser atirado contra a parede. Estirado no chão, o sangue jorrando do meu lábio superior cortado manchando o tapete malva, a dor dilacerando meu ventre, pensando se conseguiria voltar a respirar. O som das minhas costelas partindo como os galhos de árvores que Hassan e eu usávamos como espadas para lutar como Sinbad nos filmes antigos. Sohrab gritando. O lado do rosto batendo na quina do aparelho de televisão. Aquele som estalado de novo, dessa vez logo abaixo do meu olho esquerdo. Música. Sohrab gritando. Dedos agarrando meu cabelo, puxando minha cabeça para trás, o brilho do aço inoxidável. Lá vem. O som estalado de novo, agora no meu nariz. Fechar a boca de dor, perceber que meus dentes não se alinhavam mais como antes. Ser chutado. Sohrab gritando.

Não sei em que ponto eu comecei a rir, mas foi o que aconteceu. Era doloroso rir, meu queixo doía, minhas costelas, minha garganta. Mas eu continuava rindo. E quanto mais ria, mais ele me chutava, me socava, me arranhava.

— Qual é a graça? — berrava Assef a cada golpe. Sua saliva acertava o meu olho. Sohrab gritava.

Outra costela fraturada, dessa vez abaixo e à esquerda. O engraçado era que, pela primeira vez desde o inverno de 1975, eu me sentia em paz. Ria por perceber isso. Em algum recanto escondido no fundo da minha mente, eu ansiava por isso. Lembrei daquele dia na colina em que atirei romãs em Hassan e tentei provocá-lo. Ele ficou parado, não fez nada, o sumo vermelho molhando sua camisa como sangue. Depois pegou a romã da minha mão e esmagou na própria testa. *Está satisfeito agora?* — sussurrou. — *Está se sentindo melhor?* Eu não estava satisfeito e não me sentia melhor, de jeito nenhum. Mas agora, sim. Meu corpo estava arrebentado — só mais tarde eu saberia quanto —, mas eu me sentia *curado*. Finalmente curado. E ria.

Depois, o final. Isto, vou levar para minha sepultura:

Eu estava rindo no chão, Assef pisoteando meu peito, o rosto dele era uma máscara de insanidade, emoldurada por madeixas de cabelo a centímetros do meu rosto. Sua mão livre apertava minha garganta. A outra, com o soco-inglês, estava armada acima do ombro. Ele ergueu o punho mais alto, para desfechar outro golpe.

Então ouvi uma vozinha frágil dizer:

— *Bas*.

Nós dois olhamos.

— Por favor, chega!

Lembrei de uma coisa que o diretor do orfanato dissera ao abrir a porta para mim e Farid. Qual era mesmo o nome dele? Zaman? *Ele não se separa daquela coisa. Leva sempre na cintura da calça, aonde quer que vá.*

— Chega!

Duas trilhas pretas, misturadas com lágrimas, rolavam pelo seu rosto, borrando o ruge. O lábio superior tremia. Muco escorria do nariz.

— *Bas!* — grasnou.

A mão posicionada sobre o ombro, segurando a lingueta do estilingue no elástico puxado para trás. Havia algo na lingueta, uma coisa amarelada e brilhante. Pisquei os olhos ensanguentados e vi que era uma das esferas de latão que prendiam a base da mesa. Sohrab apontava o estilingue para o rosto de Assef.

— Chega, *agha*! Por favor — disse, a voz rouca e trêmula. — Pare de bater nele!

A boca de Assef se mexeu sem emitir palavras. Começou a dizer alguma coisa, parou.

— O que você pensa que está fazendo? — perguntou, afinal.

— Por favor, pare! — disse Sohrab, com mais lágrimas vertendo dos olhos verdes, misturando-se com o preto da maquiagem.

— Largue isso, hazara! — ordenou Assef. — Se não largar, o que estou fazendo com ele vai ser um delicado puxão de orelha comparado ao que farei com você.

As lágrimas rolaram. Sohrab abanou a cabeça.

— Por favor, *agha* — disse. — Pare.

— Largue isso.

— Não bata mais nele.
— Largue isso.
— Por favor.
— Largue isso!
— *Bas.*
— Largue isso!

Assef soltou minha garganta. Arremeteu contra Sohrab.

O estilingue fez um *chlep* quando Sohrab soltou a lingueta. E Assef começou a gritar. Levou a mão ao lugar onde o olho esquerdo estivera um instante atrás. O sangue escorreu por entre os dedos. Sangue e algo mais, uma coisa branca e gelatinosa. *É o fluido vítreo*, pensei com clareza. *Já li isso em algum lugar. Fluido vítreo.*

Assef rolou no tapete. Rolou de um lado a outro, gritando, a mão ainda cobrindo a órbita ocular ensanguentada.

— Vamos embora! — disse Sohrab. Ele pegou minha mão. Ajudou a me levantar. Cada centímetro do meu corpo urrava de dor. Atrás de nós, Assef continuava berrando:

— Tira. Tira isso de mim!

Cambaleante, abri a porta. Os olhos dos guardas se arregalaram quando me viram, e imaginei como eu estava. Meu estômago doía a cada respiração. Um dos guardas disse algo em pashtu e os dois passaram por nós, entrando na sala onde Assef ainda gritava:

— Tira!

— *Bia* — disse Sohrab, puxando-me pela mão. — Vamos embora!

Saí cambaleando pelo corredor, a mão de Sohrab na minha. Dei uma última olhada para trás. Os guardas estavam amontoados em volta de Assef, fazendo alguma coisa no rosto dele. Depois entendi. A esfera de latão ainda estava na órbita ocular vazia.

O mundo inteiro oscilava para cima e para baixo, inclinando de um lado para o outro. Desci os degraus mancando, apoiado em Sohrab. Em cima, os gritos de Assef continuavam, uivos de um animal ferido. Conseguimos sair, vimos a luz do dia, meu braço ao redor do ombro de Sohrab, e avistei Farid correndo em nossa direção.

— *Bismillah! Bismillah!* — dizia, os olhos arregalados ao me ver. Pôs meu braço ao redor de seu ombro e me levantou. Levou-me até o jipe, correndo. Acho que gritei. Vi a maneira como as sandálias dele batiam no pavimento, chicoteando os calcanhares calejados. Doía respirar. Depois eu estava olhando para o teto do Land Cruiser, no banco de trás, a tapeçaria bege rasgada, ouvindo o *ding-ding-ding* anunciando uma porta aberta. Ouvi passos correndo em volta do jipe. Farid e Sohrab trocando palavras rápidas. A porta fechando e o motor roncando ao ser ligado. O carro arrancou, e senti uma mãozinha na minha testa. Ouvi vozes na rua, algumas gritando, vi árvores passando como vultos informes pela janela. Sohrab soluçava. Farid continuava repetindo: — *Bismillah! Bismillah!*

Foi então que eu desmaiei.

Vinte e três

Rostos aparecem na névoa, pairam, desaparecem. Olham para baixo, fazem perguntas. Todos fazem perguntas. Se eu sei quem sou, se dói em algum lugar... Eu sei quem sou, e dói tudo. Quero dizer isso, mas falar também dói. Sei disso porque algum tempo atrás, talvez há um ou dois anos, talvez, ou talvez dez, tentei falar com um menino de ruge nas bochechas e olhos borrados de preto. O menino. Sim, agora eu o vejo. Estamos numa espécie de carro, o menino e eu, e acho que não é Soraya quem está dirigindo, porque Soraya nunca dirige tão depressa. Quero dizer alguma coisa a esse menino — parece muito importante que eu fale. Mas não lembro o que quero dizer, ou por que poderia ser importante. Talvez eu queira dizer para ele parar de chorar, que vai dar tudo certo agora. Talvez não. Por alguma razão que não consigo pensar, eu quero agradecer ao menino.

Rostos. Todos de touca verde. Entram e saem da minha visão. Falam depressa, usam palavras que não compreendo. Ouço outras vozes, outros ruídos, bipes e alarmes. E sempre mais rostos. Olhando para baixo. Não lembro de nenhum deles, exceto um com gel no cabelo e bigode de Clark Gable, o da mancha do formato da África na touca. O sr. Astro de Novela. É engraçado. Eu quero rir. Mas rir também dói.

Desmaio.

* * *

Ela diz que se chama Aisha, "como a esposa do profeta". O cabelo grisalho é repartido ao meio e amarrado num rabo de cavalo, o nariz perfurado com um enfeite em forma de sol. Usa óculos bifocais que esbugalham seus olhos. Também está de verde e tem as mãos macias. Percebe que estou olhando para ela e sorri. Diz alguma coisa em inglês. Alguma coisa espeta a lateral do meu peito.

Desmaio.

Um homem está de pé ao lado da minha cama. Eu o conheço. É moreno e magrela, tem barba comprida. Usa um chapéu — como chama mesmo esse chapéu? *Pakol*? Usa o *pakol* de lado, como alguém famoso cujo nome não me ocorre agora. Eu conheço esse homem. Ele me levou de carro a algum lugar alguns anos atrás. Eu o conheço. Tem alguma coisa errada com a minha boca. Ouço um som borbulhante.

Desmaio.

Meu braço direito arde. A mulher com óculos bifocais e piercing em forma de sol está debruçada sobre ele, espetando um tubo de plástico. Ela diz que é "o potássio".

— Arde como uma picada de abelha, não? — pergunta.

Arde. Qual é o nome dela? Alguma coisa relacionada com um profeta. Eu a conheço de alguns anos atrás. Usava rabo de cavalo. Agora o cabelo dela está penteado para trás, preso num coque. Soraya usava um penteado semelhante na primeira vez em que nos falamos. Quando foi isso? Semana passada?

Aisha! Isso.

Tem algum problema na minha boca. E uma coisa espetando o meu peito.

Desmaio.

Estamos nas montanhas Sulaiman, no Baluquistão, e *baba* está lutando contra o urso-negro. É o *baba* da minha infância, *Toophan agha*, o imponente espécime do poder pashtun, não o homem encarquilhado embaixo das cobertas, o homem com o rosto fundo e os olhos ocos. Os dois rolam num pedaço de grama, homem e fera. Os cabelos castanhos de *baba* esvoaçam. O urso ruge, ou talvez seja *baba*. Espirrando sangue e saliva; punho e garra golpeiam. Caem no chão com um baque alto, e *baba* senta no peito da fera, os dedos em seu focinho. Ele olha para mim, e eu vejo. Sou eu. Eu estou lutando com o urso.

Acordo. O homem moreno e magro está outra vez ao meu lado. O nome dele é Farid. Agora me lembro. E o menino do carro está com ele. O rosto do menino me lembra o toque de sinos. Estou com sede.

Desmaio.

Fico desmaiando e despertando.

O NOME DO HOMEM com o bigode de Clark Gable é dr. Faruqi. Afinal não é um ator de telenovela, é um cirurgião de cabeça e pescoço, embora eu continue pensando nele como alguém chamado Armand, num cenário vaporoso numa ilha tropical.

Onde estou?, quero perguntar. Mas minha boca não abre. Minha testa franziu. Soltei um grunhido. Armand sorriu; os dentes eram de um branco ofuscante.

— Ainda não, Amir — disse —, mas não vai demorar. Quando tirarem os arames. — Ele fala inglês com um sotaque urdu pesado.

Arames?

Armand cruzou os braços; tem braços peludos e usa uma aliança de ouro.

— Você deve estar se perguntando onde está e o que aconteceu com você. É perfeitamente normal, pois o estado pós-cirurgia é sempre desorientador. Eu vou dizer o que sei.

Eu queria perguntar sobre os arames. Pós-cirurgia? Onde estava Aisha? Queria que ela sorrisse para mim, queria sentir as mãos macias dela nas minhas.

Armand franziu o cenho, ergueu uma sobrancelha de um jeito levemente presunçoso e contou:

— Você está num hospital em Peshawar. Já está aqui há dois dias. Sofreu alguns ferimentos muito graves, Amir, devo dizer. Diria que tem muita sorte de estar vivo, meu amigo. — Enquanto falava, balançava o indicador para a frente e para trás, como um pêndulo. — O seu baço foi rompido, e, para a sua sorte, provavelmente foi uma ruptura tardia, pois sua cavidade abdominal mostrava sinais recentes de hemorragia. Meus colegas da cirurgia geral precisaram realizar uma esplenotomia de emergência. Se tivesse rompido antes, você teria morrido de hemorragia. — Deu um tapinha no meu braço, o que estava com a cânula, e sorriu. — Você também fraturou várias costelas. Uma dessas fraturas provocou um pneumotórax.

Franzi a testa. Tentei abrir a boca. Lembrei dos arames.

— Significa uma perfuração no pulmão — explicou Armand. Puxou um tubo plástico transparente no meu lado esquerdo. Senti a pontada outra vez no peito. — Nós fechamos o vazamento com esse tubo torácico. — Segui o tubo, que saía das ataduras no meu peito e chegava a um recipiente com colunas de água até a metade. O som borbulhante vinha de lá. — Você também sofreu diversas lacerações. Ou seja, "cortes".

Eu queria lhe dizer que sabia o que a palavra significava; eu era escritor. Tentava abrir a boca. Mais uma vez esqueci dos arames.

— A pior laceração foi no seu lábio superior — continuou Armand. — O impacto cortou o seu lábio em dois, bem no meio. Mas não se preocupe, os cirurgiões plásticos já costuraram e acham que o resultado vai ser excelente, embora vá deixar uma cicatriz. Isso é inevitável. Houve ainda uma fratura orbital no lado esquerdo; é o osso da órbita ocular, e tivemos que consertar isso também. Os arames da sua mandíbula vão ser retirados em mais ou menos seis semanas — disse Armand. — Até lá, vão ser só líquidos e papinhas. Você vai perder um pouco de peso e falar como Al Pacino no primeiro filme O *poderoso chefão* por algum tempo. — Deu risada. — Mas você tem uma tarefa a cumprir hoje. Sabe qual é? — Fiz que não com a cabeça. — Sua tarefa de hoje é soltar gases. Se fizer isso, podemos começar a alimentação líquida. Sem peido, sem comida. — Deu risada de novo.

Mais tarde, quando Aisha trocou o soro e levantou a cabeceira da cama como pedi, pensei no que tinha acontecido comigo. Ruptura no baço. Dentes quebrados. Pulmão perfurado. Órbita ocular fraturada. Mas, enquanto observava um pombo bicando uma migalha de pão na janela, fiquei pensando sobre outra coisa que Armand/dr. Faruqi dissera: *O impacto cortou o seu lábio em dois, bem no meio.* Bem no meio. Como um lábio leporino.

* * *

FARID E SOHRAB vieram me visitar no dia seguinte.

— Hoje você sabe quem é? Você se lembra? — perguntou Farid, em tom meio de brincadeira. Eu assenti. — *Al hamdullellah!* — replicou, sorrindo. — Agora não vai mais falar absurdos.

— Obrigado, Farid — falei, com a mandíbula amarrada. Armand tinha razão; soava mesmo como Al Pacino em O *poderoso chefão*. E minha língua sempre se surpreendia cada vez que se enfiava num dos espaços vazios dos dentes que eu tinha engolido. — Quero dizer, obrigado. Por tudo.

Ele fez um gesto com a mão, corando um pouquinho.

— *Bas*, não precisa me agradecer — respondeu.

Virei para Sohrab. Estava com uma roupa nova, um *pirhan-tumban* marrom-claro, que parecia um pouco grande para ele, e um barrete preto. Olhava para os próprios pés, mexendo no fio de soro enrolado em cima da cama.

— Nós não chegamos a ser propriamente apresentados — eu disse. Estendi a mão. — Eu sou Amir.

Ele olhou para minha mão, depois para mim.

— Você é o Amir *agha* de quem meu pai falava? — perguntou.

— Sou. Lembrei as palavras da carta de Hassan. *Falei muito sobre você com Farzana* jan *e Sohrab, sobre termos crescido juntos, participado de jogos e brincado na rua. Eles riem das histórias de todas as travessuras que aprontamos, você e eu!* — Sou muito grato a você, Sohrab *jan* — acrescentei. — Você salvou minha vida. — Ele não disse nada. Recolhi minha mão quando ele não a apertou. — Gostei da sua roupa nova — murmurei.

— São do meu filho — explicou Farid. — Já ficaram pequenas pra ele. Couberam muito bem em Sohrab, eu diria. — Acrescentou que Sohrab podia ficar com ele até encontrarmos um lugar. — Não temos muito espaço, mas o que eu posso fazer? Não posso deixar o garoto na rua. Além do mais, meus filhos gostaram dele. *Ha*, Sohrab? — O garoto só olhava para baixo, mexendo no fio com o dedo. — Há uma coisa que preciso perguntar — disse Farid, um pouco hesitante. — O que aconteceu naquela casa? O que aconteceu entre você e o talibã?

— Vamos dizer apenas que nós dois tivemos o que merecíamos — respondi.

Farid anuiu, sem insistir. De repente me ocorreu que, em algum momento entre o instante em que saímos de Peshawar para o Afeganistão e agora, tínhamos ficado amigos.

— Eu também estou querendo perguntar uma coisa.

— O quê?

Eu não queria fazer a pergunta. Tinha medo da resposta.

— Rahim Khan — perguntei.

— Foi embora.

Meu coração afundou.

— Ele...

— Não, só... foi embora. — Farid me entregou um pedaço de papel e uma pequena chave. — O senhorio me deu isso quando fui procurá-lo. Disse que Rahim Khan partiu no dia em que viajamos.

— Pra onde ele foi?

Farid deu de ombros.

— O senhorio não sabia. Disse que Rahim Khan deixou a carta e a chave para você e se foi. — Olhou para o relógio. — É melhor eu ir embora. *Bia*, Sohrab.

— Você poderia deixar ele aqui algum tempo? — perguntei. — Voltar mais tarde para pegá-lo? — Virei para Sohrab. — Você quer ficar aqui comigo um pouco mais?

Ele deu de ombros e não disse nada.

— É claro — disse Farid. — Eu pego Sohrab depois da *namaz* da tarde.

HAVIA OUTROS TRÊS PACIENTES no meu quarto. Dois homens mais velhos, um com a perna engessada, o outro ofegante com asma e um jovem de quinze ou dezesseis anos operado de apendicite. O homem mais velho, o da perna engessada, olhava para nós sem piscar, os olhos mudando de mim para o garoto hazara sentado num banquinho. As famílias de meus companheiros de quarto — senhoras de idade em *shalwar-kameezes* brilhantes, crianças, homens de barrete — entravam e saíam do quarto fazendo barulho. Traziam *pakoras*, *naan, samosas, biryani*. Às vezes algumas pessoas simplesmente entravam no quarto, como o homem alto e barbudo que apareceu logo depois da chegada de Farid e Sohrab. Usava uma manta marrom enrolada no corpo. Aisha lhe perguntou alguma coisa em urdu. Ele não respondeu e observou o quarto com olhos atentos. Achei que tinha olhado para mim um pouco mais do que o necessário. Quando a enfermeira falou com ele mais uma vez, o homem simplesmente se virou e saiu.

— Como você está? — perguntei a Sohrab. Ele deu de ombros, olhou para as mãos. — Está com fome? Aquela senhora ali me deu um prato de *biryani*, mas eu não consigo comer — eu falei. Não sabia mais o que dizer. — Você quer? — Ele fez que não com a cabeça. — Você quer conversar? — Fez que não com a cabeça outra vez.

Ficamos assim algum tempo, em silêncio, eu encostado na cama, dois travesseiros nas costas, Sohrab no banquinho de três pernas ao lado do leito. A certa altura eu peguei no sono e, quando acordei, a luz do dia tinha diminuído um pouco, as sombras estavam mais alongadas, mas Sohrab continuava ao meu lado. Ainda olhando para as próprias mãos.

NAQUELA NOITE, quando Farid veio buscar Sohrab, abri a carta de Rahim Khan. Estivera adiando aquela leitura o máximo possível.

A carta dizia:

> Amir *jan*,
> *Inshallah* você tenha recebido esta carta em segurança. Rezo para não ter posto você em perigo e para que o Afeganistão não o tenha tratado muito mal. Você tem estado em minhas preces desde o dia em que partiu.
> Você tinha razão todos esses anos em desconfiar que eu sabia. Eu sabia mesmo. Hassan me contou pouco depois de ter acontecido. O que você fez foi errado, Amir *jan*, mas não se esqueça de que era um garoto quando isso aconteceu. Um garotinho perturbado — eu vi isso nos seus olhos em Peshawar. Mas espero que preste atenção numa coisa: um homem sem consciência, sem bondade, não sofre. Espero que seu sofrimento tenha terminado com essa viagem ao Afeganistão.

Amir *jan*, tenho vergonha das mentiras que contei todos esses anos. Você tinha razão de estar zangado em Peshawar. Você tinha direito de saber. Assim como Hassan. Eu sei que isso não absolve ninguém de nada, mas a Cabul em que vivíamos naquele tempo era um mundo estranho, em que algumas coisas eram mais importantes do que a verdade.

Amir *jan*, eu sei quanto seu pai foi duro com você na sua infância. Percebia quanto você sofria e ansiava pelo afeto dele, e meu coração sangrava por você. Mas seu pai era um homem dividido em duas metades, Amir *jan*: você e Hassan. Ele amava os dois, mas não podia amar Hassan como gostaria, abertamente, como um pai. Por isso ele descontou em você — Amir, a metade socialmente legítima, a metade que representava as riquezas que ele tinha herdado e os privilégios decorrentes de poder pecar com impunidade. Quando olhava para você, ele via a si próprio. E a própria culpa. Você ainda está zangado, e sei que é cedo demais para esperar que aceite esse fato, mas quem sabe um dia entenda que, quando seu pai era duro com você, ele também estava sendo duro com ele mesmo. Seu pai, assim como você, era uma alma torturada, Amir *jan*.

Não consigo descrever a profundidade e a amargura da tristeza que me acometeu quando soube da morte dele. Eu o amava porque ele era meu amigo, mas também porque era um homem bom, talvez até um grande homem. E é isso que desejo que você entenda, que a bondade, a *verdadeira* bondade, nasceu do remorso do seu pai. Às vezes, acho que tudo o que ele fez, alimentando os pobres nas ruas, construindo o orfanato, dando dinheiro aos amigos em dificuldades, era um jeito de se redimir. E isso, acredito, é a verdadeira redenção, Amir *jan*, quando a culpa conduz à bondade.

Eu sei que no final Deus vai perdoar. Vai perdoar a seu pai e a mim, e a você também. Espero que você consiga fazer o mesmo. Perdoe seu pai, se conseguir. Perdoe a mim, se quiser. Porém, o mais importante, perdoe a si mesmo.

Deixei algum dinheiro para você, aliás, quase tudo o que me restou. Acho que você pode ter algumas despesas quando voltar para cá, e o dinheiro deve ser suficiente para cobri-las. Há um banco em Peshawar; Farid sabe onde fica. O dinheiro está num cofre. Estou lhe deixando a chave.

Quanto a mim, é hora de partir. Tenho pouco tempo e gostaria de passar esse tempo sozinho. Por favor, não me procure. Esse é o meu último pedido. Deixo você nas mãos de Deus.

Seu sempre amigo,
Rahim

PASSEI A MANGA DO TRAJE do hospital nos olhos. Dobrei a carta e guardei-a embaixo do colchão.

Amir, a metade socialmente legítima, a metade que representava as riquezas que ele tinha herdado e os privilégios decorrentes de poder pecar com impunidade. Talvez essa tenha sido a razão de *baba* e eu termos nos dado muito melhor nos Estados Unidos, refleti. Vendendo badulaques para ganhar uns trocados, nossos empregos desinteressantes, nosso apartamento esquálido — a versão americana de um casebre; talvez na América, quando olhava para mim, *baba* visse um pouco de Hassan.

Seu pai, assim como você, era uma alma torturada, escrevera Rahim Khan. Pode ser. Ambos tínhamos pecado e traído. Mas *baba* tinha encontrado um modo de criar o bem com o seu remorso. O que eu tinha feito, senão descarregar minha culpa nas mesmas pessoas que havia traído e depois tentar esquecer tudo? O que eu tinha feito, além de me tornar um insone?

O que eu tinha feito para corrigir as coisas?

Quando a enfermeira — não Aisha, mas uma mulher ruiva cujo nome me foge — entrou com uma seringa na mão e perguntou se eu precisava de uma injeção de morfina, eu disse que sim.

ELES TIRARAM O TUBO do meu peito logo cedo na manhã seguinte, quando Armand deu sinal verde para a equipe me servir um suco de maçã. Pedi um espelho a Aisha quando ela pôs o copo de suco na mesa de cabeceira ao lado da minha cama. Ela ergueu os óculos bifocais até a testa e abriu a cortina, para deixar o sol da manhã entrar no quarto.

— Lembre-se de uma coisa — disse por cima do ombro. — Vai estar melhor daqui a alguns dias. Meu enteado sofreu um acidente de moto no ano passado. Seu lindo rosto foi arrastado no asfalto e ficou roxo como uma berinjela. Agora ele está bonito outra vez, como um artista de cinema de Lollywood.

Apesar de suas palavras de estímulo, olhar para o espelho e ver aquela coisa que insistia em ser meu rosto me deixou um pouco sem fôlego. Parecia que alguém tinha posto o bico de uma bomba de ar debaixo da minha pele e bombeado. Meus olhos estavam roxos e inchados. O pior era a boca, uma bolha grotesca de vermelho e lilás, só hematomas e pontos. Tentei sorrir, e um clarão de dor perpassou meus lábios. Eu não conseguiria rir por um bom tempo. Havia pontos na bochecha esquerda, logo abaixo do queixo, na testa pouco abaixo do couro cabeludo.

O velho com a perna engessada disse alguma coisa em urdu. Olhei para ele, dei de ombros e balancei a cabeça. Ele apontou o próprio rosto, deu um tapinha e abriu um sorriso largo e desdentado.

— Muito bom — disse em inglês. — *Inshallah.*

— Obrigado — falei.

Farid e Sohrab entraram assim que pus o espelho de lado. Sohrab ocupou seu lugar no banquinho, apoiando a cabeça na guarda da cama.

— Sabe, quanto antes sairmos daqui, melhor — disse Farid.

— Mas o dr. Faruqi disse que...

— Não estou falando do hospital. Estou falando de Peshawar.

— Por quê?

— Acho que não vamos ficar seguros aqui por muito tempo — continuou Farid. Baixou a voz. — O Talibã tem amigos aqui. Vão começar a procurar vocês.

— Acho que eles já começaram — murmurei. De repente pensei no homem barbudo que entrara no quarto e ficara olhando para mim.

Farid chegou mais perto e me disse:

— Assim que você puder andar, vou te levar para Islamabad. Lá também não é totalmente seguro, nenhum lugar do Paquistão vai ser, mas é melhor do que aqui. Pelo menos podemos ganhar algum tempo.

— Farid *jan*, isto não é seguro nem para você. Talvez você não deva ser visto comigo. Você tem uma família para cuidar.

Farid fez um gesto com a mão.

— Meus filhos são novos, mas são muito espertos. Sabem como cuidar das mães e das irmãs. — Abriu um sorriso. — Além do mais, eu não disse que vou fazer isso de graça.

— Eu não deixaria, nem que você oferecesse — eu disse. Esqueci que não podia sorrir e tentei. Um pequeno filete de sangue escorreu pelo meu queixo. — Posso pedir mais um favor?

— Por você, faria mil vezes — respondeu Farid. E, de repente, eu estava chorando. Solucei em busca de ar, lágrimas rolando pelo rosto, ardendo nas feridas abertas dos meus lábios. — O que aconteceu? — perguntou Farid, alarmado.

Enterrei o rosto numa das mãos e levantei a outra. Sabia que o quarto inteiro estava olhando para mim. Depois me senti exausto, vazio.

— Desculpe — falei. Sohrab me olhava com uma ruga funda na testa. Quando consegui falar outra vez, disse a Farid do que precisava: — Rahim Khan disse que eles moram aqui em Peshawar.

— Talvez seja melhor você escrever o nome deles — disse Farid, olhando com cautela, como se imaginasse o que iria me acontecer em seguida.

Rabisquei os nomes num pedaço de guardanapo de papel: "John e Betty Caldwell".

Farid guardou o papel no bolso.

— Vou procurar os dois assim que puder — informou. Virou para Sohrab. — Quanto a você, eu te pego hoje à noite. Não deixe Amir *agha* cansado demais.

Mas Sohrab tinha ido até a janela, onde alguns pombos passeavam no parapeito, bicando a madeira e os farelos de pão velho.

NA GAVETA do meio da mesa de cabeceira, eu encontrara uma velha *National Geographic*, um lápis mastigado, um pente sem alguns dentes e o que estava tentando pegar agora, suando com o esforço: um maço de cartas de baralho. Eu tinha contado antes e, surpreendentemente, descobri que o baralho estava completo. Perguntei a Sohrab se ele queria jogar. Nem esperava que respondesse, ainda mais que quisesse jogar. Ele andava muito quieto desde que saímos de Cabul. Mas se afastou da janela e disse:

— O único jogo que eu sei é *panjpar*.

— Já estou com dó de você, porque sou um grande mestre no *panjpar*. Mundialmente famoso.

Sentou-se ao meu lado. Dei as primeiras cinco cartas.

— Seu pai e eu jogávamos esse jogo quando tínhamos a sua idade. Principalmente no inverno, quando nevava e não podíamos sair. A gente jogava até o sol se pôr.

Ele me jogou uma carta e pegou outra do baralho. Fiquei observando Sohrab enquanto analisava suas cartas. Era tão parecido com o pai em tantos aspectos: o jeito como espalhava as cartas nas duas mãos, a forma como estreitava os olhos para examiná-las, a maneira como raramente encarava uma pessoa.

Jogamos em silêncio. Ganhei a primeira partida, deixei que ele ganhasse a seguinte e perdi as cinco subsequentes de verdade.

— Você é tão bom quanto seu pai, talvez até melhor — comentei, depois de perder a última partida. Às vezes eu ganhava dele, mas acho que ele me deixava ganhar. — Fiz uma pausa antes de continuar: — Seu pai e eu fomos amamentados pela mesma mulher.

— Eu sei.

— O que... ele falou sobre nós dois?

— Que você foi o melhor amigo que ele teve na vida — respondeu.

Dedilhei o valete de ouros, mexendo para a frente e para trás.

— Acho que não fui um amigo tão bom assim — eu disse. — Mas gostaria de ser seu amigo. Acho que posso ser um bom amigo seu. Tudo bem? Você gostaria de ser meu amigo?

Pus a mão no braço dele, devagar, mas ele se esquivou. Largou as cartas e levantou do banquinho. Voltou à janela. O céu estava claro, com faixas em tons de vermelho e lilás — o sol se punha em Peshawar. Da rua abaixo vinha uma sucessão de buzinas e zurros de jumentos, o apito de um guarda de trânsito. Sohrab ficou olhando aquela luz carmesim, a testa apoiada no vidro, as mãos enterradas nas axilas.

* * *

NESSA NOITE, Aisha trouxe um assistente para me ajudar a dar meus primeiros passos. Só dei uma volta no quarto, uma das mãos agarrada ao suporte do soro, a outra apoiada no braço do assistente. Demorei dez minutos para voltar para a cama, e, nesse momento, a incisão no meu estômago latejava, e eu estava molhado de suor. Deitei na cama, arfando, o coração batendo no ouvido, pensando na falta que sentia da minha mulher.

Sohrab e eu jogamos *panjpar* quase o dia seguinte inteiro, sempre em silêncio. E no outro dia também. Mal conversávamos, só jogávamos *panjpar*, eu recostado na cama, ele no banquinho de três pernas, nossa rotina interrompida apenas quando eu dava uma volta pelo quarto ou ia ao banheiro no fim do corredor. Nessa noite eu tive um sonho. Assef estava no corredor do hospital perto do meu quarto, com a esfera ainda na cavidade ocular. "Nós somos iguais, você e eu", dizia ele. "Você mamou com ele, mas é *meu* irmão gêmeo."

No DIA SEGUINTE eu disse a Armand que estava indo embora.

— Ainda é muito cedo para ter alta! — protestou. Não estava com o jaleco cirúrgico naquele dia; usava um terno azul-marinho com uma gravata amarela. Estava de novo com gel no cabelo. — Você ainda está tomando antibióticos na veia, e...

— Eu preciso ir! — insisti. — Agradeço por tudo o que fez por mim, a todos vocês. De verdade. Mas preciso ir embora.

— Para onde você vai? — perguntou Armand.

— Prefiro não dizer.

— Você mal consegue andar...

— Eu já consigo andar até o final do corredor e voltar — expliquei. — Vai dar tudo certo.

O plano era o seguinte: sair do hospital. Pegar o dinheiro do cofre do banco e pagar as despesas médicas. Ir ao orfanato e deixar Sohrab com John e Betty Caldwell. Depois ir a Islamabad e mudar os planos de viagem. Ter mais algum tempo para me recuperar. Voltar para casa.

Bem, esse era o plano. Até Farid e Sohrab chegarem naquela manhã.

— Os seus amigos, John e Betty Caldwell, não estão em Peshawar — informou Farid.

Levei só dez minutos para vestir o meu *pirhan-tumban*. Meu peito, onde haviam me cortado para inserir o tubo, doía quando eu levantava o braço, e meu estômago latejava sempre que me inclinava. Fiquei sem fôlego só do esforço de guardar meus poucos pertences numa sacola de papel. Mas consegui me arrumar e estava sentado na beira da cama quando Farid entrou trazendo essa notícia. Sohrab sentou na cama ao meu lado.

— Aonde eles foram? — perguntei.

Farid fez que não com a cabeça.

— Você não está entendendo...

— Mas Rahim Khan disse que...

— Eu fui ao consulado dos Estados Unidos — disse Farid, pegando minha sacola. — John e Betty Caldwell nunca estiveram em Peshawar. Segundo o pessoal do consulado, eles nunca existiram. Ao menos não aqui em Peshawar.

Ao meu lado, Sohrab folheava as páginas da velha *National Geographic*.

Pegamos o dinheiro no banco. O gerente, um barrigudinho com manchas de suor debaixo dos braços, abriu-se em sorrisos e disse que ninguém no banco tinha tocado no dinheiro.

— Absolutamente ninguém — falou com gravidade, balançando o indicador do mesmo jeito que Armand.

Dirigir por Peshawar com tanto dinheiro num saco de papel foi uma experiência um tanto amedrontadora. Mais ainda, eu desconfiava que cada barbudo que olhava para mim era um assassino talibã enviado por Assef. Duas coisas aumentavam os meus temores: existem muitos homens barbudos em Peshawar, e todo mundo olha para todo mundo.

— O que vamos fazer com ele? — perguntou Farid, conduzindo-me da tesouraria do hospital para o carro. Sohrab estava no banco traseiro do Land Cruiser, observando o tráfego pela janela aberta, o queixo descansando na palma das mãos.

— Ele não pode ficar em Peshawar — respondi, arfando.

— Não, Amir *agha*, não pode — concordou Farid. Ele adivinhou a pergunta no meu rosto. — Sinto muito, eu gostaria, mas...

— Tudo bem, Farid — interrompi. Consegui abrir um sorriso cansado. — Você já tem muitas bocas para alimentar. — Havia um cachorro ao lado do carro, em pé nas patas traseiras, apoiado na porta do jipe, abanando o rabo. Sohrab afagava o cachorro. — Acho que por enquanto ele vai para Islamabad — decidi.

Dormi durante quase toda a viagem de quatro horas até Islamabad. Sonhei um bocado, mas a maior parte do que conseguia lembrar eram imagens embaralhadas, fragmentos de memória visual piscando na minha cabeça como num arquivo giratório: *baba* marinando cordeiro para minha festa de aniversário de treze anos. Soraya e eu fazendo amor pela primeira vez, o sol nascendo no leste, os ouvidos ainda zumbindo das músicas do casamento, as mãos dela pintadas de hena enlaçadas nas minhas. O dia que *baba* me levou com Hassan a uma plantação de morangos em Jalalabad — o dono dissera que podíamos comer quanto quiséssemos, desde que comprássemos quatro quilos — e como nós dois acabamos tendo dor de barriga. Como o sangue de Hassan parecia escuro, quase preto na neve, escorrendo dos fundilhos da calça. *Sangue é uma coisa importante,* bachem. *Khala* Jamila batendo no joelho de Soraya e dizendo: *Deus sabe o que faz. Não era para ser.* Dormindo no telhado da casa do meu pai. *Baba* dizendo que o único pecado importante era o roubo. *Quando você conta uma mentira, está roubando de um homem o direito à verdade.* Rahim Khan ao telefone me dizendo que havia um jeito de ser bom outra vez. *Um jeito de ser bom outra vez...*

Vinte e quatro

Se Peshawar era a cidade que me lembrava como Cabul tinha sido, Islamabad era a cidade que Cabul um dia poderia ter sido. As ruas eram mais largas que as de Peshawar, mais limpas, e ladeadas por sebes de hibiscos e quaresmeiras. Os bazares eram mais organizados e não tão congestionados por pedestres e riquixás. A arquitetura era mais elegante também, mais moderna, e vi parques onde rosas e jasmins floriam à sombra das árvores.

Farid encontrou um pequeno hotel numa rua lateral, margeando as colinas de Margalla. Passamos pela famosa mesquita do Shah Faisal a caminho do hotel, conhecida como a maior mesquita do mundo, com suas gigantescas vigas e imponentes minaretes. Sohrab se entusiasmou com a visão da mesquita, pôs a cabeça para fora da janela e ficou olhando para ela até Farid virar uma esquina.

O quarto do hotel era um grande progresso em relação àquele em que Farid e eu ficamos em Cabul. Os lençóis eram limpos, o tapete sem poeira, e o banheiro, imaculado. Havia xampu, sabonete, aparelhos e creme de barbear, uma banheira, toalhas, e cheirava a limão. E não havia manchas de sangue nas paredes. Outra coisa: um aparelho de televisão sobre uma cômoda, em frente a duas camas de solteiro.

— Olha! — eu disse a Sohrab. Liguei a TV manualmente, pois não tinha controle remoto, e girei o botão de canais. Sintonizei um programa infantil com duas marionetes de carneiros felpudos cantando em urdu. Sohrab sentou numa das camas e encostou os joelhos no peito. As imagens refletiam em seus olhos verdes enquanto ele assistia ao programa, numa expressão impassível, balançando para a frente e para trás. Lembrei do dia em que prometera a Hassan que compraria uma TV em cores para sua família quando fôssemos adultos.

— Eu vou indo, Amir *agha* — disse Farid.

— Fique aqui esta noite — pedi. — É uma viagem longa. Você pode ir amanhã.

— *Tashakor* — respondeu ele. — Mas prefiro voltar agora. Estou com saudade dos meus filhos. — Quando saía do quarto, ele parou na porta.

— Até logo, Sohrab *jan* — disse. Esperou uma resposta, mas Sohrab não estava prestando atenção. Continuava balançando para a frente e para trás, o rosto iluminado pela luz prateada das imagens piscando na tela.

Fora do quarto, entreguei um envelope a Farid. Quando o abriu, seu queixo caiu.

— Eu não sabia como agradecer — expliquei. — Você fez tanto por mim!

— Quanto tem aqui? — perguntou. Ele estava um pouco confuso.

— Pouco mais de dois mil dólares.

— Dois mil... — disse. Seu lábio inferior tremia um pouco. Depois, quando saiu com o carro, buzinou duas vezes e acenou. Eu também acenei. Nunca mais o vi.

Voltei ao quarto do hotel e encontrei Sohrab deitado na cama, encolhido num grande C. Os olhos estavam fechados, mas dava para ver que não estava dormindo. Tinha desligado a televisão. Sentei na cama com uma expressão de dor, enxuguei o suor da testa. Pensei em quanto tempo mais iria doer para levantar, sentar, mudar de lado na cama. Imaginei quando poderia voltar a ingerir comida sólida. Refleti sobre o que faria com o perturbado garotinho deitado na cama, embora parte de mim já soubesse.

Havia uma moringa com água na cômoda. Servi um copo e tomei dois dos analgésicos de Armand. A água estava morna e amarga. Fechei as cortinas, me acomodei na cama e deitei. Pensei no meu peito aberto. Quando a dor melhorou um pouquinho e consegui respirar outra vez, puxei a coberta até o peito e esperei que as pílulas de Armand fizessem efeito.

Quando acordei, o quarto estava mais escuro. O pedaço de céu aparecendo entre as cortinas era o lilás do crepúsculo se transformando na noite. Os lençóis estavam empapados, e minha cabeça latejava. Eu tinha sonhado outra vez, mas não conseguia me lembrar sobre o que era.

Meu coração teve um sobressalto de dor quando olhei para a cama de Sohrab e vi que estava vazia. Chamei o nome dele. O som da minha própria voz me assustou. Eu estava desorientado, sentado num quarto escuro de hotel, a milhares de quilômetros da minha casa, o corpo arrebentado, chamando o nome de um garoto que só conhecera poucos dias antes. Chamei o nome dele outra vez e não houve resposta. Saí da cama com esforço, verifiquei o banheiro, procurei no corredor estreito fora do quarto. Ele tinha sumido.

Tranquei a porta e manquejei até o escritório do gerente no saguão, segurando o corrimão do corredor para me apoiar. Havia uma palmeira artificial empoeirada num canto do saguão e flamingos cor-de-rosa voando no papel de parede. Encontrei o gerente lendo um jornal na recepção, atrás de um balcão com tampo de fórmica. Descrevi Sohrab para ele, perguntei se o tinha visto. Deixou o jornal de lado e tirou os óculos de leitura. Tinha o cabelo emplastrado e um bigodinho quadrado salpicado de cinza. Cheirava vagamente a uma fruta tropical que não consegui identificar.

— Esses garotos gostam de andar por aí — respondeu, dando um suspiro. — Eu tenho três filhos. Estão sempre andando por aí, o dia inteiro, dando trabalho pra mãe deles. — Abanou o rosto com o jornal, olhando para minha mandíbula.

— Acho que ele não está andando por aí — falei. — E nós não moramos aqui. Tenho medo de que tenha se perdido.

Ele moveu a cabeça de um lado para o outro.

— Então devia ter ficado de olho nele, senhor.

— Eu sei — respondi. — Mas eu adormeci, e, quando acordei, ele não estava.

— Os garotos exigem cuidados, sabe?

— Sim — concordei, o pulso acelerado. Como ele poderia ser tão indiferente à minha apreensão? Passou o jornal para a outra mão e continuou se abanando. — Agora eles querem uma bicicleta.

— Quem?

— Os meus filhos — respondeu. — Ficam falando "Papai, papai, por favor, compra uma bicicleta pra nós, e a gente não te perturba mais. Por favor, papai!". — Deu uma risada curta pelo nariz. — Bicicleta. A mãe deles me mata, juro por Deus.

Fiquei imaginando Sohrab deitado numa vala. Ou na carroceria de algum automóvel, amarrado e amordaçado. Eu não queria o sangue dele em minhas mãos. Não o dele também.

— Por favor... — implorei. — Forcei os olhos. Li o nome dele no crachá na lapela da camisa de algodão de mangas curtas. — Sr. Fayyaz, o senhor o viu?

— O garoto?

Engoli a raiva.

— Sim, o garoto! O garoto que chegou comigo. O senhor o viu ou não, pelo amor de Deus?

Ele parou de se abanar. Os olhos se estreitaram.

— Não banque o espertinho comigo, meu amigo. Não fui eu que perdi o garoto.

O fato de ele ter razão não impediu que o sangue me aflorasse ao rosto.

— O senhor tem razão. Foi minha culpa. Mas o senhor viu o garoto?

— Sinto muito — respondeu ele rudemente. Pôs os óculos outra vez. Abriu o jornal com um ruído. — Eu não vi esse garoto.

Fiquei diante do balcão por mais um minuto, tentando não gritar. Quando eu ia saindo do saguão, ele perguntou:

— Alguma ideia de onde ele poderia ter ido?

— Não — respondi. — Eu me sentia cansado. Cansado e com medo.

— Ele tem algum interesse? — perguntou. Vi que tinha dobrado o jornal. — Meus filhos, por exemplo, fazem qualquer coisa por um filme americano de ação, principalmente com aquele Arnold Whatsanegger...

— A mesquita! — exclamei. — A grande mesquita! — Lembrei como a mesquita tinha despertado Sohrab de seu estupor quando passamos por ela, como tinha debruçado na janela para olhar.

— Shah Faisal?

— Isso. O senhor pode me levar até lá?

— Sabe que é a maior mesquita do mundo? — perguntou ele.

— Não, mas...

— Só o pátio pode acomodar quarenta mil pessoas.

— O senhor pode me levar até lá?

— Fica só a um quilômetro daqui — explicou, já saindo de trás do balcão.

— Eu pago pelo transporte — avisei.

O homem deu um suspiro e balançou a cabeça.

— Espere aqui. — Desapareceu num quarto dos fundos, voltou usando outros óculos, um molho de chaves na mão e acompanhado por uma mulher baixa e gorducha num sári laranja. Ela ocupou o lugar dele atrás do balcão.

— Eu não quero o seu dinheiro — disse, passando por mim. — Vou fazer isso porque também sou pai, como o senhor.

ACHEI QUE FÔSSEMOS ficar rodando pela cidade até escurecer. Eu me vi chamando a polícia, descrevendo Sohrab sob o olhar de censura de Fayyaz. Ouvindo o policial fazendo as perguntas de praxe, a voz cansada e desinteressada. E, por trás das perguntas oficiais, uma pergunta não oficial: "Quem diabos se importa com mais um garoto afegão morto?".

Mas encontramos Sohrab a uns cem metros da mesquita, sentado num estacionamento semilotado, num pedaço gramado. Fayyaz estacionou perto dele e me deixou.

— Eu preciso voltar — explicou.

— Tudo bem. Nós voltamos a pé — respondi. — Obrigado, sr. Fayyaz. Obrigado mesmo.

Inclinou-se no banco da frente quando eu desci.

— Posso lhe dizer uma coisa?

— Claro.

No escuro do crepúsculo, o rosto dele resumia-se a duas lentes de óculos refletindo a luz que esmaecia.

— O problema com os afegãos é que... bem, vocês são um pouco descuidados. — Eu estava cansado e com dores. Minha mandíbula latejava. E os malditos ferimentos no peito e no estômago pareciam arames farpados embaixo da pele. Mas comecei a rir assim mesmo. — O que... o que eu fiz... — Fayyaz continuou dizendo, mas então eu já estava rindo, gargalhadas brotando em espasmos da minha boca amarrada. — Povo maluco! — comentou ele. Os pneus cantaram quando o carro arrancou, as luzes de ré brilhando no lusco-fusco.

— Você me deu um belo susto! — eu disse, sentando ao lado dele e fazendo uma careta de dor ao me abaixar.

Sohrab estava olhando para o templo. A mesquita de Shah Faisal tinha a forma de uma tenda gigantesca. Carros entravam e saíam; fiéis vestidos de branco fluíam pelas portas. Ficamos em silêncio, eu encostado na árvore, Sohrab ao meu lado, joelhos no peito. Ouvimos o chamado à oração, vimos centenas de luzes acender no edifício quando o dia escureceu. A mesquita brilhava como um diamante no escuro. Iluminava o céu, o rosto de Sohrab.

— Você já esteve em Mazar-i-Sharif? — perguntou Sohrab, o queixo apoiado nos joelhos.

— Muito tempo atrás. Não me lembro de muita coisa.

— Meu pai me levou lá quando eu era pequeno. Minha mãe e *sasa* também foram. Meu pai me comprou um macaco num bazar. Não de verdade, mas daqueles que você precisa dar corda. Era marrom e usava uma gravata-borboleta.

— Acho que eu tive um desses quando era garoto.

— Meu pai me levou até a Mesquita Azul — continuou Sohrab. — Lembro que havia muitos pombos perto da *masjid*, e eles não tinham medo de gente. Chegavam bem perto de nós. *Sasa* me deu pedacinhos de *naan*, e eu joguei todos para os pássaros. Logo tinha um monte de pombos arrulhando ao redor. Foi divertido.

— Você deve sentir muita falta dos seus pais — disse. Ponderei se ele tinha visto os talibãs arrastar os pais para a rua, torcendo que não tivesse.

— Você sente muita falta dos seus pais? — perguntou ele, apoiando a face nos joelhos, olhando para mim.

— Se sinto falta dos meus pais? Bem, eu não conheci minha mãe. Meu pai morreu uns anos atrás, e, sim, eu sinto saudade dele. Às vezes, muita.

— Você lembra como ele era?

Pensei no pescoço grosso de *baba*, nos olhos escuros, no cabelo castanho rebelde. Sentar no colo dele era como sentar em dois troncos de árvore.

— Eu lembro como ele era — respondi. — E também o cheiro dele.

— Eu estou começando a esquecer o rosto deles — disse Sohrab. — Isso é ruim?

— Não — respondi. — O tempo faz isso. — Pensei numa coisa. Procurei no bolso da frente do meu casaco. Encontrei a foto polaroide de Hassan e Sohrab. — Olha — eu disse, entregando-lhe o retrato.

Ele aproximou a foto a centímetros do rosto, virou-a em direção à luz da mesquita. Ficou observando-a por um longo tempo. Achei que iria chorar, mas não chorou. Ficou segurando o retrato com as duas mãos, passando o polegar pela superfície. Pensei numa frase que tinha lido em algum lugar, ou talvez tivesse ouvido alguém dizer: *Existem muitas crianças no Afeganistão, mas pouca infância*. Estendeu a mão para me devolver a foto.

— Fique com ela — eu disse. — É sua.

— Obrigado. — Olhou mais uma vez para a foto e guardou-a no bolso do colete. Uma carroça puxada a cavalo entrou fazendo *clope-clope* no estacionamento. Pequenos guizos pendurados no pescoço do cavalo soavam a cada passo.

— Eu tenho pensado muito em mesquitas ultimamente — disse Sohrab.

— É mesmo? Tem pensado o que sobre elas?

Deu de ombros.

— Só pensado. — Levantou o rosto, olhou direto para mim. Agora ele chorava baixinho. — Posso perguntar uma coisa, Amir *agha*?

— É claro.

— Será que Deus... — começou, engasgando um pouco. — Será que Deus vai me mandar para o inferno pelo que fiz com aquele homem?

Tentei abraçá-lo, mas ele se esquivou. Recuei.

— Não. É claro que não — respondi.

Queria chegar mais perto dele, dar um abraço, dizer que o mundo tinha sido ruim com *ele*, e não o contrário.

O rosto dele se contorceu e lutou para se recompor.

— Meu pai costumava dizer que é errado machucar até mesmo as pessoas ruins. Porque elas não sabem ser melhores, e porque pessoas malvadas às vezes ficam boas.

— Nem sempre, Sohrab.

Ele me dirigiu um olhar interrogativo.

— O homem que fez mal a você, eu o conheci há muitos anos — expliquei. — Acho que você percebeu, pela conversa que nós dois tivemos. Ele... já tinha tentado me machucar uma vez, quando eu tinha a sua idade, mas o seu pai me salvou. Seu pai era muito corajoso e estava sempre me livrando de encrencas, me defendendo. Então um dia o homem mau machucou o seu pai no meu lugar. Foi muito ruim o que ele fez, e... eu não consegui salvar o seu pai como ele me salvou.

— Por que as pessoas queriam fazer mal ao meu pai? — perguntou Sohrab numa voz baixa e rouca. — Ele nunca desejou mal a ninguém.

— Você está certo. Seu pai era um homem bom. Mas não é isso que estou tentando dizer, Sohrab *jan*. Existem pessoas ruins neste mundo, e às vezes as pessoas ruins continuam ruins. Às vezes é preciso enfrentá-las. O que você fez com aquele homem é o que eu deveria ter feito com ele há anos. Você fez uma coisa que ele merecia, e ele merecia até mais.

— Você acha que meu pai está decepcionado comigo?

— Tenho certeza que não — respondi. — Você salvou a minha vida em Cabul. Sei que ele está muito orgulhoso de você por isso.

Sohrab enxugou o rosto com a manga da camisa. Estourou uma bolha de saliva que se formara nos lábios. Enterrou o rosto nas mãos e chorou um bom tempo antes de voltar a falar.

— Eu sinto falta do meu pai, e da minha mãe também — disse com a voz embargada. — E sinto saudade da *sasa* e de Rahim Khan *sahib*. Mas às vezes fico contente por eles... não estarem mais aqui.

— Por quê? — Toquei no braço dele. Ele recuou.

— Porque... — começou a falar, soluçando e engasgando entre os soluços

— ... porque não quero que eles me vejam... estou muito sujo. — Respirou fundo e soltou um choro longo e sussurrado. — Estou muito sujo e cheio de pecado.

— Você não está sujo, Sohrab — disse.

— Aqueles homens...

— Você não está nem um pouco sujo.

— ... fizeram coisas... o homem mau e os outros dois... eles fizeram coisas... fizeram coisas comigo.

— Você não está sujo, nem está cheio de pecados. — Toquei no braço dele de novo, e mais uma vez ele recuou. Tentei novamente, com delicadeza, e o aproximei de mim. — Eu não vou fazer mal a você — sussurrei. — Prometo. — Ele resistiu um pouco. Relaxou. Deixou que eu o abraçasse e apoiou a cabeça no meu peito. Seu corpinho estremecia em meus braços a cada soluço.

Existe uma afinidade entre pessoas que são amamentadas pelo mesmo seio. Agora, com o garoto molhando a minha camisa de lágrimas, percebi que havia se formado uma afinidade entre nós dois também. O que acontecera naquela sala com Assef tinha nos ligado de maneira irrevogável.

Eu estava procurando pela hora certa, pelo momento certo, para fazer a pergunta que andava zumbindo na minha cabeça e me mantendo acordado à noite. Decidi que o momento era aqui e agora, com as luzes da casa de Deus a nos iluminar.

— Você gostaria de ir morar na América comigo e com a minha mulher?

Ele não respondeu. Continuou chorando na minha camisa, e eu deixei.

DURANTE UMA SEMANA, nenhum de nós mencionou nada sobre a minha pergunta, como se nem tivesse sido feita. Então, um dia, Sohrab e eu pegamos um táxi para ir até o mirante de Daman-e-Koh — ou "a beira da montanha". Incrustado no caminho para as colinas de Margalla, proporciona uma visão panorâmica de Islamabad, com suas casas brancas e avenidas arborizadas. O motorista nos disse que lá de cima poderíamos ver o palácio presidencial.

— Quando chove e o ar está limpo, dá pra ver além de Rawalpindi — disse. Vi os olhos dele no espelho retrovisor, saltando de Sohrab para mim, indo e voltando, indo e voltando. Vi também meu rosto. Não estava mais tão inchado, mas minha coleção de hematomas em processo de cicatrização tinha assumido uma coloração amarelada.

Sentamos numa das áreas de piquenique, à sombra de um eucalipto. Era um dia quente, e o sol se empoleirava no alto do céu azul-topázio. Nos bancos por perto, famílias comiam *samosas* e *pakoras*. Em algum lugar, um rádio tocava uma música indiana que me lembrou um filme antigo, talvez *Pakeeza*. Garotos, quase todos da idade de Sohrab, corriam atrás de bolas de futebol, rindo, gritando. Pensei no orfanato de Karteh-Seh, pensei no rato correndo entre meus pés no escritório de Zaman. Meu peito apertou com um surto de raiva inesperada pela maneira como meus conterrâneos estavam destruindo sua própria terra.

— O que foi? — perguntou Sohrab. Forcei um sorriso e disse que não era nada importante.

Estendemos uma das toalhas do banheiro do hotel numa mesa de piquenique e jogamos *panjpar*. Era bom estar ali, com o filho do meu meio-irmão, jogando baralho, o calor do sol afagando minha nuca. A música terminou e começou uma nova, a qual não reconheci.

— Olha! — disse Sohrab. Estava apontando para o céu com as cartas na mão. Olhei para cima, vi um falcão circulando no céu límpido.

— Eu não sabia que havia falcões em Islamabad — comentei.

— Nem eu — disse Sohrab, os olhos acompanhando o voo em círculos da ave. — Tem falcões no lugar onde você mora?

— Em San Francisco? Acho que sim. Mas não posso dizer que tenha visto muitos por lá.

— Ah — respondeu.

Queria que fizesse mais perguntas, mas ele encerrou mais uma rodada e perguntou se podíamos comer. Abri o saco de papel e lhe entreguei um sanduíche de almôndega. Meu almoço consistia em mais um copo de vitamina de banana com laranja — eu tinha alugado o liquidificador da sra. Fayyaz por uma semana. Chupei o canudinho, e minha boca se encheu da mistura adocicada das frutas. Parte do suco escorreu pelo canto dos lábios. Sohrab me deu um guardanapo e ficou olhando enquanto eu enxugava a boca. Sorri, e ele me retornou o sorriso.

— Seu pai e eu éramos irmãos — falei. Simplesmente saiu. Eu queria ter contado na noite em que nos encontramos na mesquita, porém não contei. Mas ele tinha direito de saber; e eu não queria mais esconder nada. — Meios-irmãos, na verdade. Tínhamos o mesmo pai.

Sohrab parou de mastigar. Deixou o sanduíche de lado.

— Meu pai nunca disse que tinha um irmão.

— Porque ele não sabia.

— Por que ele não sabia?

— Porque ninguém contou pra ele — respondi. — Ninguém me contou também. Só descobri recentemente.

Sohrab piscou os olhos. Como se estivesse me vendo, me vendo *realmente* pela primeira vez.

— Mas por que as pessoas esconderam isso do meu pai e de você?

— Sabe, eu me fiz essa mesma pergunta outro dia. E existe uma resposta, mas não é uma boa resposta. Vamos dizer apenas que eles não nos contaram porque seu pai e eu... não deveríamos ser irmãos.

— Porque ele era hazara?

Fiz força para continuar olhando para ele.

— Sim.

— O seu pai... — começou ele, olhando o sanduíche — ... o seu pai gostava de vocês dois do mesmo jeito?

Recordei um longo dia no lago Ghargha, quando *baba* se permitira dar um tapinha no ombro de Hassan quando a pedra dele fora mais longe que a minha. Visualizei *baba* no quarto do hospital, sorrindo quando tiraram as ataduras dos lábios de Hassan.

— Acho que ele gostava dos dois igualmente, mas de maneiras diferentes.

— Ele tinha vergonha do meu pai?

— Não — respondi. — Acho que ele tinha vergonha dele mesmo.

Sohrab pegou o sanduíche e voltou a comer em silêncio.

* * *

Saímos tarde do parque, cansados do calor, mas cansados de um jeito agradável. Durante todo o caminho de volta, senti que Sohrab me observava. Pedi ao motorista que parasse numa loja que vendia cartões-postais. Dei algum dinheiro ao taxista e pedi que me comprasse um.

Naquela noite, estávamos recostados nas nossas camas, assistindo a um programa de entrevistas na TV. Dois clérigos de longas barbas grisalhas e turbantes brancos recebiam telefonemas de fiéis do mundo todo. Um dos telefonemas veio da Finlândia, de um sujeito chamado Ayub, que perguntou se o filho adolescente iria para o inferno por usar calças baggy tão baixas na cintura que mostravam a costura da cueca.

— Uma vez eu vi uma foto de San Francisco — disse Sohrab.

— É mesmo?

— Tinha uma ponte vermelha e um edifício alto e pontudo.

— Você devia ver as ruas — observei.

— O que tem as ruas? — Agora ele estava olhando para mim. Na tela da TV os dois mulás consultavam um ao outro.

— As ladeiras são tão íngremes que quando você passa de carro só consegue ver o capô e o céu — falei.

— Parece assustador — comentou ele. Virou de lado e ficou de frente para mim, de costas para a TV.

— Só nas primeiras vezes — eu disse. — Depois você se acostuma.

— Neva lá?

— Não, mas tem muita neblina. Sabe a ponte vermelha que você viu?

— Sei.

— Às vezes a neblina fica tão densa de manhã que só dá pra ver as duas torres aparecendo em cima.

Ele deu um sorriso espantado e disse:

— Ah.

— Sohrab?

— Sim?

— Você pensou sobre o que eu perguntei outro dia?

O sorriso dele esmaeceu. Deitou de costas. Cruzou as mãos atrás da cabeça. Os mulás decidiram afinal que o filho de Ayub iria para o inferno por usar as calças do jeito que usava. Alegaram que estava no *Haddith*.

— Eu andei pensando nisso — disse Sohrab.

— E...?

— Eu tenho medo.

— Eu sei que dá um pouco de medo — falei, me agarrando naquele fiapo de esperança. — Mas você aprende inglês e logo vai se acostumar...

— Não é disso que estou falando. Isso também me assusta, mas...

— Mas o quê?

Virou para o meu lado outra vez. Encolheu os joelhos.

— E se você cansar de mim? E se a sua esposa não gostar de mim?

Saí depressa da cama e fui até ele. Sentei ao seu lado.

— Eu nunca vou cansar de você, Sohrab — eu disse. — Jamais. Isso, eu prometo. Você é meu sobrinho, lembra? E Soraya *jan* é uma mulher muito boa. Acredite em mim, ela vai te amar. Isso também é uma promessa. — Arrisquei uma atitude. Peguei na mão dele. Ele se retesou um pouco, mas deixou a mão.

— Eu não quero ir pra outro orfanato — disse ele.

— Eu nunca vou deixar isso acontecer. Prometo. — Segurei a mão dele entre as minhas. — Vá pra casa comigo.

As lágrimas dele molharam o travesseiro. Não disse nada por um bom tempo. Depois, apertou a minha mão na dele. E concordou. Ele concordou.

A LIGAÇÃO SE COMPLETOU na quarta tentativa. O telefone tocou três vezes antes de ela atender.

— Alô? — Eram sete e meia da noite em Islamabad, mais ou menos a mesma hora da manhã na Califórnia. Significava que Soraya já estava acordada havia uma hora, para se preparar para a escola.

— Sou eu — falei. Estava sentado na cama, vendo Sohrab dormir.

— Amir! — Ela quase gritou. — Tudo bem? Onde você está?

— Estou no Paquistão.

— Por que não me ligou antes? Eu estou louca de *tashweesh*! Minha mãe está rezando e fazendo *nazr* todos os dias.

— Me desculpe por não ter ligado. Está tudo bem agora. — Eu lhe dissera que ficaria fora uma semana, duas no máximo. Mas eu tinha viajado havia quase um mês. Dei um sorriso. — E peça a *khala* Jamila que pare de matar carneiros.

— O que você quer dizer com "tudo bem agora"? E por que sua voz está tão estranha?

— Não se preocupe com isso por enquanto. Eu estou bem. Mesmo. Soraya, eu tenho uma história para contar, uma história que deveria ter contado muito tempo atrás, mas primeiro preciso lhe dizer outra coisa.

— O quê? — perguntou ela, a voz mais baixa, mais ressabiada.

— Eu não vou voltar pra casa sozinho. Vou levar um garotinho comigo. — Fiz uma pausa. — Eu gostaria que nós o adotássemos.

— *O quê?*

Olhei para o relógio.

— Eu tenho mais 57 minutos nesse maldito cartão telefônico e tanta coisa pra contar... Sente-se em algum lugar. — Ouvi uma cadeira ser arrastada depressa no piso de madeira.

— Pode falar — pediu.

Então fiz o que não havia feito em quinze anos de casamento: contei tudo a minha mulher. Tudo. Tantas vezes eu tinha imaginado esse momento, em pânico, mas, enquanto falava, sentia um peso saindo do peito. Imaginei que Soraya tivesse sentido algo parecido na noite do nosso *khastegari*, quando me falou sobre o seu passado.

Quando terminei minha história, ela estava chorando.

— O que você acha? — perguntei.

— Não sei o que pensar, Amir. Você me disse tanta coisa de uma vez...

— Eu entendo.

Ouvi Soraya assoar o nariz.

— Mas sei de uma coisa. Você precisa trazer esse garoto pra casa. Eu quero que faça isso.

— Tem certeza? — perguntei, fechando os olhos e sorrindo.

— Se tenho certeza? Amir, ele é sua *qaom*, sua família, portanto é minha *qaom* também. Claro que tenho certeza. Você não pode deixar o garoto na rua. — Houve uma breve pausa. — Como ele é?

Olhei para Sohrab dormindo na cama.

— É meigo, de um jeito meio reservado.

— E quem pode culpá-lo? — perguntou. — Eu quero conhecer o garoto, Amir. Quero mesmo.

— Soraya?

— O quê?

— *Dostet darum*. — Eu te amo.

— Eu também te amo — replicou ela. Consegui ouvir o sorriso nas palavras dela. — E tome cuidado.

— Pode deixar. Mais uma coisa. Não diga aos seus pais quem ele é. Se precisarem saber, prefiro que seja eu a dizer.

— Tudo bem.

Desligamos.

O GRAMADO NA ENTRADA da embaixada dos Estados Unidos em Islamabad era muito bem aparado, pontilhado de canteiros circulares de flores, limitado por cercas em linha reta. A construção era parecida com muitos edifícios de Islamabad: branca e atarracada. Passamos por vários obstáculos para chegar lá, e três oficiais de segurança me revistaram quando o arame das minhas mandíbulas disparou os detectores de metal. Quando finalmente saímos do calor externo, o ar condicionado bateu no meu rosto como água gelada. A recepcionista no saguão de entrada, uma mulher de cinquenta e poucos anos, loira com o rosto fino, sorriu quando eu disse meu nome. Usava blusa bege e calça preta — a primeira mulher que eu via usando algo diferente de uma *burqa* ou um *shalwar-kameez* em semanas. Procurou meu nome na agenda de entrevistas, batendo a borracha do lápis na mesa. Encontrou meu nome e me pediu para sentar.

— Quer uma limonada? — perguntou.

— Para mim, não, obrigado — respondi.

— E o seu filho?

— Como?

— Esse garoto bonito — explicou, sorrindo para Sohrab.

— Ah. Seria ótimo, obrigado.

Sohrab e eu sentamos num sofá de couro preto na recepção, ao lado de uma grande bandeira americana. Sohrab pegou uma revista da mesa de centro com tampo de vidro. Virou as páginas, sem olhar muito para as fotografias.

— O que foi? — perguntou Sohrab.

— Como?

— Você está sorrindo.

— Eu estava pensando em você — falei. Ele me deu um sorriso nervoso. Pegou outra revista e folheou-a em menos de trinta segundos. — Não tenha medo — recomendei, tocando no braço dele. — Essas pessoas são amigas. Relaxe. — Eu também deveria seguir meu conselho. Não parava de me mexer no lugar, amarrando e desamarrando os cordões dos sapatos. A recepcionista colocou um copo alto de limonada na mesa de centro.

— Aqui está.

Sohrab sorriu timidamente.

— Muito obrigado — disse em inglês. Saiu com pequenos erros de pronúncia. Era a única frase em inglês que sabia, ele contou, essa e "Tenha um bom dia".

A mulher sorriu.

— Não tem de quê. — Voltou para a sua mesa, os saltos altos batendo no piso.

— Tenha um bom dia — disse Sohrab.

RAYMOND ANDREWS era um sujeito baixo, de mãos pequenas, unhas muito bem cuidadas, aliança no anular esquerdo. Apertou minha mão brevemente; senti como se estivesse apertando um pardal. *Nosso destino está nessas mãos*, pensei enquanto me sentava com Sohrab do outro lado da mesa. Um cartaz de *Les Misérables* adornava a parede atrás de Andrews, ao lado de um mapa topográfico dos Estados Unidos. Um vaso com um tomateiro tomava sol no beiral da janela.

— Quer fumar? — ofereceu, com uma voz de barítono profundo que não combinava com sua pequena estatura.

— Não, obrigado — respondi, não me importando com a forma com que os olhos de Andrew mal relaram Sohrab, nem com o fato de não ter me encarado enquanto falava. Abriu uma gaveta da escrivaninha e acendeu um cigarro que tirou de um maço pela metade. Tirou também um frasco de loção da mesma gaveta. Olhou para seu tomateiro enquanto passava loção nas mãos, o cigarro pendurado no canto da boca. Em seguida fechou a gaveta, apoiou os cotovelos na mesa e exalou.

— Então — falou, piscando os olhos cinzentos por causa da fumaça —, me conte a sua história.

Senti-me como Jean Valjean diante de Javert. Tentei lembrar que estava em solo americano, que esse sujeito estava do meu lado, que era pago para ajudar pessoas como eu.

— Eu quero adotar este garoto, levá-lo para os Estados Unidos comigo — expliquei.

— Conte a sua história — repetiu ele, esmagando com o indicador um floco de cinza no tampo bem organizado da mesa e jogando-o na lata de lixo.

Contei a versão que havia elaborado depois do telefonema para Soraya. Eu tinha ido ao Afeganistão para buscar o filho do meu meio-irmão. Encontrara o garoto em más condições, jogado num orfanato. Pagara uma quantia em dinheiro ao diretor do orfanato e pegara o garoto. Depois tinha vindo com ele para o Paquistão.

— O senhor é tio do garoto?

— Sim.

Olhou para o relógio. Debruçou-se para girar o tomateiro na janela.

— Conhece alguém que possa atestar isso?

— Sim, mas não sei onde ele está no momento.

Ele se virou para mim e aquiesceu. Tentei interpretar sua expressão, mas não consegui. Fiquei pensando se ele já tinha usado aquelas mãozinhas no pôquer.

— Suponho que essa mandíbula amarrada não seja uma amostra da última moda — falou.

Soube naquele instante que estávamos encrencados, Sohrab e eu. Disse a ele que tinha sido assaltado em Peshawar.

— É claro — aquiesceu. Limpou a garganta. — O senhor é muçulmano?

— Sou.

— Praticante?

O CAÇADOR DE PIPAS 307

— Sim. — Na verdade, eu nem lembrava da última vez que tinha encostado a testa no chão para rezar. Depois recordei o dia em que o dr. Amani fez o prognóstico de *baba*. Eu tinha ajoelhado no tapete de orações, lembrando apenas fragmentos dos versos que aprendera na escola.

— Isso ajuda um pouco no seu caso, mas não muito — explicou, esfregando uma região imaculada de seu cabelo cor de areia.

— Como assim? — perguntei, pegando a mão de Sohrab, enlaçando meus dedos nos dele. Sohrab fez um ar de dúvida, olhando para mim e para Andrews.

— Existe uma resposta longa, e tenho certeza de que no fim vou apresentá-la. Não prefere ouvir a versão mais curta primeiro?

— Acho que sim — respondi.

Andrews amassou o cigarro, franziu os lábios.

— Desista.

— Como?

— Da sua petição para adotar esse garotinho. Desista. Esse é o meu conselho.

— Devidamente anotado — falei. — Agora talvez o senhor possa me explicar por quê.

— Isso significa ter de dar a resposta longa — disse com a voz impassível, sem reagir ao meu tom mais ríspido. Juntou as mãos, como se estivesse rezando diante da Virgem Maria. — Vamos supor que a história que me contou seja verdadeira, ainda que eu aposte a minha aposentadoria que uma boa parte foi inventada ou omitida. Não que me incomode, veja bem. O senhor está aqui, ele está aqui, isso é tudo o que importa. Mesmo assim, seu pedido enfrenta obstáculos significativos, sendo que um deles é o de esse garoto não ser órfão.

— Claro que ele é órfão.

— Legalmente, não é.

— Os pais dele foram executados na rua. Os vizinhos viram — expliquei, aliviado por estarmos falando em inglês.

— O senhor tem os atestados de óbito?

— *Atestados de óbito?* Nós estamos falando do Afeganistão. Quase ninguém tem, nem mesmo, certidão de *nascimento*.

Os olhos vítreos de Andrew quase não piscaram.

— Eu não faço as leis. Independentemente da sua indignação, o senhor vai ter de provar que os pais dele são falecidos. O garoto tem de ser declarado legalmente órfão.

— Mas...

— O senhor quis a resposta longa, e eu estou lhe dando. Seu outro problema é o de precisar da cooperação do país de origem do garoto. E isso é difícil, mesmo sob as melhores circunstâncias, e, citando suas próprias palavras, nós estamos falando do *Afeganistão*. Nós não temos uma embaixada dos Estados Unidos em Cabul. Isso torna as coisas extremamente complicadas. Quase impossíveis.

— Então está dizendo que eu devo jogar o garoto na rua de novo? — sugeri.

— Eu não disse isso.

— Ele foi vítima de abuso sexual — expliquei, pensando nos guizos nos tornozelos de Sohrab, na maquiagem nos olhos.

— Sinto muito por isso — foi o que saiu da boca de Andrews. Mas, pelo jeito que olhava para mim, nós poderíamos estar conversando sobre o clima. — Mas isso não vai fazer o Departamento de Imigração emitir um visto para o garoto.

— O que está dizendo?

— Estou dizendo que, se o senhor deseja ajudar, mande dinheiro para uma organização humanitária conhecida. Trabalhe como voluntário num campo de refugiados. Mas, neste momento, nossa recomendação é a de que os cidadãos dos Estados Unidos não adotem crianças afegãs.

Levantei da cadeira.

— Vamos, Sohrab — falei em persa. Sohrab encostou em mim, apoiou a cabeça no meu quadril. Lembrei da foto dele com Hassan na mesma posição. — Posso lhe perguntar uma coisa, sr. Andrews?

— Pode.

— O senhor tem filhos? — Pela primeira vez, ele piscou. — Então? Tem? É uma pergunta simples. — Continuou em silêncio. — Foi o que pensei — concluí, pegando Sohrab pela mão. — Eles deviam pôr na sua cadeira alguém que soubesse o que é desejar ter um filho. — Virei para ir embora, com Sohrab me seguindo.

— Posso fazer uma pergunta ao senhor? — disse Andrews.

— Pode falar.

— O senhor prometeu a esse garoto que o levaria para os Estados Unidos?

— E se eu tiver prometido?

Ele abanou a cabeça.

— É perigoso fazer promessas a crianças. — Suspirou e abriu outra vez a gaveta da escrivaninha. — O senhor pretende insistir nesse assunto? — perguntou, revirando alguns papéis.

— Sim, pretendo.

Apresentou um cartão de visitas.

— Então aconselho que arrume um bom advogado de imigração. Omar Faisal trabalha aqui em Islamabad. Pode dizer que fui eu que o recomendei.

Peguei o cartão da mão dele.

— Obrigado — resmunguei.

— Boa sorte — disse ele.

Quando saímos da sala, olhei para trás. Andrews estava parado num retângulo de sol, olhando distraído pela janela, as mãos girando o vaso com o tomateiro na direção do sol, afagando as folhas com carinho.

— Tenham um bom dia — disse a recepcionista quando passamos por ela.

— O seu chefe poderia ser mais bem-educado — comentei, esperando que ela revirasse os olhos ou talvez concordasse com um "Eu sei, todo mundo diz isso". Ela, no entanto, baixou a voz:

— Coitado do Ray. Nunca mais foi o mesmo depois da morte da filha. — Ergui uma sobrancelha. — Ela se suicidou — cochichou ela.

No táxi de volta ao hotel, Sohrab apoiou a cabeça na janela, olhando os prédios passando, os eucaliptos enfileirados. Sua respiração embaçava o vidro, desembaçava, embaçava de novo. Esperei que perguntasse sobre a nossa visita, mas ele não disse nada.

No outro lado da porta do banheiro fechada, a água estava correndo. Desde o dia em que nos registramos no hotel, Sohrab tomava um longo banho todas as noites antes de deitar. Em Cabul, água quente corrente era como os pais, um artigo raro. Agora Sohrab passava quase uma hora por noite no banho, de molho na água ensaboada, esfregando-se. Sentei na beira da cama e liguei para Soraya. Dei uma olhada na fresta de luz passando por baixo da porta do banheiro. *Ainda não se sente limpo, Sohrab?*

Relatei a Soraya o que Raymond Andrews tinha me falado.

— Então, o que você acha? — perguntei.

— Temos de acreditar que ele está enganado. — Ela me contou que tinha ligado para algumas agências de adoção que trabalhavam com adoções internacionais. Ainda não tinha localizado uma que trabalhasse com adoções no Afeganistão, mas ia continuar procurando.

— Como os seus pais receberam a notícia?

— *Madar* ficou muito feliz por nós dois. Você sabe o que ela sente por você, Amir; nada do que faça pode ser errado aos olhos dela. *Padar*... bem, como sempre, ele é difícil de entender. Não falou muita coisa a respeito.

— E você? Está contente?

Ouvi quando ela mudou o fone de uma mão para a outra.

— Acho que vamos fazer bem para o seu sobrinho, mas penso que esse garotinho também vai ser bom para nós.

— Eu estive pensando a mesma coisa.

— Sei que parece loucura, mas de repente me vejo imaginando qual vai ser a *qurma* favorita dele ou a matéria preferida na escola. Imagino a mim mesma ajudando nos deveres de casa... — Deu uma risada. No banheiro, a água tinha parado de correr. Ouvia Sohrab lá dentro, mexendo-se na banheira, derramando água para os lados.

— Você vai ser ótima — falei.

— Ah, quase ia esquecendo! Eu liguei para *kaka* Sharif.

Lembrei de Sharif recitando um poema na nossa *nika*, escrito num pedaço de papel de carta de hotel. O filho dele tinha segurado o Corão acima de nossa cabeça enquanto Soraya e eu caminhávamos em direção ao altar, sorrindo para os flashes das câmeras.

— E o que ele disse?

— Bom, disse que vai mexer os pauzinhos pra nós. Vai ligar para alguns amigos no Departamento de Imigração — respondeu ela.

— Essa é uma ótima notícia — comentei. — Mal consigo esperar até você conhecer Sohrab.

— Eu mal posso esperar para te ver.

Desliguei o telefone, sorrindo.

Sohrab saiu do banheiro alguns minutos depois. Mal dissera uma dúzia de palavras desde a nossa reunião com Raymond Andrews, e minhas tentativas de estabelecer uma conversa só despertaram gestos de cabeça ou respostas monossilábicas. Subiu na cama e puxou a coberta até o queixo. Em minutos estava ressonando.

Abri um círculo no espelho embaçado e fiz a barba com as obsoletas lâminas do hotel, do tipo que se desatarraxa para enfiar a lâmina. Depois também tomei um banho, ficando de molho até a água quente esfriar e minha pele ficar enrugada. Fiquei divagando, refletindo, imaginando...

OMAR FAISAL ERA GORDUCHO, moreno, com covinhas nas bochechas, olhos que pareciam botões pretos e um sorriso afável de dentes separados. O cabelo cinzento já rareando estava preso num rabo de cavalo. Usava um terno de veludo marrom com reforços de couro nos cotovelos e carregava uma pasta surrada e abarrotada. Não tinha mais alça, por isso ele a levava no peito. Era o tipo de sujeito que começava várias frases com uma risada e um pedido de desculpas desnecessário, como *Desculpe, vou estar aí às cinco*. Risada. Quando telefonei, insistiu em vir ao nosso encontro.

— Desculpe, os taxistas nessa cidade são uns exploradores — explicou em um inglês perfeito, sem o mínimo sotaque. — Quando farejam um estrangeiro, triplicam a tarifa.

Entrou pela porta, todo sorrisos e desculpas, suando e arfando um pouco. Enxugou a testa com um lenço e abriu a pasta, procurou um caderno e se desculpou pelas folhas de papel derrubadas na cama. Sentado de pernas cruzadas na própria cama, Sohrab mantinha um olho na televisão sem som e outro no agitado advogado. Quando lhe contei de manhã que Faisal viria, ele assentiu, quase fez uma pergunta, mas continuou assistindo a um programa com animais falantes.

— Então aqui estamos — disse Faisal, abrindo um caderno de páginas amarelas. — Espero que meus filhos puxem à mãe em termos de organização. Desculpe, não deve ser o tipo de coisa que se quer ouvir de um possível advogado, hein? — Deu uma risada.

— Bem, Raymond Andrews tem o senhor em alta conta.

— O sr. Andrews. Sim, sim. Bom sujeito. Aliás, ele me ligou falando sobre o senhor.

— Ligou?

— Ah, sim.

— Então já conhece a situação?

Faisal enxugou gotículas de suor acima dos lábios.

— Conheço a versão que contou ao sr. Andrews — disse Faisal. Seu sorriso tímido mostrou as covinhas das bochechas. Virou para Sohrab. — Esse deve ser o jovem que está causando todo o problema — disse em persa.

— Esse é Sohrab — apresentei. — Sohrab, esse é o sr. Faisal, o advogado de que lhe falei.

Sohrab desceu da cama e apertou a mão de Omar Faisal.

— *Salaam alaykum* — disse em voz baixa.

— *Alaykum salaam*, Sohrab — respondeu Faisal. — Você sabe que tem o nome de um grande guerreiro?

Sohrab aquiesceu. Voltou para a cama e deitou de lado para assistir à TV.

— Não sabia que falava persa tão bem — comentei em inglês. — Você cresceu em Cabul?

— Não, eu nasci em Karachi. Mas vivi em Cabul muitos anos. Shar-e--Nau, perto da mesquita de Haji Yaghoub — explicou Faisal. — Eu cresci em

Berkeley, na verdade. Meu pai abriu uma loja de música lá no final dos anos 1960. Amor livre, lenços na cabeça, camisetas coloridas, tudo aquilo. — Inclinou o corpo para a frente. — Eu estive em Woodstock.

— Que legal — eu disse, e Faisal riu tanto que começou a suar novamente. — Enfim — continuei —, o que eu contei ao sr. Andrews era mais ou menos verdade, salvo uma ou duas coisas. Ou talvez três. Eu vou contar a versão não censurada.

Ele lambeu um dedo e abriu o caderno numa página em branco, tirando a tampa da caneta.

— Seria ótimo, Amir. E que tal mantermos a conversa em inglês daqui para a frente?

— Está bem.

Contei tudo o que tinha acontecido. Falei sobre o encontro com Rahim Khan, a viagem a Cabul, o orfanato, o apedrejamento no estádio de Ghazi.

— Meu Deus! — murmurou ele. — Desculpe, eu tenho lembranças tão boas de Cabul... Difícil acreditar que é o mesmo lugar que você está me descrevendo.

— Você esteve lá recentemente?

— Não, graças a Deus.

— Não é como Berkeley, pode acreditar — falei.

— Continue.

Contei tudo o mais — o encontro com Assef, a luta, Sohrab e o estilingue, nossa fuga para o Paquistão. Quando terminei, ele fez algumas anotações, respirou fundo e me lançou um olhar sóbrio.

— Bem, Amir, você tem uma batalha difícil pela frente.

— Dá pra vencer?

Ele tampou a caneta.

— Correndo o risco de soar como Raymond Andrews, não é provável. Não impossível, mas improvável. — Lá se fora o sorriso afável, o ar brincalhão dos olhos.

— Crianças como Sohrab são as que mais precisam de um lar — observei.

— Essas regras e esses regulamentos não fazem sentido nenhum para mim.

— Você está pregando para o padre, Amir — observou. — Mas o fato é que, considerando as leis de imigração, a política das agências de adoção e a situação política no Afeganistão, as cartas não estão a seu favor.

— Eu não entendo! — repliquei. Eu queria bater em alguma coisa. — Quer dizer, entendo, mas não compreendo.

Omar concordou com a cabeça, o cenho franzido.

— Mas é assim. Depois de um desastre, seja natural ou de origem humana... e o Talibã é um desastre, Amir, pode acreditar... é sempre difícil determinar se uma criança é ou não órfã. Os filhos são deslocados para campos de refugiados, ou os pais simplesmente os abandonam por não conseguirem cuidar deles. Acontece o tempo todo. Por isso o Departamento de Imigração não emite um visto, a não ser que fique claro que a criança se encaixa na definição de órfão legítimo. Desculpe, eu sei que soa ridículo, mas é preciso apresentar atestados de óbito.

— Você morou no Afeganistão — observei. — Sabe quanto isso é improvável.

— Eu sei — concordou. — Mas vamos supor que fique estabelecido que o garoto não tenha pais vivos. Mesmo assim, o Departamento de Imigração considera melhor que a adoção seja feita por alguém do próprio país, para que sua cultura possa ser preservada.

— Que cultura? — perguntei. — O Talibã destruiu toda a cultura que o Afeganistão possuía. Você viu o que eles fizeram com os budas gigantes de Bamiyan.

— Desculpe, Amir, só estou dizendo como funciona o Departamento de Imigração — observou Omar, tocando o meu braço. Ele deu uma olhada para Sohrab e sorriu. Virou-se de novo para mim. — Uma criança também precisa ser adotada legalmente, de acordo com as leis e os regulamentos do seu país. Mas quando se tem um país em tumulto, digamos um país como o Afeganistão, os funcionários do governo estão ocupados com emergências, e por isso o processamento de adoções não será uma prioridade. — Suspirei e esfreguei os olhos. Uma latejante dor de cabeça se avolumava atrás deles.

— Mas vamos supor que, de alguma forma, o Afeganistão faça sua parte — continuou Omar, cruzando os braços sobre a barriga. — Mesmo assim, pode não permitir essa adoção. Na verdade, até os países muçulmanos mais moderados hesitam diante de adoções, pois em muitos deles a lei do islã, a *shari'a*, não reconhece a adoção.

— Você está me pedindo para desistir? — perguntei, apertando a testa com a mão.

— Eu cresci nos Estados Unidos, Amir. Se a América me ensinou alguma coisa, é que desistir é muito parecido com mijar na jarra de limonada das garotas bandeirantes. Mas, como seu advogado, tenho de apresentar os fatos — explicou. — Finalmente, faz parte da rotina das agências de adoção enviar membros da sua equipe para avaliar o ambiente da criança, e nenhuma agência sensata vai mandar um agente para o Afeganistão.

Olhei para Sohrab sentado na cama, assistindo à TV, observando-nos. Estava sentado do mesmo jeito que o pai, o queixo apoiado num joelho.

— Eu sou meio-tio dele. Isso não conta?

— Conta se você conseguir provar. Desculpe, você tem algum documento ou alguém que possa confirmar sua história?

— Nenhum documento — respondi, com a voz cansada. — Ninguém sabia a respeito. Sohrab não sabia até eu contar, e eu mesmo só descobri recentemente. A única outra pessoa que conhece a história está sumida, talvez morta.

— Humm.

— Quais são as minhas opções, Omar?

— Eu vou ser franco. Não são muitas.

— Mas, meu Deus, o que eu posso fazer?

Omar respirou fundo, bateu no queixo com a caneta, soltou a respiração.

— Você sempre pode preencher um pedido de adoção e esperar pelo melhor. Poderia fazer uma adoção independente. Isso significa ter de morar com Sohrab aqui no Paquistão, todos os dias, pelos próximos dois anos. Pode procurar asilo em nome dele. Seria um processo longo, e você precisaria provar uma perseguição política. Você poderia requerer um visto humanitário. Isso fica a critério do procurador-geral e não é concedido com facilidade. — Fez uma pausa. — Existe outra opção, provavelmente a sua melhor jogada.

— Qual é? — perguntei, chegando mais perto.

— Você poderia deixar o garoto num orfanato daqui e preencher uma petição para um órfão. Dar início ao seu formulário I-600 e à avaliação doméstica enquanto ele está num lugar seguro.

— O que é isso tudo?

— Desculpe, o I-600 é uma formalidade do Departamento de Imigração. A avaliação doméstica é feita pela agência de adoção da sua escolha — explicou Omar. — Sabe, só para garantir que você e sua mulher não são lunáticos desvairados.

— Eu não quero fazer isso — falei, olhando mais uma vez para Sohrab. — Prometi a ele que não o mandaria de volta a um orfanato.

— Como eu disse, pode ser a sua melhor jogada.

Conversamos um pouco mais. Depois o acompanhei até o carro dele, um velho Fusca. Àquela altura o sol estava se pondo em Islamabad, com flamejantes nuvens vermelhas no oeste. Vi o carro ceder sob o peso de Omar quando ele conseguiu se posicionar atrás do volante. Ele abaixou o vidro.

— Amir?

— Sim.

— Eu queria dizer lá dentro, sobre o que você está tentando fazer: eu acho muito bom.

Acenou enquanto se afastava. Retribuindo o aceno em pé na porta do hotel, desejei que Soraya estivesse ali comigo.

Quando voltei ao quarto, Sohrab tinha desligado a TV. Sentei na beira da minha cama, pedindo que sentasse ao meu lado.

— O sr. Faisal acha que existe um jeito de levar você para a América comigo — falei.

— É mesmo? — disse Sohrab, sorrindo um pouco pela primeira vez em muitos dias. — Quando a gente pode ir?

— Bem, essa é a questão. Pode demorar um pouco. Mas ele disse que pode ser feito e que vai ajudar a gente. — Pus a mão em sua nuca. Lá fora, o chamado para as orações entoava pelas ruas.

— Quanto tempo? — perguntou Sohrab.

— Não sei. Algum tempo.

Sohrab deu de ombros e sorriu, dessa vez mais animado.

— Não tem importância. Eu posso esperar. É como as maçãs azedas.

— Maçãs azedas?

— Uma vez, quando eu era muito pequeno, subi numa árvore e comi umas maçãs verdes e azedas. Minha barriga inchou e ficou dura como um tambor, doeu muito. Minha mãe disse que, se esperasse as maçãs amadurecerem, eu não ficaria doente. Agora, sempre que eu desejo muito uma coisa, tento lembrar do que ela disse sobre as maçãs.

— Maçãs azedas — repeti. — *Mashallah*, você está sendo o garoto mais esperto que já conheci, Sohrab *jan*. — As orelhas dele ficaram vermelhas de vergonha.

— Você vai me levar naquela ponte vermelha? Aquela com neblina? — perguntou ele.

— Sem a menor dúvida — respondi. — Sem dúvida.

— Vamos passear de carro naquelas ruas em que a gente só vê o capô do automóvel e o céu?

— Todas elas — confirmei. Meus olhos pinicaram de lágrimas, e pisquei para desanuviar.

— É difícil aprender inglês?

— Garanto que em um ano você estará falando tão bem quanto o persa.

— É mesmo?

— Mesmo. — Pus um dedo debaixo do queixo dele, virando seu rosto para mim. — Mas tem uma coisa, Sohrab.

— O quê?

— Bem, o sr. Faisal acha que ajudaria muito se a gente pedisse... para você ficar por um tempo num lar para crianças.

— Lar para crianças? — repetiu ele, o sorriso desmaiando. — Você quer dizer um orfanato?

— Seria só por pouco tempo.

— Não — respondeu. — Não, por favor.

— Sohrab, seria só por pouco tempo, prometo.

— Você prometeu que nunca ia me pôr num desses lugares, Amir *agha*! — retrucou. A voz estava entrecortada, e lágrimas acumulavam-se em seus olhos. Eu me senti um canalha.

— Vai ser diferente. Seria aqui em Islamabad, não em Cabul. E eu vou visitar você o tempo todo, até conseguir te levar para a América.

— Por favor! Por favor, não! — ele gritou. — Eu tenho medo daquele lugar. Eles vão me machucar! Eu não quero ir.

— Ninguém vai machucar você. Nunca mais.

— Vão, sim! Eles sempre dizem que não vão, mas estão mentindo. Eles mentem! Pelo amor de Deus!

Enxuguei com o polegar as lágrimas que escorriam pelo rosto dele.

— Maçãs azedas, lembra? É como as maçãs azedas — disse com delicadeza.

— Não, não é. Não aquele lugar. Deus, meu Deus. Por favor, não! — Estava tremendo, muco e lágrimas misturavam-se no seu rosto.

— *Shhh-shhh*. — Puxei-o para mais perto, abracei seu corpinho trêmulo. — *Shhh*. Vai dar tudo certo. Nós vamos pra casa juntos. Você vai ver, vai dar tudo certo.

A voz dele soou abafada no meu peito, mas percebi seu pânico.

— Por favor, prometa que não vai fazer isso! Oh, Deus, Amir *agha*! Por favor, prometa que não vai fazer isso!

Como eu poderia prometer? Fiquei abraçado com ele, apertando forte, balançando para a frente e para trás. Chorou na minha camisa até ficar sem lágrimas, até parar de tremer e seus apelos frenéticos se transformarem em murmúrios indecifráveis. Fiquei esperando, embalando-o até a respiração normalizar e o corpo relaxar. Lembrei de algo que tinha lido muito tempo atrás: *É assim que as crianças lidam com o terror. Adormecendo.*

Levei-o até a cama e fiz que se deitasse. Depois recostei na minha cama, observando o céu lilás de Islamabad pela janela.

* * *

O CÉU ESTAVA PRETO como breu quando o telefone me acordou. Esfreguei os olhos e acendi a luz do abajur. Passava um pouco das dez e meia da noite. Eu tinha dormido quase três horas. Atendi o telefone.

— Alô?

— Ligação da América — a voz entediada do sr. Fayyaz.

— Obrigado — respondi.

A luz do banheiro estava acesa; Sohrab estava tomando seu banho noturno. Alguns cliques depois, ouvi a voz de Soraya:

— *Salaam!* — Ela parecia animada.

— Oi.

— Como foi a reunião com o advogado?

Contei o que Omar Faisal tinha sugerido.

— Bem, pode esquecer — disse ela. — Nós não vamos precisar fazer isso.

Sentei na cama.

— *Rawsti?* Por quê? O que aconteceu?

— Tive notícias de *kaka* Sharif. Ele disse que o principal é pôr Sohrab no país. Quando ele estiver aqui, sempre haverá um jeito de mantê-lo. Depois fez umas ligações para os amigos dele no Departamento de Imigração. Mais tarde me ligou, dizendo que tem quase certeza de que consegue um visto humanitário para Sohrab.

— Sério mesmo? — perguntei. — Ah, graças a Deus! Bom e velho Sharif *jan*!

— Eu sei. Enfim, nós vamos ser os responsáveis. Tudo deve se resolver bem rápido. Ele disse que o visto pode ser válido por um ano, tempo suficiente para entrarmos com um pedido de adoção.

— Então vai mesmo acontecer, hein, Soraya?

— Parece que sim — respondeu.

Parecia feliz. Eu disse que a amava, e ela disse que também me amava. Desliguei.

— Sohrab! — chamei, levantando da cama. — Tenho ótimas notícias. — Bati na porta do banheiro. — Sohrab! Soraya acabou de ligar da Califórnia. Você não vai precisar ficar no orfanato, Sohrab. Nós vamos para a América, você e eu. Está me ouvindo? Nós vamos para a América!

Abri a porta. Entrei no banheiro.

De repente eu estava de joelhos, gritando. Gritando com os dentes cerrados. Gritando até minha garganta rasgar e meu peito explodir.

Depois me disseram que eu ainda estava gritando quando a ambulância chegou.

Vinte e cinco

ELES NÃO ME DEIXAM ENTRAR.

Vejo quando passam empurrando Sohrab na maca por uma série de portas duplas e vou atrás. Passo pelas portas, sinto o cheiro de iodo e peróxido, mas só tenho tempo de ver dois homens com touca cirúrgica e uma mulher de jaleco verde debruçada numa maca. Um lençol branco pende ao lado, arrastando-se por lajotas quadriculadas. Dois pés pequenos e ensanguentados estão para fora do lençol, e vejo que a unha do dedão do pé esquerdo está lascada. Em seguida um homem alto e grande de azul põe a palma da mão no meu peito e me empurra para trás das portas, sinto a aliança em seu dedo fria na minha pele. Resisto e digo desaforos, mas ele diz que não posso ficar aqui — diz isso em inglês, a voz calma, porém firme.

— Você precisa esperar — pede, levando-me de volta à sala de espera, as portas duplas se fechando atrás dele com um chiado, e só consigo ver o cocuruto das toucas cirúrgicas pelas estreitas janelas retangulares.

Ele me deixa num corredor largo e sem janelas, cheio de pessoas sentadas em cadeiras dobráveis de metal encostadas nas paredes, outras acomodadas em tapetes puídos. Sinto vontade de gritar de novo, lembrando da última vez que me sentira assim, com *baba* no caminhão de combustível, enterrado no escuro junto com outros refugiados. Sinto vontade de sair desse lugar, dessa realidade, subir como uma nuvem e flutuar para longe, derreter nessa noite úmida de verão e me dissolver em algum lugar distante, acima das montanhas. Mas estou aqui, minhas pernas são um bloco de concreto, falta ar nos meus pulmões, minha garganta arde. Não há como sair flutuando. Não haverá outra realidade esta noite. Fecho os olhos, e minhas narinas são invadidas pelos odores do corredor, suor e amoníaco, álcool e curry. No teto, mariposas se atiram contra as lâmpadas opacas e mortiças que se enfileiram no corredor, e ouço suas asas bater como papel. Escuto conversas, soluços abafados, fungadas, alguém gemendo, outro alguém suspirando, portas de elevador se abrindo com um *plim*, a telefonista falando com alguém em urdu.

Abro os olhos outra vez e sei o que preciso fazer. Olho ao redor, o coração martelando no peito, o sangue latejando nos ouvidos. Vejo um pequeno depósito escuro à minha esquerda. Lá dentro encontro o que preciso. Vai servir. Pego um lençol branco de uma pilha de roupas de cama dobradas e volto ao corredor. Vejo uma enfermeira falando com um policial perto do toalete. Puxo a enfermeira pelo cotovelo, perguntando de que lado fica o oeste. Ela não entende, as linhas de seu rosto se aprofundam numa careta. Minha garganta dói, e meus olhos ardem com o suor, cada respiração queimando como fogo, e acho que estou chorando. Pergunto outra vez. Imploro. É o policial que me responde.

Jogo meu *jai-namaz* improvisado no chão, meu tapete de orações, e me ajoelho, encosto a testa no assoalho, as lágrimas escorrendo no lençol. Eu me debruço para o oeste. Depois me lembro que não rezo há mais de quinze anos. Há muito tempo já esqueci as palavras. Mas não importa; vou murmurar as poucas palavras de que ainda me lembro: *La illaha il Allah, Muhammad u rasul ullah*. Alá é o único Deus, e Maomé é o seu mensageiro. Vejo agora como *baba* estava enganado: existe um Deus, sempre existiu. Eu O vejo aqui, nos olhos das pessoas deste corredor de desespero. Esta é a verdadeira casa de Deus, e é aqui que os que perderam Deus vão encontrá-Lo, não na *masjid* branca com suas luzes brilhantes e minaretes imponentes. Existe um Deus, tem que existir, e agora eu vou rezar, vou rezar para que Ele me perdoe por tê-Lo negligenciado todos esses anos, me perdoe por ter traído, mentido e pecado com impunidade, só para me voltar para Ele agora em minha hora de necessidade, rezar para que seja piedoso, benevolente e cheio de graça como o Seu livro sagrado diz que Ele é. Debruçado para o oeste, beijo o chão e prometo que vou fazer *zakat*, vou fazer *namaz*, vou jejuar durante o Ramadã e vou continuar jejuando depois do Ramadã. Vou guardar na memória todas as palavras de Seu livro sagrado, vou fazer também uma peregrinação para aquela sufocante cidade no deserto e me postar diante da *Ka'bah*. Vou fazer tudo isso e ter fé todos os dias a partir de hoje se Ele realizar este meu único desejo: minhas mãos estão sujas com o sangue de Hassan; rezo a Deus que não permita que sejam manchadas pelo sangue de seu filho também.

Ouço um choramingo e percebo que sou eu; meus lábios estão salgados de lágrimas que escorrem pelo meu rosto. Sinto os olhos de todos nesse corredor sobre mim e continuo prostrado para o oeste. Rezo. Rezo para que meus pecados não tenham me alcançado da maneira como sempre temi que acontecesse.

UMA NOITE NEGRA E SEM ESTRELAS cai sobre Islamabad. Passaram-se algumas horas, e estou sentado no chão de uma saleta perto do corredor que leva à ala de emergência. Diante de mim há uma mesa de centro opaca, atulhada de jornais e revistas amassadas — uma edição da *Time* de abril de 1996; um jornal paquistanês mostrando o rosto de um jovem atropelado e morto por um trem uma semana antes; uma revista de entretenimento com atores de Lollywood sorridentes na capa brilhante. Vejo uma senhora de idade usando um *shalwar-kameez* cor de jade e um xale de crochê pendendo de uma cadeira de rodas à minha frente. De vez em quando ela acorda e murmura uma prece em árabe. Conjecturo exaustivamente quais preces serão ouvidas esta noite, as dela ou as minhas. Visualizo o rosto de Sohrab, o queixo carnudo e pontudo, as orelhas em forma de concha, os olhos puxados como folhas de bambu, tão parecidos com os do pai. Uma tristeza negra como a noite lá fora me invade, e sinto um aperto na garganta.

Preciso de ar.

Levanto e abro as janelas. O ar que passa pela tela é quente e úmido — cheira a tâmaras passadas e esterco. Forço o ar nos pulmões em grandes golfadas, mas isso não alivia o sentimento de aperto no peito. Volto a sentar no chão. Pego a revista *Time* e folheio as páginas. Mas não consigo ler, não consigo me concentrar em nada. Jogo a revista na mesa e volto a observar o zigue-zague das rachaduras no piso de cimento, as teias de aranha nos cantos onde as paredes se juntam, as moscas mortas sujando as grades das janelas. Mais que tudo, observo o relógio na parede. Já são mais de quatro da manhã. Fui expulso da sala com as portas duplas há mais de cinco horas e ainda não tive nenhuma notícia.

O piso sob meus pés parece que começa a fazer parte do meu corpo, e minha respiração vai ficando mais pesada, mais lenta. Quero dormir, fechar os olhos e deitar a cabeça nesse chão frio e empoeirado. Apagar. Quando eu acordar, talvez descubra que tudo o que vi no banheiro do hotel foi parte de um sonho: as gotas pingando da torneira e caindo na água ensanguentada da banheira; o braço esquerdo pendendo ao lado, a lâmina cheia de sangue na pia do banheiro — a mesma com que eu fizera a barba no dia anterior — e os olhos dele, ainda semiabertos, porém baços. Isso, mais do que tudo. Quero esquecer aqueles olhos.

Pouco depois o sono chega, e me deixo levar. Sonho com coisas de que não consigo me lembrar.

Alguém está batendo no meu ombro. Abro os olhos. Um homem está agachado ao meu lado. Está com uma touca igual à dos homens atrás da porta dupla e uma máscara cirúrgica de papel sobre a boca — meu coração afunda quando vejo uma gota de sangue na máscara. Ele colara a foto de uma garotinha com olhos de gazela no bipe. Tira a máscara, e fico contente de não precisar mais olhar para o sangue de Sohrab. Sua pele é escura como o chocolate suíço importado que Hassan e eu comprávamos no bazar de Shar-e-Nau; o cabelo está rareando, e os olhos cor de amêndoas têm cílios curvos. Com um sotaque britânico, ele diz que seu nome é dr. Nawaz, e de repente quero me afastar dele, pois acho que não vou aguentar o que tem para me dizer. Explica que o garoto se cortou muito e perdeu bastante sangue, e minha boca começa a murmurar aquela oração outra vez:

La illaha il Allah, Muhammad u rasul ullah.

Tiveram de fazer transfusão de várias unidades de glóbulos vermelhos...

Como eu vou dizer isso a Soraya?

Duas vezes ele teve de ser ressuscitado...
Eu vou fazer namaz, *vou fazer* zakat.
Teria morrido se o coração não fosse tão novo e forte...
Vou jejuar.
Ele está vivo.

O dr. Nawaz sorri. Levo um instante para assimilar o que ele acabou de me dizer. Depois ele diz mais algumas coisas, mas não consigo ouvir nada. Porque peguei as mãos dele e encostei-as no meu rosto. Choro de alívio nas mãos pequenas e carnudas desse estranho, e ele não diz nada. Fica esperando.

A UNIDADE DE TERAPIA INTENSIVA é mal iluminada e em forma de L, um burburinho de monitores bipando e máquinas zumbindo. O dr. Nawaz me conduz entre duas fileiras de leitos separados por cortinas de plástico branco. A cama de Sohrab é a última depois da curva, a mais próxima da enfermagem, onde duas enfermeiras em jaleco cirúrgico verde fazem anotações em pranchetas, papeando em voz baixa. Na silenciosa ascensão do elevador com o dr. Nawaz, achei que ia chorar outra vez quando visse Sohrab. Mas meus olhos estão secos quando me sento na cadeira ao pé da cama, olhando para seu rosto pálido em meio ao emaranhado de cateteres e tubos plásticos transparentes. Ao ver seu peito subir e descer ao ritmo dos sussurros do respirador, sou envolvido por um estranho entorpecimento, o mesmo que um homem deve sentir segundos depois de desviar o automóvel e evitar por pouco uma colisão frontal.

Cochilo um pouco e, quando acordo, vejo o sol subindo num céu opaco pela janela ao lado da enfermaria. A luz entra rasante no recinto, conduzindo minha sombra em direção a Sohrab. Ele não se mexe.

— Seria melhor você dormir um pouco — me diz uma enfermeira. Não a reconheço; deve ter havido uma troca de turno enquanto eu cochilava. Ela me leva até outra sala, essa logo ao lado da UTI. Está vazia. A enfermeira me dá um travesseiro e uma coberta do hospital. Agradeço e deito no sofá de vinil no canto da sala. Adormeço quase imediatamente.

Sonho que estou de volta ao saguão do andar de baixo. O dr. Nawaz entra, e eu levanto para cumprimentá-lo. Ele tira a máscara de papel, de repente com as mãos mais brancas do que me lembrava, as unhas bem-feitas, o cabelo repartido com esmero, e vejo que não é o dr. Nawaz, é Raymond Andrews, o homenzinho da embaixada com o vaso de tomateiro. Andrews inclina a cabeça. Aperta os olhos.

Durante o dia, o hospital é um labirinto de corredores angulosos e fervilhantes, um borrão de branco brilhante sob luzes fluorescentes. Esquadrinho a disposição do espaço, aprendo que o botão do quarto andar do elevador da ala leste não acende, que a porta do banheiro masculino do mesmo andar está enguiçada, que é preciso empurrar com o ombro para abrir. Descubro que a vida no hospital tem um ritmo, um frenesi de atividades pouco antes da mudança do turno da manhã, a agitação do meio-dia, a calmaria e o sossego das horas tardias da noite, ocasionalmente interrompidas por uma lufada de médicos e enfermeiras correndo para receber alguém. Mantenho a vigília ao lado do leito de Sohrab de dia e, à noite, fico vagando pelos corredores espiralados do hospital, ouvindo os saltos dos meus sapatos estalar na lajota, pensando no que dizer a Sohrab quando ele acordar. Acabo voltando à UTI, perto do respirador ciciante ao lado da cama, ainda sem saber o que dizer.

Depois de três dias na UTI, eles retiram o aparelho respiratório e transferem Sohrab para um leito no andar térreo. Eu não estava lá quando isso aconteceu. Tinha voltado ao hotel naquela noite para dormir um pouco, mas acabei me virando na cama a noite toda. De manhã, tentei não olhar para a banheira. Agora já estava limpa — alguém tinha lavado o sangue da cuba e estendido novos tapetes no chão. Mas não consegui deixar de sentar na plataforma de porcelana fria da borda. Imaginei Sohrab enchendo a banheira com água quente. Vi quando se despia. Visualizei-o desatarraxando o cabo do barbeador e abrindo o dispositivo, retirando a lâmina, segurando-a entre o polegar e o indicador. Imaginei-o entrando na água, ficando imerso por um tempo, os olhos fechados. Ponderei sobre seus últimos pensamentos quando preparou a lâmina para o corte.

Estava saindo pelo saguão quando o gerente do hotel, o sr. Fayyaz, veio falar comigo.

— Eu sinto muito pelo senhor — disse —, mas preciso pedir que saia do meu hotel, por favor. Isso é ruim para os negócios, muito ruim.

Respondi que entendia e fechei a conta. Ele não me cobrou pelos três dias em que fiquei no hospital. Enquanto esperava um táxi na porta do hotel, pensei sobre o que o sr. Fayyaz me dissera na noite em que saímos à procura de Sohrab: *O problema com os afegãos é que... bem, vocês são um pouco descuidados.* Eu tinha rido dele, mas agora ponderava. Como eu pude dormir depois de dar a Sohrab a notícia que ele mais temia?

Quando entrei no táxi, perguntei ao motorista se ele conhecia alguma livraria que vendesse livros em persa. Ele disse que havia algumas a poucos quilômetros ao sul. Paramos lá a caminho do hospital.

O NOVO QUARTO DE SOHRAB tinha paredes cor de creme, descascadas, com musgo cinzento e lajotas esmaltadas que um dia deviam ter sido brancas. Dividia o quarto com um adolescente punjabi que, como fiquei sabendo depois por uma das enfermeiras, tinha fraturado a perna ao escorregar do teto de um ônibus em movimento. A perna estava engessada, erguida e suspensa por tiras atadas a diversos pesos.

A cama de Sohrab ficava perto da janela, com a metade inferior iluminada pela luz do final da manhã passando pelos caixilhos retangulares. Um guarda de segurança uniformizado descansava perto da janela, mastigando sementes de melancia cozidas — Sohrab estava sob vigília de suicida, vinte e quatro horas por dia. Protocolo do hospital, segundo me informara o dr. Nawaz. O guarda tocou o dedo no quepe quando me viu e saiu do quarto.

Sohrab estava de costas, com um pijama de manga curta do hospital, a coberta puxada até o rosto, virado para a janela. Achei que estava dormindo, mas quando arrastei uma cadeira até perto da cama suas pálpebras se moveram e abriram. Olhou para mim, depois virou para o outro lado. Estava muito pálido, mesmo com todo o sangue das transfusões, e havia um grande hematoma roxo na dobra do braço direito.

— Como você está? — perguntei.

Ele não respondeu. Continuou olhando pela janela, para uma caixa de areia cercada e um balanço no jardim do hospital. Havia uma treliça em forma de arco perto do playground, à sombra de alguns hibiscos, e umas poucas trepadeiras verdes subiam pela treliça de madeira. Alguns garotos brincavam com baldes e pás na caixa de areia. O céu estava limpo e azul naquele dia, e vi um jatinho deixando dois rastros brancos iguais na passagem. Virei para Sohrab.

— Conversei com o dr. Nawaz agora há pouco, e ele acha que você vai ter alta em dois dias. Boa notícia, não?

Mais uma vez, só silêncio. O garoto punjabi no outro lado do quarto se agitou durante o sono e resmungou alguma coisa.

— Gostei do seu quarto — falei, tentando não olhar para as ataduras nos pulsos de Sohrab. — Bem iluminado, tem uma bela vista. — Silêncio. Passaram-se mais uns constrangedores minutos, e um leve suor começou a se formar na minha testa e acima do lábio superior. Apontei para a terrina com ervilhas verdes *aush* intocada na mesa de cabeceira, a colher de plástico seca. — Você devia tentar comer alguma coisa. Recuperar um pouco de *quwat*, da sua força. Quer que eu te ajude?

Ele encarou meu olhar, mas logo virou o rosto, inexpressivo como uma pedra. Os olhos ainda estavam baços, percebi, vagos, do jeito que encontrei quando o tirei da banheira. Peguei a sacola de papel entre os meus pés e tirei um exemplar de segunda mão do *Shahnamah* que tinha comprado na livraria persa. Virei a capa na direção de Sohrab.

— Eu costumava ler isto para o seu pai quando éramos crianças. Subíamos na colina perto da nossa casa e sentávamos embaixo de uma romãzeira... — Parei de falar. Sohrab estava olhando pela janela outra vez. Forcei um sorriso. — A história favorita do seu pai era a de Rostam e Sohrab, e foi daí que surgiu o seu nome, eu sei que você sabe disso. — Fiz uma pausa, sentindo-me um pouco idiota. — Enfim, ele disse na carta que era sua parte predileta também, então pensei em ler um pouco para você. Você gostaria? — Sohrab fechou os olhos. Cobriu-os com o braço, o que tinha o hematoma. Abri o livro na página que tinha marcado no táxi. — Vamos lá — falei, conjecturando pela primeira vez sobre o que tinha passado pela cabeça de Hassan quando ele afinal leu o *Shahnamah* sozinho e descobriu que eu o tinha enganado todas aquelas vezes. Limpei a garganta e comecei a ler: — "Atentem para o combate de Sohrab contra Rostam, embora seja uma história repleta de lágrimas" — comecei. — "Aconteceu certo dia em que Rostam levantou de seu divã com a mente cheia de augúrios. Ele refletiu...". — Li quase todo o capítulo 1 para ele, até a parte em que o jovem guerreiro Sohrab procura sua mãe, Tahmineh, a princesa de Samengan, e exige saber a identidade do pai. Fechei o livro. — Quer que eu continue a ler? Vão acontecer algumas batalhas, lembra? Com Sohrab liderando seu exército até o castelo branco no Irã? Devo continuar a leitura? — Ele abanou lentamente a cabeça. Guardei o livro na sacola de papel. — Tudo bem — eu disse, animado por ele ao menos ter respondido. — Talvez a gente possa continuar amanhã. Como está se sentindo?

A boca de Sohrab abriu e emitiu um som áspero. O dr. Nawaz me dissera que isso aconteceria, por causa do tubo de respiração introduzido em suas cordas vocais. Estalou os lábios e tentou de novo.

— Cansado.
— Eu sei. O dr. Nawaz disse que isso era de esperar...
Ele estava abanando a cabeça.
— O que foi, Sohrab?
Fez uma careta e falou de novo naquela voz áspera, quase um sussurro:
— Cansado de tudo.

Dei um suspiro e me afundei na cadeira. Uma faixa de luz se espalhava na cama entre nós, e, por um instante, o rosto pálido e acinzentado olhando para mim do outro lado era de um sósia de Hassan — não o Hassan com quem eu jogava bolinha de gude até o mulá soar o aviso da *azan* noturna e Ali nos chamar para casa, não o Hassan que eu perseguia pela nossa colina quando o sol se punha atrás dos telhados de argila no oeste, mas o Hassan que avistei vivo pela última vez, arrastando seus pertences atrás de Ali embaixo de uma chuvarada de verão, enfiando tudo no porta-malas do carro de *baba* enquanto eu observava pela janela molhada do meu quarto.

Sohrab mexeu de leve a cabeça.
— Cansado de tudo — repetiu.
— O que posso fazer para ajudar, Sohrab? Por favor, me diga.
— Eu quero... — começou. Fez outra careta e levou a mão à garganta, como que para remover o que estava bloqueando sua voz. Meu olhar foi de novo atraído pelo pulso com as ataduras de gaze branca. — Eu quero minha antiga vida de volta — sussurrou.

— Ah, Sohrab.

— Quero meu pai e minha mãe. Quero a *sasa*. Quero brincar com Rahim Khan *sahib* no jardim. Quero morar na nossa casa outra vez. — Passou o antebraço pelos olhos. — Quero minha antiga vida de volta.

Eu não sabia o que dizer, para onde olhar, por isso baixei os olhos para minhas mãos. *Sua antiga vida*, pensei. *Minha antiga vida também. Eu brinquei no mesmo quintal, Sohrab, morei na mesma casa. Mas a grama está morta, e o jipe de um estranho está parado na entrada da nossa casa, mijando óleo por todo o asfalto. Nossa antiga vida não existe mais, Sohrab, e todos os que participavam dela estão mortos ou morrendo. Somos só nós dois agora. Só você e eu.*

— Eu não posso dar isso a você — eu disse.

— Eu preferia que você não...

— Por favor, não diga isso.

— ... preferia que você não... preferia que tivesse me deixado na banheira.

— Nunca mais diga isso, Sohrab — pedi, chegando mais perto. — Eu não aguento ouvir você falar desse jeito. — Toquei em seu ombro, e ele se esquivou. Afastou-se. Tirei a mão, lembrando com tristeza que nos últimos dias, antes de eu descumprir minha promessa, ele afinal estava mais acessível ao meu contato. — Sohrab, eu não posso devolver a sua antiga vida, tomara Deus eu pudesse. Mas posso levar você comigo. Era isso que eu ia dizer quando entrei no banheiro. Você vai ter um visto para ir para a América, morar comigo e minha esposa. É verdade. Prometo. — Ele suspirou pelo nariz e fechou os olhos. Lamentei ter dito essa última palavra. — Sabe, eu me arrependo de um monte de coisas que fiz na vida — eu disse —, mas acho que nenhuma foi pior do que ter voltado atrás na promessa que fiz a você. Eu lamento profundamente, e isso nunca mais vai acontecer. Peço o seu *bakhshesh*, seu perdão. Você pode fazer isso? Pode me perdoar? Será que consegue acreditar em mim? — Baixei o tom de voz e perguntei: — Você vai comigo?

Enquanto esperava a resposta dele, meus pensamentos me levaram até um dia de inverno muito distante, Hassan e eu na neve embaixo da nossa cerejeira desfolhada. Eu fizera um jogo cruel com Hassan naquele dia, brincara com ele, perguntara se comeria cocô para provar sua lealdade a mim. Agora era eu sob o microscópio, eu é que tinha de provar o meu valor. Eu merecia isso.

Sohrab virou para o lado, ficou de costas para mim. Não disse nada por um longo tempo. De repente, quando achei que tivesse adormecido, ele disse com a voz rouca:

— Eu estou *khasta*. — Muito cansado.

Continuei sentado na cama até ele adormecer. Alguma coisa tinha se perdido entre mim e Sohrab. Antes da minha reunião com o advogado, Omar Faisal, uma luz de esperança havia começado a brilhar nos olhos de Sohrab, como um hóspede tímido. Agora a luz não estava mais lá, o hóspede tinha fugido, e eu me perguntava quando ousaria retornar. Pensei quanto tempo levaria até Sohrab voltar a sorrir. Quanto tempo até confiar em mim. Se voltasse a confiar.

Saí do hospital para procurar outro hotel, sem saber que quase um ano se passaria antes de ouvir Sohrab dizer mais uma palavra.

No FIM, Sohrab nunca aceitou minha oferta. Nem recusou. Mas ele sabia que, quando as ataduras fossem removidas e as roupas do hospital devolvidas, ele seria apenas mais um órfão hazara. Que escolha teria? Para onde poderia ir? Assim, o que considerei um "sim" da parte dele foi na verdade uma rendição silenciosa — não uma aceitação, mas um ato de desistência de alguém esgotado demais para decidir, desiludido demais para acreditar. O que Sohrab queria era sua antiga vida. Mas o que levou foi a América e eu. Não que fosse um destino tão ruim, considerando as circunstâncias, mas eu não podia dizer isso a ele. Essa diferença de perspectivas era um luxo para alguém com um enxame de demônios zumbindo na cabeça.

E foi assim que, mais ou menos uma semana depois, nós atravessamos uma faixa de asfalto preta e quente e eu trouxe o filho de Hassan do Afeganistão para a América, tirando-o da certeza de um turbilhão para levá-lo a um turbilhão de incertezas.

* * *

UM DIA, talvez em 1983 ou 1984, eu me encontrava numa loja de vídeo em Fremont. Estava na seção de faroeste quando um sujeito ao meu lado, tomando Coca-Cola num copo da 7-Eleven, apontou para *Sete homens e um destino* e perguntou se eu tinha assistido.

— Assisti, treze vezes — respondi. — Charles Bronson morre, assim como James Coburn e Robert Vaughn. — Ele me olhou feio, como se eu tivesse cuspido no refrigerante dele.

— Muito obrigado, cara — disse, abanando a cabeça e resmungando alguma coisa enquanto se afastava. Foi aí que aprendi que, na América, não se deve contar o fim do filme a ninguém, e quem contar será malvisto e terá de se desculpar muito por ter cometido o pecado de "Estragar o Final".

No Afeganistão, o final era o que mais interessava. Quando Hassan e eu voltávamos depois de assistir a um filme indiano no cinema Zainab, o que Ali, Rahim Khan, *baba* ou a miríade de amigos de *baba* — primos em segundo e terceiro grau que viviam entrando e saindo da casa — queriam saber era o seguinte: a mocinha do filme encontrou a felicidade? O *bacheh film*, o mocinho do filme, conseguiu ficar *kamyab* e realizar seus sonhos, ou ele virou um *nah-kam*, condenado a chafurdar no fracasso?

Eles só queriam saber se o filme tinha um final feliz.

Se alguém me perguntasse hoje se a história de Hassan, Sohrab e a minha teve um final feliz, eu não saberia o que dizer.

Será que alguém sabe?

Afinal, a vida não é um filme indiano. *Zendagi migzara*, os afegãos gostam de dizer: "A vida continua, indiferente ao começo, ao fim, *kamyab*, *nah-kam*, crises ou catarses, seguindo em frente, como uma lenta e poeirenta caravana de *kochis*".

Eu não saberia responder a essa pergunta. Apesar do pequeno milagre ocorrido no último domingo.

SOHRAB E EU CHEGAMOS em casa mais ou menos sete meses atrás, num dia quente de agosto de 2001. Soraya foi nos buscar no aeroporto. Eu nunca tinha ficado tanto tempo longe de Soraya e, quando ela pôs os braços em volta do meu pescoço, quando senti o aroma de maçã do seu cabelo, percebi quanta saudade eu sentira.

— Você continua sendo o sol da minha *yelda* — murmurei.

— O quê?

— Deixa pra lá. — Beijei a orelha dela.

Soraya se ajoelhou para ficar no mesmo nível que Sohrab. Pegou a mão dele e sorriu.

— *Salaam*, Sohrab *jan*, eu sou sua *khala* Soraya. Nós estávamos esperando por você.

Ao vê-la sorrindo para Sohrab, os olhos um pouco lacrimejantes, tive um vislumbre da mãe que poderia ter sido se seu útero não a tivesse traído.

Sohrab se mexeu no lugar e olhou para o outro lado.

SORAYA TINHA TRANSFORMADO o escritório do andar de cima num quarto para Sohrab. Ela o levou até lá, e ele sentou na beira da cama. A roupa de cama era estampada com pipas de cores vivas voando num céu índigo. Ela tinha feito uma marcação na parede perto do armário, em pés e polegadas, para medir o crescimento do garoto. Ao pé da cama, vi um cesto de vime cheio de livros, uma locomotiva, uma caixa de tinta guache.

Sohrab usava camiseta branca e o jeans que eu lhe comprara em Islamabad antes de partirmos — a camiseta pendia solta nos ombros ossudos e caídos. A cor ainda não tinha voltado ao seu rosto, a não ser pelo halo de círculos escuros ao redor dos olhos. Continuava olhando para nós com a mesma atitude impassível com que contemplava os pratos de arroz cozido que os atendentes do hospital punham à sua frente.

Soraya perguntou se ele gostava do quarto, e percebi que tentava não olhar para os pulsos dele, mas que seus olhos continuavam voltando àquelas linhas róseas irregulares. Sohrab baixou a cabeça. Escondeu as mãos atrás das coxas e não disse nada. Depois apenas deitou a cabeça no travesseiro. Menos de cinco minutos depois, quando Soraya e eu olhamos da porta, ele estava ressonando.

Fomos para a cama, e Soraya adormeceu com a cabeça no meu peito. Continuei acordado no escuro do nosso quarto, mais uma vez insone. Acordado. E sozinho com os meus demônios.

Em algum momento durante a noite, deslizei para fora da cama e fui ao quarto de Sohrab. Inclinei-me sobre ele, encarando-o, e descobri algo sob o travesseiro. Peguei o objeto e vi que era a foto polaroide de Rahim Khan, aquela que eu dera a Sohrab na noite em que nos sentamos em frente à mesquita de Shah Faisal. Aquela de Hassan e Sohrab em pé, lado a lado, apertando os olhos sob a luz do sol e sorrindo como se o mundo fosse bom e justo. Imaginei por quanto tempo Sohrab havia se deitado observando a fotografia, tocando-a com as mãos.

Olhei para a foto. *Seu pai era um homem dividido em duas metades*, dissera Rahim Khan em sua carta. Eu tinha sido a metade titular, aprovada pela sociedade, a metade legítima, a involuntária incorporação da culpa de *baba*. Olhei para Hassan, os dois dentes faltando na frente, a luz do sol rasante em seu rosto. A outra metade de *baba*. A metade não titular, não privilegiada. A metade que herdara o que havia de mais puro e nobre em *baba*. A metade que, talvez, nos mais secretos recantos de seu coração, *baba* considerava seu verdadeiro filho.

Guardei a foto no lugar de onde a tirara. Logo depois percebi uma coisa: aquele último pensamento não tinha absolutamente me magoado. Ao fechar a porta de Sohrab, conjecturei se não era assim que o perdão florescia, não com a fanfarra de uma epifania, mas com a dor recolhendo suas coisas, pegando tudo e saindo sem dizer nada no meio da noite.

O GENERAL E KHALA JAMILA vieram jantar em casa na noite seguinte. *Khala* Jamila, o cabelo cortado mais curto e de um vermelho mais vivo do que o habitual, entregou a Soraya a travessa de *maghout* com amêndoas que trouxera para a sobremesa. Viu Sohrab e sorriu.

— *Mashallah!* Soraya *jan* falou quanto você era *khoshteep*, mas você é ainda mais bonito pessoalmente, Sohrab *jan*. — Deu a ele um suéter azul de gola rulê. — Eu tricotei isso para você — explicou. — Para o próximo inverno. *Inshallah* sirva em você.

Sohrab pegou o suéter da mão dela.

— Olá, meu jovem — foi tudo o que disse o general, apoiando as duas mãos na bengala, olhando para Sohrab como se examinasse um bizarro item decorativo na casa de alguém.

Respondi várias vezes às perguntas de *khala* Jamila sobre meus ferimentos — pedi a Soraya que dissesse que tinham sido provocados durante um assalto —, reassegurando que não haveria danos permanentes, que os arames seriam retirados em algumas semanas e que eu poderia comer os biscoitos dela outra vez, que eu ia passar suco de ruibarbo com açúcar nas cicatrizes para não ficarem marcas.

O general e eu nos acomodamos na sala de visitas para tomar vinho, enquanto Soraya e a mãe preparavam a mesa. Falei com ele sobre Cabul e o Talibã. Ele ouviu concordando com a cabeça, a bengala no colo, estalando a língua quando contei sobre o homem que tinha visto vendendo a perna postiça. Não fiz menção às execuções no estádio de Ghazi nem a Assef. Ele perguntou sobre Rahim Khan, que disse ter encontrado em Cabul algumas vezes, e abanou a cabeça com gravidade quando falei sobre a doença dele. Mas, enquanto conversávamos, percebi que olhava de vez em quando para Sohrab, que dormia no sofá. Como se estivesse circundando o limiar do que realmente desejava saber.

A ronda chegou ao fim durante o jantar, quando o general descansou o garfo e disse:

— Amir *jan*, você vai nos contar por que trouxe esse garoto para casa?

— Iqbal *jan*! Que pergunta é essa? — disse *khala* Jamila.

— Enquanto você fica tricotando suéteres, querida, eu tenho de lidar com a opinião que a comunidade tem da nossa família. As pessoas vão perguntar. Vão querer saber por que um garoto hazara está morando com a nossa filha. O que vou dizer a elas?

Soraya largou a colher. Virou-se para o pai.

— Pode dizer a elas que...

— Tudo bem, Soraya — interrompi, pegando a mão dela. — Tudo bem. O general *sahib* tem toda a razão. As pessoas vão perguntar.

— Amir... — começou ela.

— Está tudo bem. — Virei para o general. — General *sahib*, meu pai dormiu com a mulher de um empregado. Ela deu à luz um filho chamado Hassan. Hassan morreu. Esse garoto que está dormindo no sofá é filho de Hassan. É meu sobrinho. É isso que vai dizer quando as pessoas perguntarem.

Todos olharam para mim.

— E mais uma coisa, general *sahib* — prossegui. — Nunca mais se refira a ele como "garoto hazara" na minha presença. Ele tem um nome, e é Sohrab.

Ninguém disse mais nada durante o resto do jantar.

Seria errôneo dizer que Sohrab era quieto. Quietude é paz. Tranquilidade. Quietude é abaixar o botão de volume da vida.

Silêncio é apertar o botão desliga. Desligar tudo. Tudo.

O silêncio de Sohrab não era o silêncio autoimposto dos que têm convicção, de militantes que desejam expor sua causa sem dizer nada. Era o silêncio de quem se protegia num lugar escuro, enrolado em muitas camadas.

Ele não morava conosco, só ocupava um espaço. E um espaço bem pequeno. Às vezes, no mercado ou no parque, eu percebia como as pessoas mal o notavam, como se ele nem estivesse ali. Eu espiava por cima de um livro e percebia que Sohrab tinha entrado no recinto, sentado na minha frente e eu nem tinha notado. Andava como se tivesse medo de deixar rastros. Movimentava-se como se não quisesse agitar o ar em torno de si. Na maior parte do tempo, ele dormia.

O silêncio de Sohrab também pesava em Soraya. Naquele telefonema internacional do Paquistão, Soraya contara sobre as coisas que vinha planejando para Sohrab. Aulas de natação. Futebol. Liga de boliche. Agora ela passava pelo quarto de Sohrab e dava uma olhada nos livros fechados na cesta de vime, a régua de altura sem marca nenhuma, o quebra-cabeça disperso, cada item um lembrete do que a vida poderia ter sido. Lembrete de um sonho que definhava antes mesmo de florir. Mas não só ela. Eu também tinha os meus sonhos para Sohrab.

Enquanto Sohrab estava em silêncio, o mundo não estava. Numa terça-feira de manhã em setembro passado, as Torres Gêmeas desabaram, e, do dia para a noite, o mundo tinha mudado. De repente a bandeira americana estava em toda parte, na antena dos táxis amarelos que driblavam o tráfego, na lapela de pedestres que andavam pelas calçadas num fluxo constante, até na tampa encardida das frigideiras de San Francisco embaixo de marquises de pequenas galerias de arte e lojas de calçadas. Um dia passei por Edith, uma sem-

-teto que toca acordeão todos os dias na esquina da Sutter com a Stockton, e vi uma bandeira americana espetada no estojo do instrumento aos seus pés.

Logo depois dos ataques, os Estados Unidos bombardearam o Afeganistão, a Aliança do Norte invadiu o país, e os talibãs fugiram como ratos para as cavernas. De repente, as pessoas estavam nas filas de lojas e mercados falando sobre as cidades da minha infância, Kandahar, Herat, Mazar-i-Sharif. Quando eu era bem pequeno, *baba* me levou com Hassan até Kunduz. Não me lembro muito da viagem, exceto que estava à sombra de uma acácia com *baba* e Hassan, revezando para tomar suco de melancia fresco de uma moringa de barro, competindo para ver quem conseguia cuspir as sementes mais longe. Agora, Dan Rather, Tom Brokaw e gente tomando *latte* na Starbucks falavam sobre a batalha de Kunduz, o último bastião do Talibã no norte. Naquele dezembro, pashtuns, usbeques e hazaras se reuniram em Bonn e, sob o olhar vigilante da ONU, começaram o processo que poderia um dia pôr um ponto final a mais de vinte anos de infelicidade em sua *watan*. O barrete de astracã e o *chapan* verde de Hamid Karzai se tornaram famosos.

Sohrab continuou sonambulando em meio a tudo isso.

Soraya e eu nos envolvemos em projetos no Afeganistão, tanto pelo sentido de dever civil como pela necessidade de alguma coisa — qualquer coisa — para preencher o silêncio no andar de cima, o silêncio que sugava tudo como um buraco negro. Nunca fui um tipo ativista, mas quando um homem chamado Kabir, ex-embaixador do Afeganistão em Sófia, ligou perguntando se queríamos ajudar no projeto de um hospital, eu disse que sim. O pequeno hospital ficava perto da fronteira entre o Afeganistão e o Paquistão, com uma pequena unidade cirúrgica que tratava de refugiados afegãos com ferimentos causados por minas terrestres. Mas tinha sido fechado por falta de fundos. Assumi a gerência do projeto, tendo Soraya como minha cogestora. Comecei a passar a maior parte dos dias no escritório, contatando gente no mundo inteiro por e-mail em busca de doações, organizando eventos beneficentes. E dizendo a mim mesmo que trazer Sohrab para cá fora a coisa certa a fazer.

O ano terminou comigo e Soraya no sofá, as pernas cobertas por uma manta, assistindo a Dick Clark na TV. As pessoas comemoraram e se beijaram quando a bola prateada caiu e os confetes branquearam a tela. Na nossa casa, o Ano-Novo começou muito parecido com o ano anterior. Em silêncio.

Então, quatro dias atrás, num dia frio e chuvoso de março de 2002, aconteceu uma coisinha maravilhosa.

Levei Soraya, *khala* Jamila e Sohrab a uma reunião de afegãos no parque Lake Elizabeth, em Fremont. Finalmente, um mês antes o general tinha sido convocado para ocupar um ministério no Afeganistão, e já estava lá havia duas semanas — tendo deixado para trás seu terno cinza e o relógio de bolso. O plano era *khala* Jamila também ir para lá dali a alguns meses, quando ele já estivesse instalado. Ela sentia muita falta dele — e se preocupava com a sua saúde lá —, e insistimos que ficasse conosco por um tempo.

A quinta-feira anterior, primeiro dia da primavera, tinha sido o Dia do Ano-Novo Afegão — o *Sawl-e-Nau* —, e os afegãos da Bay Area organizaram comemorações por toda a East Bay e a península. Kabir, Soraya e eu tínhamos uma razão a mais para estarmos alegres: nosso pequeno hospital fora reaberto na semana anterior, não a unidade cirúrgica, só a clínica pediátrica. Mas era um bom começo, todos concordamos.

O tempo estava ensolarado havia dias, mas na manhã de domingo, quando levantei da cama, ouvi gotas de chuva batendo na janela. *Sorte de afegão*, pensei. Dei uma risadinha. Fiz as preces matinais da *namaz* enquanto Soraya ainda dormia — eu não precisava mais consultar o panfleto que pegara na mesquita; agora os versos saíam naturalmente, sem esforço.

Chegamos por volta do meio-dia e encontramos um punhado de pessoas conversando embaixo de uma grande cobertura retangular montada sobre seis estacas cravadas no chão. Alguém já tinha fritado *bolani*; o vapor subia das xícaras de chá e de um caldeirão de *aush* de couve-flor. Uma velha e arranhada canção de Ahmad Zahir tocava numa fita cassete. Sorri um pouco enquanto nós quatro corremos pelo gramado encharcado, Soraya e eu na dianteira, *khala* Jamila no meio, Sohrab atrás, o capuz da capa amarela balançando nas costas.

— Qual é a graça? — perguntou Soraya, segurando um jornal dobrado na cabeça.

— Você pode tirar os afegãos de Paghman, mas não pode tirar Paghman dos afegãos — comentei.

Abaixamos a cabeça para entrar na tenda improvisada. Soraya e *khala* Jamila se esgueiraram até uma mulher gorducha que fritava *bolani* de espinafre. Sohrab ficou embaixo da cobertura por um tempo, depois voltou para baixo da chuva, mãos enfiadas nos bolsos da capa, o cabelo — agora castanho e liso como o de Hassan — grudado na cabeça. Abaixou-se diante de uma poça marrom e ficou olhando. Ninguém pareceu notar. Ninguém o chamou para voltar. Com o passar do tempo, felizmente, as questões sobre o nosso garotinho adotado — e decididamente excêntrico — haviam cessado, o que, pensando quanto as indagações dos afegãos podiam ser indelicadas às vezes, era um alívio considerável. As pessoas deixaram de perguntar por que ele nunca falava. Por que não brincava com os outros meninos. E, o melhor de tudo, pararam de nos sufocar com uma solidariedade exagerada, os vagarosos meneios de cabeça, os estalos de língua, os *"Oh gung bichara"*. Oh, pobre mudinho. A novidade tinha passado. Como um jornal velho, Sohrab fora assimilado à paisagem.

Apertei a mão de Kabir, um baixinho de cabelos prateados. Ele me apresentou a uma dúzia de homens, um professor aposentado, outro engenheiro, um ex-arquiteto, um cirurgião que agora tinha uma barraca de cachorro-quente em Hayward. Todos disseram ter conhecido *baba* em Cabul e falavam sobre ele com muito respeito. De um jeito ou de outro, ele havia participado da vida de todos. Os homens disseram que era uma sorte eu ter tido um grande homem como ele como pai.

Conversamos sobre o difícil e talvez ingrato trabalho que Karzai tinha pela frente, sobre o surgimento da *Loya Jirga* e a volta iminente do rei ao país depois de vinte e oito anos de exílio. Lembrei da noite de 1973, a noite em que Zahir Shah fora deposto pelo primo; recordei os disparos e o céu lampejando de prata — Ali abraçando a mim e a Hassan, dizendo que não tivéssemos medo, que eles estavam apenas caçando patos.

Aí alguém contou uma piada do mulá Nasruddin, e todos nós demos risada.

— Sabe, o seu pai também era um homem engraçado — disse Kabir.

— Era mesmo, não? — concordei, sorrindo, lembrando que, logo depois de chegarmos aos Estados Unidos, *baba* começara a resmungar sobre as moscas americanas. Sentava à mesa da cozinha com seu mata-moscas, observando as moscas dardejar de uma parede a outra, zumbindo ali, zumbindo acolá, ligeiras e apressadas. "Neste país, nem as moscas têm tempo a perder", grunhia ele. Como eu dava risada. Sorri agora ao me lembrar.

Por volta das três da tarde, a chuva parou, e o céu virou um coágulo cinza carregado de massas de nuvens. Um vento frio soprava pelo parque. Mais famílias apareceram. Afegãos se cumprimentavam, abraçavam, beijavam, trocavam comidas. Alguém acendeu o carvão de uma churrasqueira e logo o aroma de alho e *morgh kabob* invadiu meus sentidos. Havia música, um novo cantor que eu não conhecia, e risos de crianças. Vi Sohrab, ainda com sua capa amarela, apoiado num balde de lixo, olhando para o parque, para uma base de beisebol vazia.

Pouco antes, enquanto eu conversava com o ex-cirurgião, que me disse ter sido colega de classe de *baba* na oitava série, Soraya me puxou pela manga.

— Amir, olha!

Estava apontando para o céu. Algumas pipas planavam no alto, salpicos brilhantes de amarelo, vermelho e verde contra o fundo cinzento do céu.

— Olha só — continuou Soraya, dessa vez apontando para um sujeito vendendo pipas numa barraquinha ali perto.

— Segura isso aqui — pedi, entregando minha xícara de chá a Soraya. Saí e fui até a barraca de pipas, os sapatos chafurdando na grama molhada. Apontei para uma *seh-parcha* amarela. — *Sawl-e-nau mubabrak* — disse o vendedor de pipas, pegando a nota de vinte e me passando a pipa e um carretel de madeira de *tar* de vidro. Agradeci e lhe desejei feliz Ano-Novo também. Experimentei a linha da maneira como Hassan e eu sempre fazíamos, segurando-a entre o polegar e o indicador e puxando. A linha ficou vermelha de sangue, e o vendedor de pipas sorriu. Retribuí o sorriso.

Levei a pipa até onde estava Sohrab, ainda encostado na lata de lixo, braços cruzados no peito. Olhando para o céu.

— Você gosta de *seh-parcha*? — perguntei, segurando a pipa pelas varetas cruzadas.

Os olhos de Sohrab mudaram do céu para mim, para a pipa e voltaram para o céu. Algumas gotas escorriam do seu cabelo até o rosto.

— Uma vez eu li que na Malásia eles usam pipas para pescar — falei. — Aposto que você não sabia disso. Eles amarram uma linha de pesca e empinam a pipa acima das águas rasas, para a sombra não afugentar os peixes. E, na antiga China, os generais empinavam pipas nos campos de batalha, para enviar mensagens aos seus comandados. É verdade. Não estou de brincadeira. — Mostrei o meu dedão sangrando. — A *tar* também está em ordem.

Pelo canto dos olhos, vi Soraya nos observando da tenda. Tensa, as mãos enfiadas nas axilas. Diferente de mim, aos poucos ela havia desistido de suas tentativas de cativar Sohrab. As perguntas não respondidas, os olhares em branco, o silêncio, tudo era muito doloroso. Tinha mudado para "Postura de Espera", aguardando um sinal verde de Sohrab. Esperando.

Molhei e ergui o indicador.

— Lembro que o seu pai verificava o vento chutando poeira com as sandálias, para ver de que lado soprava. Ele conhecia um bocado de truques como esse — contei. Baixei o dedo. — Acho que está vindo do oeste.

Sohrab enxugou uma gota de chuva do lóbulo da orelha e mudou de pé. Não disse nada. Pensei em Soraya me perguntando meses atrás qual era o som da voz dele. Eu disse que não lembrava mais.

— Já te contei que o seu pai era o melhor caçador de pipas de Wazir Akbar Khan? Talvez de toda a Cabul? — perguntei, amarrando a ponta da linha do carretel no tirante da vareta central. — Como ele deixava os garotos da vizinhança com inveja. Corria atrás das pipas sem jamais olhar para o céu, e as pessoas diziam que ele perseguia a sombra da pipa. Mas elas não o conheciam como eu. Seu pai não caçava sombra nenhuma. Ele simplesmente... sabia.

Mais algumas pipas tinham alçado voo. Pessoas começaram a se juntar em grupos, xícaras nas mãos, olhos grudados no céu.

— Quer me ajudar a empinar isso?

O olhar de Sohrab pulou da pipa para mim. Voltou para o céu.

— Tudo bem. — Dei de ombros. — Acho que vou ter de empinar *tanhaii*. — Sozinho.

Equilibrei o carretel na mão esquerda e dei mais ou menos um metro de *tar*. A pipa amarela cabeceou na ponta da linha, pouco acima da grama.

— Última chance! — avisei.

Mas Sohrab estava olhando para duas pipas se emaranhando acima das árvores.

— Tudo bem. Aqui vou eu. — Comecei a correr, meus tênis chafurdando nas poças de água de chuva, segurando a linha acima da cabeça. Havia se passado tanto tempo, tantos anos desde a última vez que eu tinha feito isso que achei que poderia estar dando um vexame. Deixei o carretel rolar na mão esquerda enquanto corria, sentindo a linha cortar a mão direita de novo enquanto eu soltava. A pipa começou a subir atrás de mim, subindo, cabeceando, e corri mais depressa. O carretel começou a soltar mais rápido, e o cerol fez outro corte na palma da minha mão direita. Parei e dei meia-volta. Olhei para cima. Sorri. Lá no alto, minha pipa balançava de um lado para o outro como um pêndulo, fazendo aquele conhecido som de pássaro de papel batendo asas que sempre associei a manhãs de inverno em Cabul. Eu não empinava uma pipa fazia um quarto de século, mas de repente tinha doze anos outra vez, e todos os antigos instintos me voltaram.

Senti uma presença ao meu lado e olhei para baixo. Era Sohrab. Ainda com as mãos enterradas nos bolsos da capa. Ele tinha me seguido.

— Quer experimentar? — perguntei. Não respondeu nada. Mas tirou a mão do bolso quando ofereci a linha. Hesitou. Pegou a linha. Meu coração acelerou quando desenrolei o carretel para dar mais linha. Ficamos lado a lado em silêncio. Pescoço esticado.

Ao nosso redor, garotos perseguiam uns aos outros, escorregando na grama. Alguém começou a tocar a trilha sonora de um velho filme indiano. Um grupo de homens mais velhos rezava a *namaz* da tarde numa toalha de plástico estendida no chão. O ar cheirava a grama molhada, fumaça e carne grelhada. Eu queria que o tempo parasse.

Em seguida, percebi que tínhamos companhia. Uma pipa verde vinha se aproximando. Rastreei a linha até um garoto a uns trinta metros de nós. Tinha o cabelo cortado rente e usava uma camiseta que dizia THE ROCK RULES, em grandes letras pretas. Viu que eu olhava para ele e sorriu. Acenou. Retribuí o aceno.

Sohrab devolveu a linha para mim.

— Tem certeza? — perguntei, pegando a linha. — Ele pegou o carretel da minha mão. — Tudo bem — concordei. — Vamos dar um *sabagh* nele, dar uma lição, certo? — Examinei sua expressão. O olhar vago e vítreo tinha sumido. Seus olhos saltavam entre a nossa pipa e a verde. O rosto estava um pouco afogueado, os olhos subitamente alertas. Despertos. Vivos. Refleti sobre o momento em que eu esquecera que, apesar de tudo, ele ainda era apenas uma criança.

A pipa verde estava se posicionando.

— Vamos esperar — sugeri. — Vamos deixar ele chegar mais perto. — A pipa mergulhou duas vezes e subiu em nossa direção. — Vem. Chega mais perto — pedi.

A pipa verde se aproximou ainda mais, agora subindo um pouco acima de nós, sem perceber a armadilha que eu tinha preparado.

— Olha só, Sohrab. Vou mostrar um dos truques favoritos do seu pai, o velho subir e mergulhar.

Ao meu lado, Sohrab respirava rápido pelo nariz. O carretel rolava na mão dele, os tendões do pulso lanhado como cordas de *rubab*. Deu uma piscada, e, por um instante, as mãos segurando o carretel eram as mãos calejadas e de unhas lascadas de um garoto com lábio leporino. Ouvi um corvo piar em algum lugar e olhei para cima. O parque cintilava com uma neve tão recente, tão branca e ofuscante que queimava os meus olhos. Espraiava-se em silêncio dos galhos das árvores cobertas de branco. Senti o aroma de *qurma* de nabo. Amoras secas. Laranjas azedas. Serragem e nozes. O silêncio abafado, o silêncio da neve, era ensurdecedor. Então, de longe, do outro lado daquela quietude, uma voz nos chamava para voltar para casa, a voz de um homem que arrastava a perna direita.

Agora a pipa verde pairava logo acima de nós.

— Ele vai atacar. A qualquer momento! — anunciei, os olhos dardejando entre Sohrab e a nossa pipa. A pipa verde hesitou. Manteve a posição. Depois mergulhou. — Lá vem ele! — avisei.

Minha ação foi perfeita. Depois de todos aqueles anos. A velha armadilha de subir e mergulhar. Larguei a mão e puxei a corda, mergulhando e desviando da pipa verde. Uma série de puxões de lado, e nossa pipa girou no sentido anti-horário, num semicírculo. De repente eu estava por cima. A pipa verde se agitou, em pânico. Mas era tarde demais. Eu já tinha completado o truque de Hassan. Puxei com força, e a nossa pipa mergulhou. Quase cheguei a sentir nossa linha cortando a dele. Quase ouvi o estalido.

Em seguida, do nada, a pipa verde estava girando fora de controle.

Atrás de nós as pessoas vibraram. Soaram assobios e aplausos. Eu estava ofegante. A última vez que tinha sentido esse tipo de entusiasmo fora naquele dia do inverno de 1975, logo depois de ter cortado a última pipa, quando avistei *baba* no nosso telhado, batendo palmas, sorrindo.

Olhei para Sohrab. Um canto da boca estava um pouco levantado.

Um sorriso.

Meio de lado.

Mal estava lá.

Mas estava.

Atrás de nós, garotos começaram a correr, e um bando de caçadores de pipa saiu gritando atrás da pipa que caía atrás das árvores. Pisquei os olhos, e o sorriso tinha desaparecido. Mas esteve lá. Eu tinha visto.

— Quer que eu corra pra pegar aquela pipa pra você? — O pomo de adão de Sohrab subiu e desceu quando ele engoliu. O vento agitou seu cabelo. Pensei tê-lo visto concordar. — Por você, faria mil vezes — ouvi a mim mesmo dizendo.

Virei e comecei a correr.

Foi só um sorriso, nada mais. Não corrigia nada. Não corrigia *coisa nenhuma*. Apenas um sorriso. Uma coisinha. Uma folha na floresta, balançando na esteira do voo de um pássaro assustado.

Mas eu aceitava. De braços abertos. Pois a primavera chega derretendo a neve a cada floco, e talvez eu tivesse visto o primeiro floco derreter.

Saí correndo. Um homem adulto correndo com um bando de crianças gritando. Mas não me importei. Corri com o vento batendo no rosto e um sorriso nos lábios tão largo como o vale de Panjsher.

Corri.

Agradecimentos

Tenho uma dívida de gratidão com os seguintes colegas por seus conselhos, ajuda e apoio: dr. Alfred Lerner, Dori Vakis, Robin Heck, dr. Todd Dray, dr. Robert Tull e dra. Sandy Chun. Agradeço também a Lynette Parker, da East San Jose Community Law Center, por sua orientação quanto aos procedimentos de adoção, e ao sr. Daoud Wahab, por partilhar comigo suas experiências no Afeganistão. Agradeço ao meu caro amigo Tamim Ansary, por sua orientação e apoio, e à turma do San Francisco Writers Workshop por suas informações e estímulo. Quero agradecer a meu pai, meu mais antigo amigo e inspiração para toda a nobreza de *baba*; minha mãe, que rezou por mim e fez *nazr* a cada etapa da feitura deste livro; a minha tia, por ter me comprado livros quando eu era novo. Obrigado também a Ali, Sandy, Daoud, Walid, Raya, Shalla, Zahra, Rob e Kader, por lerem minhas histórias. Quero agradecer ainda ao dr. e à sra. Kayoumy — meus outros pais —, pelo afeto e pelo apoio inabalável.

Preciso agradecer à minha agente e amiga, Elaine Koster, por sua sabedoria, paciência e atitude graciosa, assim como a Cindy Spiegel, minha atenta e criteriosa editora, que me ajudou a destrancar tantas portas nesta história. E gostaria de agradecer a Susan Petersen Kennedy por se arriscar neste livro, e pelo trabalho árduo da Riverhead na sua realização.

Por último, não sei como agradecer à minha adorável esposa, Roya — em cuja opinião estou viciado —, por sua bondade e encanto e por ter lido, relido e me ajudado a editar cada rascunho deste romance. Pela sua paciência e compreensão, sempre vou amá-la, Roya *jan*.

Este livro, composto na fonte Fairfield LH,
foi impresso em papel Ivory Slim 65g/m² na Corprint.
São Paulo, Brasil, julho de 2025.